O BARCO VAZIO

Dados Internacionais de Catalogação na Publicação (CIP)
(Câmara Brasileira do Livro, SP, Brasil)

Osho, 1931-1990.
O barco vazio : reflexões sobre as histórias de Chuang Tzu / Osho ; tradução Denise de C. Rocha Delela. — São Paulo : Cultrix, 2012.

Título original: The empty boat.
Bibliografia
ISBN 978-85-316-1211-4

1. Chuang Tzu 2. Taoismo I. Título.

12-12045 CDD-181.09514

Índices para catálogo sistemático:
1. Chuang Tzu : Taoismo : Filosofia 181.09514

OSHO

O BARCO VAZIO

REFLEXÕES SOBRE AS HISTÓRIAS DE CHUANG TZU

Tradução
DENISE DE C. ROCHA DELELA

Título original: *The Empty Boat*.

Texto de acordo com as novas regras ortográficas da língua portuguesa.

1ª edição 2012.

5ª reimpressão 2018.

Este livro é uma transcrição de palestras originais proferidas por OSHO ao público e publicadas originalmente sob o título *The Empty Boat*. Todas as palestras foram publicadas na íntegra em forma de livros, e estão disponíveis também na língua original em áudio e/ou vídeo. As gravações em áudio e os arquivos dos textos em língua original podem ser encontrados via on-line no site www.osho.com.

Coordenação editorial: Denise de C. Rocha Delela e Roseli de Sousa Ferraz
Preparação de originais: Maria Thereza Ornellas
Revisão: Liliane S. M. Cajado
Diagramação: Fama Editoração Eletrônica

Direitos de tradução para o Brasil
adquiridos com exclusividade pela
EDITORA PENSAMENTO-CULTRIX LTDA.
Rua Dr. Mário Vicente, 368 — 04270-000 — São Paulo, SP
Fone: (11) 2066-9000 — Fax: (11) 2066-9008
E-mail: atendimento@editoracultrix.com.br
http://www.editoracultrix.com.br
que se reserva a propriedade literária desta tradução.
Foi feito o depósito legal.

Sumário

Prefácio

Osho, você pode resumir os seus ensinamentos em poucas palavras, porque eu só vou ficar por aqui por um dia ou dois?

É impossível. Em primeiro lugar, não tenho nenhum ensinamento para resumir. Não sou professor, sou uma presença. Não tenho nenhum catecismo. Não posso dar a você dez mandamentos — faça isso, não faça aquilo.

E tudo o que eu digo hoje posso contradizer amanhã — porque o meu compromisso é com o momento. Seja o que for que eu tenha dito ontem, não estou mais comprometido com isso. No momento em que eu disse, fiquei livre. Agora não me preocupo mais com isso, não vou mais olhar para isso novamente. Tudo o que estou dizendo a você agora é verdade neste exato momento; amanhã não vou mais estar comprometido com isso. O que quer que o amanhã traga vou dizer. Seja o que for que o hoje tenha trazido estou dizendo a você agora. E se as minhas palavras forem contraditórias, quem sou eu para torná-las coerentes? Eu mesmo não faço nenhum esforço.

Meu compromisso é com o momento. Nunca estou comprometido com o passado. Sou como um rio: onde estarei amanhã ninguém sabe, nem eu mesmo. Você vai se surpreender, eu também ficarei surpreendido.

A pergunta deve ser de alguém que vem do continente que eu chamo de "Acirema" — a palavra "América" lida de trás para a frente. A América está às avessas. Tudo se tornou caótico. As pessoas estão com tanta pressa que se esqueceram de que existem algumas coisas que não se pode fazer às pressas, para as quais a paciência é uma exigência.

Você não pode conseguir a verdade com tanta pressa. A paciência é uma condição básica para isso. Não é como café instantâneo e não vem embalada numa lata. Ela não vem pronta. A verdade não é uma mercadoria que alguém pode lhe dar. Ela cresce em você.

Isso é o que quero dizer quando afirmo que sou uma presença, não sou um professor. Se você está aqui, algo pode crescer em você. Eu digo "pode" porque depende de você. Eu estou aqui. Se você estiver pronto para me receber, algo vai começar a crescer dentro de você. É como uma criança se tornando um jovem. Sim, a verdade é assim. A falsa personalidade se vai e chega o ser verdadeiro. É como uma criança se tornando um jovem, um jovem se tornando um velho. Não há maneira de apressar o processo. Você não pode fazer uma criança crescer rápido em uma noite, em um dia ou dois. Vai levar tempo. E é bom que leve tempo, porque só com o tempo as coisas amadurecem.

Não, eu não posso fazer isso, não posso resumir. Não tenho nenhum ensinamento. E, mesmo se tivesse, eu não iria resumi-lo, porque quanto mais você resume algo mais ele se torna menos vivo. O amor é grande, a vida é vasta; a lei é limitada.

A lei pode ser resumida, o amor não pode ser resumido. A lei é definida, mas a vida é excessiva. Você não pode resumir a vida, não pode haver uma sinopse da vida; você pode resumir a lei. Eu sou a vida. Não há como me resumir.

E eu ainda estou vivo, de modo que tudo o que você resumir eu vou destruir amanhã.

Quando você resume, pouco a pouco as coisas se tornam absurdas.

Nunca resuma nada que está vivo. Eu ainda estou vivo. Quando eu estiver morto e tiver partido, então as pessoas vão resumir. E vou causar a elas um monte de problemas. Não será uma coisa fácil. Elas vão enlouquecer. Será impossível me colocar numa sinopse.

Sempre foi assim. Você não pode resumir Buda. Por causa das sumarizações, muitas escolas surgiram. Buda morreu, então havia uma pergunta. As pessoas queriam resumir. Durante quarenta anos o homem ensinou — manhã, tarde, noite — por quarenta anos. Ele tinha falado um bocado, ele tinha dito muitas coisas, e agora tinha partido e seus ensinamentos tinham que ser resumidos.

A verdade não é como uma mercadoria. Quando vier até mim, se realmente quiser saber qual é a minha verdade, você tem que estar aqui. A minha verdade só pode ser expressa para você quando eu passar a conhecer a sua verdade também. Quando eu passar a conhecer você e você passar a me conhecer, nessa reunião ocorrerá o vislumbre. A verdade não pode ser dada a você. Você terá que recebê-la e terá que se preparar para ela. Você terá que se tornar um ser em completo relaxamento. Você terá que ser capaz de me absorver e permitir que eu mergulhe profundamente no seu coração.

Foi o que aconteceu...

No Museu Nacional de Amsterdã, um casal de idosos foi ver a obra-prima de Rembrandt "A Ronda Noturna". Depois de uma longa volta pelos muitos corredores, quando eles finalmente chegaram à famosa pintura, o porteiro ouviu o homem dizer à mulher: "Olhe, mas que bela moldura!"

A moldura podia ser bonita, mas você percebe que algo está faltando nessa admiração? Algo essencial se perdeu. Não estou dizendo que a moldura não fosse bonita, ela podia ser a moldura mais bonita do mundo, mas ir ver a obra-prima de Rembrandt "A Ronda Noturna" e falar sobre a moldura é um absurdo! Mesmo ver a moldura é tolice, estupidez. A pintura não é a moldura. A moldura não tem nada a ver com a pintura.

O que estou dizendo é só uma moldura, o que eu sou é a pintura. Olhe para a obra-prima e não se incomode com a moldura.

Capítulo 1

A TORRADA ESTÁ QUEIMADA

Aquele que governa os homens vive na confusão;
Aquele que é governado pelos homens vive na tristeza.
Yao, portanto, não desejava
Nem influenciar os outros
Nem ser influenciado por eles.
A chave para dissipar a confusão
E ficar livre da dor
É viver com o Tao
Na terra do grande Vazio.
Se um homem estiver atravessando um rio
E um barco vazio colidir com a sua própria embarcação,
Mesmo que ele seja um homem mal-humorado
Não vai ficar muito irritado.
Mas se vir um homem no outro barco,
Ele vai gritar com ele para que reme direito.
Se o seu grito não for ouvido, ele vai gritar de novo,
E mais uma vez, e começará a xingar.
Tudo porque há alguém no barco.
Se o barco estivesse vazio,
Ele não estaria gritando nem ficaria com raiva.

Se você conseguir esvaziar o seu barco
Ao atravessar o rio do mundo,
Ninguém vai se opor a você,
Ninguém vai tentar lhe fazer mal.

A árvore reta é a primeira a ser cortada,
A fonte de águas límpidas é a primeira a ser secada.
Se deseja melhorar sua sabedoria
E envergonhar o ignorante,
Cultivar o seu caráter
E ofuscar os outros;
Uma luz brilhará à sua volta
Como se tivesse engolido o Sol e a Lua:
Você não evitará a catástrofe.

Um sábio já dizia:
"Aquele que se contenta consigo
Fez uma obra inútil.
O sucesso é o começo do fracasso,
A fama é a origem da desgraça."

Quem pode se libertar do sucesso
E da fama, e descer e se perder
Em meio à massa humana?
Esse fluirá como o Tao, invisível,
Avançará como a própria vida
Sem nome e sem lar.
É simples e não faz distinção.
Aparentemente é um tolo.
Seus passos não deixam rastro.
Não tem nenhum poder.
Nada consegue, não tem reputação.
Como não julga ninguém,
Ninguém o julga.
Assim é o homem perfeito:
Seu barco está vazio.

Você veio até mim. Deu um passo perigoso. Correu um risco, porque perto de mim você pode se perder para sempre. Chegar mais perto vai significar a morte e não pode significar outra coisa. Sou como um abismo. Aproxime-me e você vai cair dentro de mim. E para isso, o convite foi feito. Você ouviu e veio.

Esteja ciente de que por meu intermédio você não vai ganhar nada. Por meu intermédio você só pode perder tudo — porque, a menos que você esteja perdido, o divino não poderá acontecer, a menos que você desapareça totalmente, o real não poderá surgir. Você é a barreira.

E você é tanto, e tem tanta teimosia, você é tão cheio de si mesmo que nada pode penetrar em você. As suas portas estão fechadas. Quando você desaparece, quando você não está, as portas se abrem. Então você se torna simplesmente como o céu vasto e infinito.

Essa é a sua natureza. Esse é o Tao.

Antes de começar a bela parábola de Chuang Tzu, O Barco Vazio, eu gostaria de contar outra história, porque isso vai definir a tendência desse retiro de meditação em que você está entrando.

Eu ouvi...

Aconteceu uma vez, em algum tempo antigo, em algum país desconhecido, que um príncipe de repente enlouqueceu. O rei ficou desesperado — o príncipe era seu único filho, o único herdeiro do reino. Todos os magos foram chamados, os milagreiros, os médicos foram convocados, todo esforço foi feito, mas em vão. Ninguém conseguiu ajudar o jovem príncipe, que continuou louco.

No dia em que ficou louco, ele jogou fora suas roupas, ficou nu e passou a viver debaixo de uma grande mesa. Ele achou que tinha se tornado um galo. Por fim, o rei teve que aceitar o fato de que o príncipe não se recuperaria. Ele tinha ficado permanentemente insano, pois todos os especialistas tinham fracassado.

Mas, um dia, mais uma vez a esperança raiou. Um sábio, um sufi, um místico, bateu na porta do palácio e disse: "Peço uma chance de curar o príncipe."

O rei ficou desconfiado, porque esse homem parecia, ele próprio, um louco ainda mais louco do que o príncipe. Mas o místico disse: "Só eu posso curá-lo. Para curar um louco, é necessário um louco ainda maior.

E seus milagreiros, seus médicos especialistas, todos falharam, porque eles não sabem o á-bê-cê da loucura. Nunca percorreram esse caminho."

Parecia lógico, então o rei pensou: *Que mal pode haver? Por que não tentar?* Então, deram a ele uma oportunidade.

No momento em que o rei disse: "Tudo bem, você pode tentar", esse místico jogou fora as roupas, saltou para debaixo da mesa e cantou como um galo.

O príncipe ficou desconfiado, e disse: "Quem é você? E o que acha que está fazendo?"

O velho disse: "Eu sou um galo mais experiente que você. Você não é nada, é apenas um recém-chegado, no máximo um aprendiz."

O príncipe disse: "Então, tudo bem se você também for um galo, mas parece um ser humano."

O velho disse: "Não vá pelas aparências, olhe para o meu espírito, a minha alma. Eu sou um galo como você."

Eles se tornaram amigos. Prometeram um ao outro que sempre viveriam juntos — e o mundo inteiro estava contra eles.

Alguns dias se passaram. Um dia o velho de repente começou a se vestir. Ele colocou a camisa. O príncipe disse: "O que você está fazendo? Ficou louco? Um galo tentando colocar uma roupa humana?"

O velho disse: "Estou apenas tentando enganar os tolos, esses seres humanos. E, lembre-se, mesmo que eu esteja vestido, nada mudou. Minha natureza de galo permanece, ninguém pode mudar isso. Apenas por me vestir como um ser humano você acha que eu mudei?" O príncipe teve de concordar.

Poucos dias depois o velho convenceu o príncipe a se vestir, porque o inverno estava chegando e estava cada vez mais frio.

Então, um dia, de repente, o velho pediu comida do palácio. O príncipe ficou muito ressabiado e disse: "Seu patife, o que quer dizer com isso? Você vai comer como os seres humanos? Como eles? Somos galos e temos que comer como galos."

O velho disse: "Nada faz nenhuma diferença no que diz respeito a este galo. Você pode comer qualquer coisa e pode desfrutar de tudo. Você pode viver como um ser humano e permanecer fiel à sua natureza de galo."

Pouco a pouco o velho convenceu o príncipe a retornar ao mundo da humanidade. Ele tornou-se absolutamente normal.

O mesmo acontece com você e comigo. E, lembre-se, você está apenas se iniciando, é um iniciante. Você pode pensar que é um galo, mas está apenas aprendendo o alfabeto. Eu sou um veterano, e só eu posso ajudá-lo — todos os especialistas fracassaram, por isso você está aqui. Você tem batido em muitas portas, durante muitas vidas esteve nessa busca — nada ajudou você.

Mas eu digo que posso ajudá-lo porque não sou um especialista, não sou alguém de fora. Tenho viajado pelo mesmo caminho, pela mesma insanidade, pela mesma loucura. Eu passei pelo mesmo que você — a mesma miséria, a angústia, os mesmos pesadelos. E tudo o que estou fazendo não é nada além de persuadi-lo a sair da sua loucura.

Pensar que você é um galo é maluquice; pensar que você é um corpo é maluquice também, mais maluquice ainda. Pensar que você é um galo é loucura; pensar que você é um ser humano é uma loucura ainda maior — porque você não pertence a nenhuma forma. Seja de um galo ou de um ser humano, a forma é irrelevante — você pertence ao sem forma, você pertence ao total, ao todo. Assim, seja qual for a forma que você pensa que tem, você está louco. Você é sem forma. Você não pertence a nenhuma forma, e você não pertence a nenhum organismo, você não pertence a nenhuma casta, religião, credo; você não pertence a nenhum nome. E, a menos que você se torne sem forma, sem nome, você nunca será saudável.

Sanidade significa chegar ao que é natural, chegar ao que é perfeito em você, ao que está escondido atrás de você. Muito esforço é necessário porque para cortar a forma, deixar para trás e eliminar a forma, é muito difícil. Você se tornou muito apegado e identificado a ela.

Este *Samadhi Sadhana Shibir*, este campo de meditação, nada mais é do que persuadi-lo a seguir na direção do sem forma — como não ficar na forma. Toda forma significa ego; até mesmo um galo tem seu ego, e o homem também tem o seu. Toda forma é centrada no ego. Sem forma significa sem ego; você não está mais centrado no ego, o seu centro está em toda parte ou em parte alguma. Isso é possível, isso que parece quase impossível é possível, porque aconteceu comigo. E, quando eu falo, falo por experiência.

Seja o que você for, eu fui; e, seja o que for que eu seja, você pode ser. Olhe para mim o mais profundamente possível e sinta-me tão profundamente quanto possível, porque eu sou o seu futuro, eu sou a sua possibilidade.

Sempre que eu digo para você se render a mim, quero dizer se render a essa possibilidade. Você pode ser curado, porque a sua doença é apenas um pensamento. O príncipe ficou louco porque se identificou com o pensamento de que era um galo. Todo mundo é louco, a menos que chegue a compreender que não está identificado com nenhuma forma — só então vem a sanidade.

Uma pessoa sã, portanto, não será ninguém em particular, não pode ser. Só um louco pode ser alguém em particular — seja um galo ou um homem, ou um primeiro-ministro ou um presidente, qualquer coisa, seja o que for. Uma pessoa sã passa a sentir a condição de ser um ninguém.

Esse é o perigo...

Você veio até mim como alguém e, se me permitir, se me der uma oportunidade, essa condição de ser alguém pode desaparecer e você pode se tornar um ninguém. Todo o esforço é nesse sentido — torná-lo um ninguém. Mas por quê? Por que esse esforço para se tornar um ninguém? Porque, a menos que se torne um ninguém, você não poderá ser feliz; a menos que se torne um ninguém, você não poderá ficar em êxtase; a menos que se torne um ninguém, a bênção não se derramará sobre você — você continuará desperdiçando sua vida.

Na realidade você não está vivo, você simplesmente se arrasta por aí, simplesmente carrega a si mesmo como um fardo. Muita angústia acontece, muito desespero, muita tristeza, mas nem um único fulgor de felicidade — ela não pode acontecer. Se você é alguém, você é como um bloco sólido de pedra, nada pode penetrar em você. Quando você é ninguém, você começa a se tornar poroso. Quando você é ninguém, você é na verdade um vazio, transparente, tudo pode passar através de você. Não existe nenhum impedimento, não existe nenhuma barreira, nenhuma resistência. Você se torna uma passividade, uma porta.

Neste exato momento você é como uma parede; uma parede significa alguém. Quando se torna uma porta, você se tornará ninguém. Uma porta é apenas um vazio, qualquer um pode passar, não existe nenhuma resistência, nenhuma barreira. Se é alguém, você está louco; se é ninguém, você pela primeira vez se tornará sadio.

Mas toda a sociedade, educação, civilização, cultura, todas elas cultivam você e o ajudam a se tornar alguém. É por isso que eu digo que a religião é contra a civilização, a religião é contra a educação, a religião é contra a cultura — porque a religião é a favor da natureza, é a favor do Tao.

Todas as civilizações são contra a natureza, porque elas querem fazer de você alguém em particular. E quanto mais você se cristaliza como alguém, menos o divino pode penetrar em você.

Você vai aos templos, às igrejas, aos sacerdotes, mas ali também você está em busca — como tornar-se alguém no outro mundo, como alcançar algo, como obter sucesso? A mente em busca de conquistas segue você como uma sombra. Aonde quer que você vá, você vai com a ideia de lucro, de realização, de sucesso, de resultado. Se alguém veio aqui com essa ideia, essa pessoa deve sair o mais breve possível, deve fugir o mais rápido possível de mim, porque não posso ajudá-la a se tornar alguém.

Eu não sou seu inimigo. Só posso ajudá-lo a ser ninguém. Só posso empurrá-lo para o abismo sem fundo. Você nunca vai chegar a lugar nenhum, você vai simplesmente se dissolver. Você vai cair, cair e cair e se dissolver, e, no momento em que se dissolve, toda a existência entra em êxtase. Toda a existência celebra esse acontecimento.

Buda alcançou isso. Por causa do idioma eu digo "alcançou" — do contrário, a palavra é feia, porque nada foi alcançado, mas você vai entender. Buda alcançou esse vazio, esse nada. Durante duas semanas, por catorze dias, continuamente, ele se sentou em silêncio, sem se mover, sem dizer nada, sem fazer nada.

Dizem que as divindades no céu ficaram preocupadas — raramente acontece de alguém se tornar um vazio tão absoluto. Toda a existência sentiu uma celebração, as divindades vieram. Fizeram uma reverência diante de Buda e disseram: "É preciso que diga alguma coisa, que diga o que você alcançou." Dizem que Buda riu e disse: "Eu não alcancei nada; mas sim, por causa dessa mente, que sempre quer alcançar alguma coisa, eu estava perdendo tudo. Eu não alcancei nada, isso não é uma conquista; pelo contrário, o conquistador desapareceu. Eu não existo mais, veja a beleza disso", disse Buda. "Quando eu existia, era infeliz, e, agora que eu não existo mais, tudo é feliz, a felicidade se derrama continuamente sobre mim, em todos os lugares. Agora não há mais sofrimento."

Buda havia dito antes: "A vida é sofrimento, o nascimento é sofrimento, a morte é sofrimento — tudo é sofrimento." Era sofrimento porque o ego estava lá. O barco não estava vazio. Agora, o barco estava vazio, agora não havia mais sofrimento, nenhum pesar, nenhuma tristeza. A existência se tornara uma celebração e permaneceria uma celebração pela eternidade, para sempre.

É por isso que eu digo, é perigoso que você tenha vindo até mim. Você deu um passo arriscado. E, se você for corajoso, então, esteja pronto para o salto.

Todo o esforço é no sentido de matá-lo; todo o esforço é como destruir você. Uma vez destruído, o indestrutível virá à tona — ele está lá, escondido. Depois que tudo o que não é essencial for eliminado, o essencial será como uma chama — vivo em sua glória total.

Esta parábola de Chuang Tzu é linda. Ele diz que um homem sábio é como um barco vazio.

Assim é o homem perfeito —
seu barco está vazio.

Não há ninguém dentro.

Se você encontrar alguém como Chuang Tzu, Lao Tsé ou eu, o barco estará ali, mas ele estará vazio — não haverá ninguém nele. Se você simplesmente olhar para a superfície, então verá alguém lá, porque o barco está lá. Mas, se penetrar mais profundamente, se realmente se tornar íntimo do meu ser, se esquecer o corpo, o barco, então você acabará por encontrar um nada.

Chuang Tzu é uma flor rara, porque tornar-se ninguém é a coisa mais difícil, quase impossível, a coisa mais extraordinária do mundo.

A mente comum anseia por ser extraordinária, o que faz parte do ordinarismo; a mente ordinária deseja ser alguém em particular, o que faz parte do ordinarismo. Você pode se tornar um Alexandre, mas continuará sendo ordinário, comum — então quem é extraordinário? O extraordinário só começa quando você não anseia pelo extraordinário. Então a viagem começou, então, uma nova semente brotou.

Isso é o que Chuang Tzu quer dizer quando afirma: "Um homem perfeito é como um barco vazio". Muitas coisas estão implícitas nisso. Em primeiro lugar, um barco vazio não vai a lugar nenhum, porque não há ninguém para dirigi-lo, ninguém para manipulá-lo, ninguém para encaminhá-lo a algum lugar. Um barco vazio está apenas ali, não está indo a lugar nenhum. Mesmo que esteja se movendo, não estará indo a lugar nenhum.

Se a mente não está ali, a vida continuará a ser um movimento, mas não vai ser dirigida. Você vai se mover, você vai mudar, você será um fluxo como um rio, mas não estará indo a lugar nenhum, não terá nenhum objetivo em vista. Um homem perfeito vive sem nenhuma finalidade; um homem perfeito avança, mas sem nenhuma motivação. Se você perguntar a um homem perfeito: "O que você está fazendo?", ele dirá: "Eu não sei, isso é o que está acontecendo." Se você me perguntar por que estou falando com você, eu vou dizer: "Pergunte à flor por que a flor está florescendo." Isso está acontecendo, não é algo manipulado. Não há ninguém para manipulá-lo, o barco está vazio. Se existir um propósito, você sempre viverá em sofrimento. Por quê?

Uma vez um homem perguntou a um avarento, um grande avarento: "Como você conseguiu acumular tantas riquezas?"

O avarento disse: "Este tem sido o meu lema: tudo o que é para ser feito amanhã tem que ser feito hoje, e tudo o que é para ser desfrutado hoje tem que ser desfrutado amanhã. Esse tem sido o meu lema." Ele conseguiu acumular riquezas — essa também é a maneira como as pessoas conseguem acumular absurdos.

O avarento também era infeliz. Por um lado, ele conseguiu acumular riqueza; por outro lado, conseguiu acumular infelicidade. O lema é o mesmo para o acúmulo da infelicidade: tudo o que é para ser feito amanhã, faça hoje, agora, não adie. E tudo o que pode ser desfrutado agora, não desfrute agora, adie para amanhã.

Esse é o caminho para entrar no inferno. É sempre bem-sucedido, nunca é um fracasso. Experimente e você vai ter sucesso — ou, talvez, já tenha conseguido. Você pode estar tentando sem saber. Adie tudo o que pode ser desfrutado agora, só pense no amanhã.

Jesus foi crucificado pelos judeus por essa razão, por nenhuma outra. Não que eles fossem contra Jesus — ele era um homem perfeito, um belo homem, por que os judeus eram contra ele? Pelo contrário, eles estavam esperando por esse homem. Durante séculos eles tiveram esperança de que ele viesse e esperaram: "Quando o Messias virá?"

E, de repente, esse Jesus declarou: "Eu sou o Messias por quem vocês estavam esperando, e estou aqui. Agora olhem para mim."

Eles ficaram perturbados — porque a mente pode esperar, ela sempre gosta de esperar —, mas a mente não consegue encarar o fato, não consegue enfrentar esse momento. Ela sempre pode adiar.

Era fácil adiar: "O Messias está para vir, em breve ele virá..." Durante séculos os judeus tinham pensado e adiado e, de repente, esse homem acabou com toda a esperança, porque ele disse: "Eu estou aqui." A mente ficou perturbada. Eles tiveram que matar esse homem, caso contrário não teriam sido capazes de viver com esperança para o amanhã.

E não só Jesus, muitos outros declararam desde então: "Eu estou aqui, eu sou o Messias!" E os judeus sempre negaram, porque, se eles não negassem, então como conseguiriam manter a esperança e como poderiam adiar? Eles viviam com essa esperança tão fervorosa, com uma intensidade tão profunda, que não dá para acreditar. Havia judeus que iam para a cama à noite com a esperança de que seria a última noite, de que pela manhã o Messias estaria ali.

Ouvi falar de um rabino que costumava dizer à mulher: "Se ele vier à noite, não perca um só minuto, me acorde imediatamente." O Messias está vindo, ele pode chegar a qualquer momento.

Ouvi falar de outro rabino — o filho dele ia se casar, por isso ele enviou convites de casamento para os amigos e escreveu no convite: "Meu filho vai se casar em Jerusalém, em tal e tal data, mas, se o Messias ainda não tiver chegado até então, meu filho vai se casar nesta aldeia de Korz. Quem sabe, no dia do casamento, o Messias já não chegou. Então eu não vou estar aqui, vou estar em Jerusalém, comemorando. Mas, se ele não vier até a data do casamento, o casamento será aqui nesta aldeia; caso contrário, será em Jerusalém."

Eles estão esperando, esperando e sonhando. Toda a mente judaica é obcecada com a vinda do Messias. Mas, sempre que o Messias vem, eles imediatamente o negam. Isso tem de ser compreendido. É desse modo que a mente funciona: você espera pela felicidade, pelo êxtase e, sempre que eles vêm, você nega, simplesmente vira as costas para eles.

A mente pode viver no futuro, mas não pode viver no presente. No presente, você pode simplesmente ter esperança e desejar. E é assim que você cria o sofrimento. Se você começar a viver neste momento, aqui e agora, o sofrimento desaparece.

Mas como isso está relacionado ao ego? O ego é todo o passado acumulado. Tudo o que você conheceu, vivenciou, leu, tudo o que aconteceu a você no passado, o todo é acumulado ali. Todo esse passado é o ego, é você.

O passado pode se projetar no futuro — porque o futuro não é senão o passado estendido. O passado não pode enfrentar o presente — o presente é totalmente diferente, tem a qualidade de ser aqui e agora. O passado está sempre morto, o presente é a vida, a fonte de toda a vivacidade. O passado não pode enfrentar o presente, por isso se transporta para o futuro — ambos estão mortos, ambos são não existenciais. O presente é a vida; nem o futuro pode encontrar o presente, nem o passado pode encontrar o presente. E seu ego, sua condição de ser alguém, é o seu passado. A menos que esteja vazio você não pode estar aqui, e a menos que esteja aqui você não pode estar vivo.

Como você pode conhecer a felicidade da vida? Ela está se derramando sobre você a cada instante e você a está ignorando.

Diz Chuang Tzu:

Assim é o homem perfeito —
seu barco está vazio.

Vazio de quê? Vazio do *eu*, vazio do ego, vazio de alguém lá dentro.

Aquele que governa os homens, vive na confusão;
Aquele que é governado pelos homens vive na tristeza.

Aquele que governa os homens vive na confusão...

Por quê? Porque o desejo de governar vem do ego; o desejo de possuir, de ser poderoso, o desejo de dominar, vem do ego. Quanto maior o reino que você pode dominar, maior será o ego que você pode conseguir. Com suas posses, seu alguém interior vai ficando cada vez maior. Às vezes, o barco fica muito pequeno e o ego fica muito grande.

Isso é o que está acontecendo com os políticos, com as pessoas obcecadas pela riqueza, o prestígio, o poder. Seus egos se tornaram tão grandes que os barcos não podem contê-los. A todo o momento eles estão a ponto de se afogar, no limite, com medo, assustados com a morte. E quanto mais medo você tem, mais possessivo você se torna, porque você acha que através das posses de algum modo terá segurança. Quanto mais medo você tiver, mais vai achar que, se o seu reino pudesse ser um pouco maior, você poderia estar mais seguro.

Aquele que governa os homens vive na confusão...

Na realidade, o desejo de governar origina-se da sua confusão, o desejo de ser líder de homens origina-se da sua confusão. Quando você começa a liderar os outros, você se esquece da sua própria confusão — essa é uma espécie de escape, um truque. Você está doente, mas, se alguém está doente e você fica interessado em curar essa pessoa, você se esquece da sua própria doença.

Eu ouvi...

Uma vez George Bernard Shaw telefonou para o médico e disse: "Estou com muitos problemas e sinto que o coração vai falhar. Venha imediatamente!"

O médico foi correndo. Ele teve que subir três lances de escadas, suando. Entrou e, sem dizer nada, apenas caiu numa cadeira e fechou os olhos. Bernard Shaw saltou da cama e perguntou: "O que aconteceu?"

O médico disse: "Não diga nada. Parece que eu estou morrendo. É um ataque cardíaco."

Bernard Shaw começou a ajudá-lo; trouxe uma xícara de chá, uma aspirina, tudo o que podia fazer. Dentro de meia hora, o médico estava bem. E então ele disse: "Agora tenho que ir, pague a minha consulta."

George Bernard Shaw disse: "Isso é um absurdo. Você é quem deveria me pagar! Fiquei meia hora correndo de um lado para o outro, fazendo coisas para você, e você nem sequer perguntou sobre mim."

Mas o médico disse: "Eu curei você. Isso é um tratamento e você tem que me pagar a visita."

Quando você se interessa pela doença de outra pessoa, você se esquece da sua, por isso existem tantos líderes, tantos gurus, tantos mestres. Isso lhe dá uma ocupação. Se você está preocupado com outras pessoas, se você é um servo do povo, um trabalhador social, que ajuda os outros, você vai se esquecer da sua própria confusão, do seu tumulto interior — você fica muito ocupado.

Os psiquiatras nunca enlouquecem — não porque sejam imunes a isso, mas porque vivem tão preocupados com a cura das outras pessoas e em ajudar a curar a loucura delas, que se esquecem completamente de que eles também podem enlouquecer.

Conheci muitos assistentes sociais, líderes, políticos, gurus, e eles permanecem saudáveis só porque estão preocupados com os outros.

Mas, se você lidera outras pessoas, domina outras pessoas, levado pela sua confusão interior, você vai criar confusão na vida delas. Pode ser um tratamento para você mesmo, pode ser uma boa fuga para você, mas é o mesmo que espalhar a doença.

Aquele que governa os homens vive na confusão...

E não só vive na confusão, como também espalha a confusão e contagia os outros. Confusão só gera confusão.

Se você está confuso, lembre-se — não ajude ninguém, porque a sua ajuda vai ser venenosa. Se você está confuso, não se ocupe com os outros, porque você está simplesmente criando problema, sua doença se tornará infecciosa. Não dê conselhos a ninguém; e se você tiver um pouco de clareza mental, não aceite conselhos de alguém que esteja confuso. Fique alerta, porque as pessoas confusas sempre gostam de dar conselhos. E elas os dão gratuitamente, com muita generosidade. Fique alerta! Da confusão só nasce confusão.

... aquele que é governado pelos homens vive na tristeza.

Se você domina os homens, você vive na confusão; se permitir que os outros dominem você, você vai viver na tristeza, porque um escravo não pode ser feliz.

Yao, portanto, não desejava
Nem influenciar os outros
Nem ser influenciado por eles.

Alguém de nome Yao — Chuang Tzu está falando desse homem.

Yao, portanto, não desejava
Nem influenciar os outros
Nem ser influenciado por eles.

Você não deve tentar influenciar ninguém — e você deve ficar alerta, para não ser influenciado pelas outras pessoas. O ego pode fazer as duas coisas, mas não pode permanecer no meio. O ego pode tentar influenciar, então acha bom dominar, mas lembre-se de que o ego também se sente bem sendo dominado. Os amos se sentem bem, porque muitos escravos são dominados, e os escravos também se sentem bem sendo dominados.

Existem dois tipos de espírito no mundo: a mente daqueles que dominam — a mente masculina — e a mente daqueles que gostam de ser dominados — a mente feminina. Quando digo feminino não me refiro às mulheres; nem quando digo masculino, me refiro aos homens. Existem mulheres que têm mentes masculinas e existem homens que têm mentes femininas. Elas não são sempre iguais.

Estes são os dois tipos de mente: um que gosta de dominar e o outro que gosta de ser dominado. Em ambas as maneiras, o ego é satisfeito, porque, quer você domine quer seja dominado, você é importante. Se alguém domina você, então você também é importante, porque o domínio dele depende de você. Sem você, onde ele estaria? Sem você, onde seria o seu reino, seu domínio, sua posse? Sem você, ele não seria ninguém. O ego é satisfeito em ambos os extremos; apenas no meio é que o ego morre. Não seja dominado e não tente dominar.

Basta pensar no que vai acontecer a você. Você não vai ser importante em nenhum sentido, não vai ser significativo de maneira alguma, nem como amo nem como escravo. Os amos não podem viver sem escravos e os escravos não podem viver sem amos — eles precisam um do outro, se complementam. Assim como o homem e a mulher se complementam. O outro é necessário para a sua satisfação.

Não seja nenhum dos dois. Então, quem é você? Então, de repente, você desaparece, porque você não é mais significativo de maneira alguma, ninguém depende de você, você não é mais necessário.

Existe uma grande necessidade, entre as pessoas, de ser necessário. Lembre-se, você se sente bem sempre que é necessário. Às vezes, mesmo que isso traga infelicidade a você, você adora ser necessário.

Uma criança deficiente, sempre na cama, e a mãe sempre dizendo: "O que vou fazer? Eu tenho que servir essa criança e toda a minha vida está sendo desperdiçada." Mas, ainda assim, se essa criança morre, a mãe vai se sentir perdida, porque, pelo menos essa criança precisava dela a tal ponto que ela se tornou importante.

Se não há ninguém que precise de você, quem é você? Você cria a necessidade de ser necessário. Até mesmo os escravos são necessários.

Yao, portanto, não desejava
Nem influenciar os outros
Nem ser influenciado por eles.
A chave para dissipar a confusão
E ficar livre da dor
É viver com o Tao
Na terra do vazio.

Esse ponto intermediário é a terra do vazio, ou a porta para a terra do vazio — quando você não é nada, ninguém precisa de você e você não precisa de ninguém. Você vive como se não existisse. Se você não é significativo, o ego não pode continuar existindo. É por isso que você vai continuar tentando se tornar significativo, de uma forma ou de outra. Sempre que você sente que é necessário, você se sente bem. Mas essa é a sua infelicidade e confusão, e essa é a base do seu inferno.

Como você pode ser livre? Olhe para esses dois extremos. Buda chamou sua religião de o caminho do meio, *majjhim nikaya*. Chamou-a de o caminho do meio porque disse que a mente vive nos extremos. Depois que você passa a ficar no meio, a mente desaparece. No meio não existe mente.

Você já viu um equilibrista? Da próxima vez que vir um, observe. Sempre que o equilibrista se inclina para a esquerda, ele imediatamente tem que se mover para a direita para se equilibrar e, sempre que ele sente que está indo muito para a direita, tem que se inclinar para a esquerda.

Você tem que ir para o oposto para criar equilíbrio. Por isso os amos se tornam escravos, os escravos se tornam amos; possuidores se tornam possuídos, possuídos se tornam possuidores. Isso nunca acaba, é um equilíbrio contínuo.

Você já observou isso em seus relacionamentos? Se você é marido de alguém, você é realmente um marido 24 horas por dia? Então você não observou. Em 24 horas a mudança acontece, pelo menos, 24 vezes — às vezes a esposa é o marido e o marido é a esposa, às vezes o marido volta a ser o marido e a esposa é novamente a esposa.

E isso continua mudando da esquerda para a direita. É como andar na corda bamba. Você tem que se equilibrar. Você não pode dominar durante 24 horas, porque então o equilíbrio será perdido e o relacionamento, destruído.

Sempre que o equilibrista vai para o meio, não se inclinando para a direita nem para a esquerda, a menos que você mesmo seja o equilibrista na corda bamba, é difícil para você observar; no meio a mente desaparece. No Tibete, andar na corda bamba é uma prática usada como meditação, porque no meio a mente desaparece. A mente passa a existir novamente quando você se inclina para a direita; então a mente volta a existir e diz: "Equilibre-se, incline-se para a esquerda."

Quando surge um problema, a mente surge. Se não existe nenhum problema, como a mente pode surgir? Quando você está apenas no meio, totalmente equilibrado, não há mente. O equilíbrio significa "não mente".

Uma mãe, eu ouvi, estava muito preocupada com o filho. Ele tinha 10 anos e ainda não tinha falado nem uma única palavra. Todo esforço foi feito, mas os médicos diziam: "Não há nada de errado, o cérebro é perfeito. O corpo está em forma, a criança é saudável, e nada pode ser feito. Se houvesse algo errado, então haveria o que fazer."

Mas ainda assim a criança não falava. Então, de repente, um dia, pela manhã, o filho disse: "Esta torrada está queimada."

A mãe mal pôde acreditar. Ela olhou para ele, ficou com medo, e disse: "O quê!? Você falou? E falou tão bem! Então por que vivia calado? Tentamos de tudo e você nunca falou."

A criança disse: "Não havia nada errado. Pela primeira vez a torrada está queimada."

Se não há nada de errado por que você deveria falar?

As pessoas me procuram e dizem: "Você continua dando palestras todos os dias..." Eu digo: "Sim, porque muitas pessoas erradas continuam vindo aqui e ouvindo. Há tanta coisa errada que eu tenho que falar. Se nada estivesse errado, então não haveria necessidade de falar. Falo por causa de vocês, porque a torrada está queimada."

Sempre que a mente está no meio, entre qualquer extremo ou polaridade, ela desaparece. Experimente. Andar na corda é um exercício bonito, e um dos métodos mais sutis de meditação. Nada mais é necessário. Você pode observar o equilibrista em si mesmo, o modo como isso acontece.

E, lembre-se, sobre a corda o pensamento para, porque você está em perigo. Você não pode pensar. No momento em que pensar, você cairá. O equilibrista não pode pensar, ele tem que estar atento a cada momento. O equilíbrio tem de ser mantido continuamente. O equilibrista não pode se sentir seguro, ele não está seguro; não pode se sentir a salvo, ele não está a salvo. O perigo está sempre à espreita — a qualquer momento, uma ligeira alteração no equilíbrio e ele cairá — e a morte o aguarda.

Se andar numa corda bamba, você vai sentir duas coisas: o pensamento para, porque existe o perigo e, sempre que você realmente for para o meio, nem para a esquerda, nem para a direita, ficar apenas no ponto médio, um grande silêncio desce sobre você, um silêncio que você nunca conheceu antes. E isso acontece em todos os sentidos. Toda a vida é uma caminhada na corda bamba.

...Yao, portanto, desejava permanecer no meio — nem ser dominado nem ser dominante; nem ser marido nem ser esposa; nem ser amo nem ser escravo.

A chave para dissipar a confusão
E ficar livre da dor
É viver com o Tao
Na terra do vazio.

No meio a porta se abre — a terra do vazio. Quando você não está presente, o mundo inteiro desaparece, porque o mundo paira sobre você. Todo o mundo que você criou em torno de você paira sobre você. Se você não está ali, o mundo todo desaparece.

Não que a existência vá virar inexistência, não é isso. Mas o mundo desaparece e aparece a existência. O mundo é uma criação da mente; a existência é a verdade. Essa casa vai existir, mas não vai ser sua. A flor vai existir, mas a flor vai passar a não ter nome. Ela não será nem bonita nem feia. Ela vai existir, mas nenhum conceito vai surgir em sua mente. Todo o quadro conceitual desaparece. A existência, nua, despida, inocente, continua ali, na sua existência pura como um espelho. Todos os conceitos, todas as imaginações, e todos os sonhos desaparecem na terra do vazio.

Se um homem estiver atravessando um rio
E um barco vazio colidir com a sua própria embarcação,
Mesmo que ele seja um homem mal-humorado
Não vai ficar muito irritado.
Mas se vir um homem no outro barco,
Ele vai gritar com ele para que reme direito.
Se o seu grito não for ouvido, ele vai gritar de novo,
E mais uma vez, e começará a xingar —
Tudo porque há alguém no barco.
Se o barco estivesse vazio,
Ele não estaria gritando nem ficaria com raiva.

Se as pessoas continuam colidindo com você e se continuam com raiva de você, lembre-se, elas não têm culpa. Seu barco não está vazio. Elas estão com raiva porque você está lá. Se o barco estiver vazio, elas vão parecer tolas, se estiverem com raiva vão parecer tolas.

Aqueles que são muito chegados a mim às vezes ficam com raiva e parecem muito tolos. Se o barco estiver vazio, você não vai nem ser alvo da raiva dos outros, porque não há ninguém de quem ficar com raiva, eles nem olharão para você. Então, lembre-se, se as pessoas continuam colidindo com você, é porque você é uma grande parede sólida. Arranje uma porta, torne-se vazio, deixe-as passar.

Mas, mesmo assim, às vezes as pessoas ficam com raiva — elas se zangam até mesmo com um buda. Porque existem pessoas tolas — se o barco delas se choca com um barco vazio, elas nem olham para ver se há alguém nele ou não. Elas começam a gritar, ficam tão embaralhadas dentro de si mesmas que não são capazes de enxergar se há alguém no barco ou não.

Mas, mesmo assim, o barco vazio pode apreciar a situação, porque nunca a raiva atinge você; você não está lá, então em quem ele pode bater?

Esse símbolo do barco vazio é realmente muito bonito. As pessoas estão com raiva porque você está muito presente ali, porque você é muito pesado — tão sólido que elas não podem passar. E a vida está entrelaçada com todas as pessoas. Se você é uma presença excessiva, então em toda a parte haverá colisão, raiva, depressão, agressão, violência — o conflito continua.

Sempre que você sente que alguém está com raiva ou que alguém colidiu com você, você acha que o outro é responsável. Esse é o modo como a ignorância conclui, interpreta. A ignorância sempre diz: "O outro é responsável." A sabedoria sempre diz: "Se alguém é responsável, então eu sou responsável, e a única maneira de não colidir é não ser."

"Eu sou responsável" não quer dizer "Eu estou fazendo algo, é por isso que eles estão com raiva". Não é essa a questão. Você pode não estar fazendo nada, mas apenas o seu ser é suficiente para que as pessoas fiquem com raiva. Não é uma questão de saber se você está fazendo bem ou mal. A questão é que você está ali, presente.

Esta é a diferença entre o Tao e outras religiões. As outras religiões dizem: seja bom, comporte-se de modo que ninguém fique bravo com você. O Tao diz: Não seja.

Não é uma questão de saber se você se comporta bem ou mal. Essa não é a questão. Mesmo um homem bom, até mesmo um homem muito santo causa raiva, porque ele é, ele está presente. Às vezes, um homem bom causa mais raiva do que um homem mau, porque um homem bom significa um egoísta muito sutil. Um homem mau sente-se culpado — seu barco pode estar cheio, mas ele se sente culpado. Ele na verdade não está muito folgado no barco, a sua culpa o ajuda a se encolher. Um homem bom sente-se tão bom que ele enche o barco completamente, ele o deixa superlotado.

Então, sempre que você chegar perto de um homem bom, vai se sentir torturado — não que *ele* esteja torturando você; trata-se apenas da presença dele. Com os chamados "homens de bem", você sempre vai se sentir triste, e ter vontade de evitá-los. Os chamados "homens de bem" são realmente muito pesados. Sempre que você entra em contato com eles, eles o deixam triste, eles o deprimem e você quer se afastar deles o mais rapidamente possível.

Os moralistas, os puritanos, os virtuosos, todos eles são pesados, e carregam um fardo ao redor deles, sombras escuras. Ninguém gosta deles. Eles não podem ser bons companheiros, não podem ser bons amigos. A amizade é impossível com um homem bom — quase impossível, porque os olhos deles estão sempre condenando. No momento em que você chega perto de um homem bom, ele é o bom e você é o ruim. Não que ele esteja fazendo alguma coisa — é apenas o próprio ser dele que cria algo, e você sente raiva.

O Tao é totalmente diferente. O Tao tem uma qualidade diferente, e para mim o Tao é a mais profunda religião que existe na Terra. Nada se compara a ele. Houve lampejos, há lampejos nas palavras de Jesus, Buda e Krishna — mas apenas lampejos.

A mensagem de Lao Tsé ou de Chuang Tzu é a mais pura — absolutamente pura, nada a contaminou. E a mensagem é a seguinte: tudo é porque há alguém no barco. Este inferno inteiro é só porque há alguém no barco.

Se o barco estivesse vazio,
Ele não estaria gritando
nem ficaria com raiva.

Se você conseguir esvaziar o seu barco
Ao atravessar o rio do mundo,
Ninguém vai se opor a você,
Ninguém vai tentar lhe fazer mal.

A árvore reta é a primeira a ser cortada,
A fonte de águas límpidas é a primeira a ser secada.
Se deseja melhorar sua sabedoria
E envergonhar o ignorante,
Cultivar o seu caráter
E ofuscar os outros;
Uma luz brilhará à sua volta
Como se tivesse engolido o Sol e a Lua:
Você não evitará a catástrofe.

Isso é único, porque Chuang Tzu está dizendo que o halo de "santidade" em torno de você mostra que você ainda está presente. O halo... que você é bom, certamente vai criar uma catástrofe para você, e catástrofe para os outros também. Lao Tsé e Chuang Tzu — mestre e discípulo — ambos nunca foram pintados em quadros com halos ou auras, como Jesus, Zaratustra, Krishna, Buda ou Mahavira. Eles nunca foram pintados com uma aura em torno da cabeça, porque eles dizem que, se você for realmente bom, não vai aparecer nenhuma aura em torno da sua cabeça; pelo contrário, a cabeça desaparece. Onde desenhar a aura? A cabeça desaparece.

Todas as auras estão de algum modo relacionadas ao ego. Não foi Krishna que fez seu autorretrato, foram os discípulos, que não conseguem pensar nele sem desenhar uma aura em volta da cabeça — caso contrário, ele pareceria uma pessoa comum. E Chuang Tzu diz: "Ser comum é ser sábio." Ninguém reconhece você, ninguém sente que você é alguém extraordinário. Chuang Tzu diz: "Você anda em meio à multidão e se mistura." Ninguém sabe que um buda entrou na multidão. Ninguém sente que existe ali alguém diferente, porque, se alguém sentir isso, então estará fadado à raiva e à catástrofe. Sempre que uma pessoa sente que você é alguém, a própria raiva dela, seu próprio ego é ferido. Ela começa a reagir, começa a atacar você.

Então Chuang Tzu diz: "O caráter não é para ser cultivado", porque isso também é uma espécie de riqueza. E as chamadas "pessoas religiosas" vivem ensinando: cultive o caráter, cultive a moralidade, seja virtuoso.

Mas por quê? Por que ser virtuoso? Por que ser contra os pecadores? Sua mente é dual, você ainda é ambicioso. E, se você chegar ao paraíso e vir pecadores sentados ao redor de Deus, você ficará muito ressentido — toda a sua vida foi desperdiçada! Você cultivou a virtude, cultivou seu caráter, enquanto essas pessoas estavam se divertindo e fazendo todo tipo de coisas que é condenado — e estão ali sentadas em torno de Deus. Se vir santos e pecadores juntos no paraíso, você vai ficar muito ressentido, vai ficar muito triste e infeliz — porque a sua virtude também faz parte do seu ego. Você cultiva a santidade para ser superior, mas a mente permanece a mesma. Como ser superior de uma maneira ou outra, como fazer com que os outros sejam inferiores, esse é o motivo.

Se você conseguir acumular muita riqueza, então eles são pobres e você é rico. Se você consegue se tornar um Alexandre, então você tem um grande reino e eles são mendigos. Se você consegue se tornar um grande erudito, então você é culto e eles são ignorantes, analfabetos. Se você consegue se tornar virtuoso, religioso, respeitável, moral, então eles estão condenados, são pecadores. Mas a dualidade continua. Você está lutando contra os outros e está tentando ser superior.

Chuang Tzu diz: "Se cultivar o seu caráter e ofuscar os outros, você não vai evitar a catástrofe." Não tente ofuscar os outros, e não tente cultivar o caráter com esse propósito egoísta.

Assim, para Chuang Tzu existe apenas um caráter que vale a pena mencionar, a ausência do ego — todo o resto vem dele. Sem ele, nada tem valor. Você pode se tornar como um deus no seu caráter, mas se o ego está lá dentro, toda a sua divindade está a serviço do demônio; toda a sua virtude nada mais é que um rosto, e o pecador está escondido atrás dele. E o pecador não pode ser transformado por meio da virtude ou de qualquer tipo de cultivo. É somente quando você não está presente que ele desaparece.

Um sábio já dizia:
"Aquele que se contenta consigo
fez uma obra inútil.

O sucesso é o começo do fracasso,
A fama é a origem da desgraça."

...palavras muito paradoxais, e você terá que estar muito alerta para compreendê-las, caso contrário elas podem ser mal interpretadas.

Um sábio já dizia:
"Aquele que se contenta consigo
fez uma obra inútil."

As pessoas religiosas vivem ensinando: contente-se com você mesmo. Mas você continua presente, se contentando consigo mesmo. Chuang Tzu diz: "Não esteja presente", então não haverá a questão do contentamento ou descontentamento. Esse é o verdadeiro contentamento, quando você não está presente. Mas, se você sentir que está contente, isso é falso — porque você está lá, e trata-se apenas de uma plenitude egoica. Você sente que conseguiu, sente que alcançou.

O Tao diz que aquele que sente que alcançou já perdeu. Aquele que sente que chegou já perdeu, porque o sucesso é o início do fracasso. O sucesso e o fracasso são duas partes de um círculo, de uma roda. Sempre que o sucesso atinge o seu clímax, a falha já começou, a roda já está girando ladeira abaixo. Sempre que a Lua está cheia, não há mais progressos. Agora não há mais nenhum movimento. No dia seguinte, começa a viagem ladeira abaixo, e agora todo dia a Lua ficará menor.

A vida se move em círculos. Sempre que você sentir que conseguiu, nesse momento a roda se moveu, você já está perdendo. Pode levar algum tempo para você reconhecer isso, porque a mente é estúpida. É preciso muita inteligência, muita clareza, para ver as coisas quando elas acontecem. As coisas acontecem a você e você leva alguns dias para reconhecer isso, às vezes muitos meses ou muitos anos. Às vezes você até leva muitas vidas para reconhecer o que aconteceu.

Mas basta pensar no seu passado. Sempre que tinha uma sensação de que você tinha conseguido, logo as coisas mudavam, você começava a cair — porque o ego é parte da roda. Ele tem sucesso porque pode falhar e, se não pode falhar, então não há possibilidade de sucesso. O sucesso e o fracasso são dois lados da mesma moeda.

Chuang Tzu diz:

Um sábio já dizia:
"Aquele que se contenta consigo
fez uma obra inútil.

... Porque ele ainda está lá, o barco vazio não veio a acontecer ainda, o barco ainda está cheio. O ego está sentado lá, o ego ainda está entronizado.

"O sucesso é o começo do fracasso,
A fama é a origem da desgraça."
Quem pode se libertar do sucesso
E da fama, e descer e se perder
Em meio à massa humana?
Esse fluirá como o Tao...

Fique alerta e atento.

Quem pode se libertar do sucesso
E da fama, e descer e se perder
Em meio à massa humana?
Esse fluirá como o Tao, invisível,
Avançará como a própria vida
Sem nome e sem lar.
É simples e não faz distinção.
Aparentemente é um tolo.

É assim que é um sábio — um tolo.

Aparentemente é um tolo.
Seus passos não deixam rastro.
Não tem nenhum poder.
Nada consegue, não tem reputação.
Como não julga ninguém,
Ninguém o julga.

Assim é o homem perfeito:
Seu barco está vazio.

O ego não pode fluir como um rio. Está congelado. Como um rio congelado pode fluir? O gelo precisa derreter, só então ele pode fluir. Congelado, você tem uma forma — derretido, a forma desaparece. Congelado, você é alguém, em algum lugar; um nome — derretido, o nome some, "ser alguém" desaparece. Você se tornou um nada, sem forma. Somente quando você não está congelado, você flui e, quando flui, você é como a própria vida, porque vida é movimento. Só a morte é imóvel, só a morte permanece onde está. A vida continua indo, indo, indo — é um fluxo contínuo.

Se teve sucesso, você está congelado, porque agora você tem medo de derreter — porque se você derreter todo o sucesso será perdido. O seu sucesso é parte da sua imobilidade. Se você ficou famoso, você está congelado, agora você está morto, agora você não pode derreter. Você tem que se proteger, preservar sua fama, seu respeito, sua reputação. Você tem que se proteger e tem que permanecer com seu passado. Você não pode avançar para o futuro desconhecido, porque quem sabe? O caminho desconhecido pode levar você a algum lugar onde você perca a fama, perca a reputação. Então você vai andar só na trilha batida, no território que foi mapeado, no conhecido. Você vai andar no círculo da memória, na roda da memória.

A vida nunca anda na trilha de terra batida, ela sempre avança na direção do desconhecido. A todo o momento ela está avançando para o desconhecido e, se você tem medo do desconhecido, você está congelado, você morrerá. A vida não vai esperar por você. Você tem que derreter e só quem não tem uma reputação a zelar, não tem fama para proteger, pode avançar com o desconhecido e avançar feliz. Não tem nada a perder. Assim eram os mendigos de Buda — sem nome, sem abrigo, nada para proteger, nada a preservar. Eles podiam ir a qualquer lugar, assim como as nuvens no céu, sem casa, sem raízes em lugar nenhum, flutuando, sem nenhuma meta, nenhum propósito, nenhum ego.

Esse fluirá como o Tao, invisível,
Avançará como a própria vida
Sem nome e sem lar.

Isso é o que significa um *sannyasin* para mim. Quando eu inicio você no *sannyas*, eu o inicio nessa morte, nesse anonimato, nesse desabrigo. Eu não estou lhe dando nenhuma chave secreta para o sucesso, não estou lhe dando nenhuma fórmula secreta de como ter sucesso.

Se estou lhe dando alguma coisa, é uma chave de como não ter sucesso, de como ser um fracassado e um despreocupado, como andar por aí sem nome, sem teto, sem nenhuma meta, de como ser um mendigo — o que Jesus chama de pobres de espírito. Um homem que é pobre de espírito é destituído de ego — ele é um barco vazio.

É simples e não faz distinção.

Quem você chama de simples? Você pode cultivar a simplicidade?

Você vê um homem que só come uma vez por dia, que usa poucas roupas ou anda nu, que não vive num palácio, que vive debaixo de uma árvore — e diz que esse homem é simples. Isso é simplicidade? Você pode viver debaixo de uma árvore e sua vida pode ser apenas um cultivo. Você a cultivou para ser simples, calculou-a para que fosse simples. Você pode comer uma vez por dia, mas ter calculado isso; isso é manipulado pela mente. Você pode andar nu — isso não pode torná-lo simples. A simplicidade simplesmente acontece.

É simples e não faz distinção.

Você acha que é um santo porque vive sob uma árvore e come uma vez por dia, e é vegetariano, e vive nu, e não possui nenhum dinheiro — você é um santo.

E, em seguida, passa um homem que tem dinheiro; a condenação surge em você e você pensa: "O que vai acontecer com esse pecador? Ele será condenado ao inferno." E você sente compaixão por esse pecador. Então você não é simples. Porque se faz distinção, você é distinto dos outros.

Não importa como a distinção foi criada. Um rei vive num palácio — ele se distingue daqueles que vivem em cabanas. Um rei veste roupas que você não pode usar — elas são tão valiosas que ele se distingue dos outros. Então, um homem vive nu na rua e você não pode viver nu na rua — portanto ele se distingue de você. Onde quer que haja distinção, o ego está presente. Quando não há distinção, o ego desaparece, e o "não ego" é simplicidade.

É simples e não faz distinção.
Aparentemente é um tolo.

Essas são as palavras mais profundas que Chuang Tzu proferiu. É difícil entender porque sempre achamos que uma pessoa iluminada, um homem perfeito, é um homem de sabedoria. Ele diz: *Aparentemente é um tolo...*

Mas é assim que deve ser. Entre tantos tolos, como pode um homem sábio não ser assim? Aparentemente ele será um tolo e esse é o único jeito. Como ele pode mudar esse mundo tolo e tantos tolos... levando-os na direção da sanidade? Ele terá de ficar nu, e entrar debaixo da mesa e cantar como um galo. Só então ele poderá mudar você. Ele deve se tornar louco como você, deve ser um tolo, deve permitir que você ria dele. Então você não vai sentir inveja, não vai se sentir magoado, não vai ficar zangado com ele, você vai poder tolerá-lo, poderá esquecê-lo e perdoá-lo, poderá deixá-lo em paz.

Muitos grandes místicos se comportaram como tolos e seus contemporâneos ficaram perdidos — o que fazer de suas vidas — e a maior das sabedorias existia neles. Ser sábio entre vocês é realmente estupidez. Isso não servirá para nada, você só vai criar muito problema. Sócrates foi envenenado porque não conheceu Chuang Tzu. Se tivesse conhecido Chuang Tzu, não haveria nenhuma necessidade de ele ser envenenado. Ele tentou se comportar como um homem sábio entre os tolos, ele tentou ser sábio.

Chuang Tzu diz: "Aparentemente o homem sábio será como um tolo."

Chuang Tzu viveu, ele mesmo, como um tolo; rindo, cantando, dançando, contando piadas e anedotas. Ninguém achava que ele fosse sério. E você não poderia encontrar um homem mais sincero e sério do que Chuang Tzu. Mas ninguém achava que ele fosse sério. As pessoas gostavam dele, as pessoas o amavam, e através desse amor ele jogava sementes de sua sabedoria. Ele mudou muitos, transformou muitos.

Mas para mudar um louco você tem que aprender a língua dele, e tem que usar a língua dele. Você tem que ser como ele, tem que descer ao nível dele. Se você ficar de pé no seu pedestal, não vai haver comunicação.

Foi o que aconteceu com Sócrates, e tinha que acontecer ali, porque a mente grega é a mente mais racional do mundo, e uma mente racional sempre tenta não ser tola. Sócrates irritou a todos. As pessoas realmente tinham que matá-lo, porque ele fazia perguntas difíceis e todos se sentiam tolos. Ele deixava todo mundo acuado — você não consegue responder nem mesmo às perguntas comuns!

Se alguém insiste, se você acredita em Deus, então Sócrates perguntará alguma coisa a respeito de Deus: "Qual é a prova?" Você não pode responder, você não viu Deus. Mas Deus é uma coisa distante, você não consegue provar sequer coisas comuns. Você deixou sua esposa em casa — como pode provar, realmente, que você deixou sua esposa em casa, ou que você tem de fato uma mulher? Ela pode estar apenas na sua memória. Você pode ter visto um sonho e, quando você voltar para casa, não existe nem casa, nem mulher.

Sócrates fazia perguntas penetrantes, analisava tudo, e todos em Atenas ficaram com raiva. Esse homem estava tentando provar que todo mundo é tolo. Eles o mataram. Se ele tivesse conhecido Chuang Tzu — e naquele tempo Chuang Tzu estava vivo na China, eles foram contemporâneos — então Chuang Tzu teria dito a ele o segredo: "Não tente provar que uma pessoa é tola porque os tolos não gostam disso. Não tente provar a um louco que ele é louco, porque nenhum louco gosta disso. Ele vai ficar bravo, arrogante, agressivo. Ele vai matá-lo se você provar muito. Se você chegar ao ponto em que a loucura dele pode ser provada, ele vai se vingar."

Chuang Tzu teria dito: "É melhor ser você mesmo um tolo; assim as pessoas vão gostar de você e depois, por meio de uma metodologia muito sutil, você pode ajudá-las a mudar. Então elas não ficarão contra você."

É por isso que no Oriente, particularmente na Índia, na China e no Japão, nunca aconteceu um fenômeno tão feio quanto esse que aconteceu na Grécia — Sócrates foi envenenado e morto. Foi o que aconteceu em Jerusalém — Jesus foi morto, crucificado. Foi o que aconteceu no

Irã, no Egito, em outros países — são muitos os sábios que foram mortos, assassinados. Isso nunca aconteceu na Índia, na China ou no Japão, porque nesses três países, as pessoas perceberam que, comportar-se como um homem sábio é um convite para a catástrofe.

Comporte-se como um tolo, como um louco; apenas seja louco. Esse é o primeiro passo do homem sábio — fazer você ficar à vontade para que você não tenha medo dele. É por isso que eu contei essa história.

O príncipe fez amizade com aquele homem. Ele estava com medo das outras pessoas, dos médicos, dos especialistas, porque eles estavam tentando mudá-lo, curá-lo, e ele não era louco. Ele não achava que estivesse louco; nenhum louco jamais pensa que é louco. Se um louco um dia perceber que é louco, é porque a loucura desapareceu. Ele não é mais louco.

Todos aqueles homens sábios que estavam tentando curar o príncipe eram tolos, só aquele velho sábio foi de fato sábio. Ele se comportou como um tolo. A corte riu, o rei riu, a rainha riu. Eles disseram: "O quê? Como esse homem vai mudar o príncipe? Ele é louco e parece ser mais louco ainda que o príncipe."

Até o príncipe ficou chocado. Ele disse: "O que você está fazendo? O que você quer dizer com isso?" Mas esse homem deve ter sido um sábio iluminado.

Chuang Tzu está falando sobre esse tipo de fenômeno, esse homem fenomenal.

Aparentemente é um tolo.
Seus passos não deixam rastro.

Você não pode segui-lo. Você não pode seguir um homem iluminado — não, nunca — porque ele não deixa rastros, não há pegadas. Ele é como um pássaro no céu, ele se move sem deixar nenhum rastro.

Por que um homem sábio não deixa vestígios? Para que você não possa segui-lo. Nenhum homem sábio gosta que você o siga, porque quando você o segue torna-se um imitador. Ele está sempre avançando em ziguezague para que você não possa segui-lo. Se tentar segui-lo, você vai se perder. Você pode me seguir? É impossível, porque você não sabe o que eu vou ser amanhã. Você não pode prever. Quando você pode prever, pode planejar. Então você sabe aonde estou indo, sabe a direção, conhece os meus passos. Conhece o meu passado, pode inferir o meu futuro. Mas eu sou ilógico.

Se eu for lógico, você pode concluir o que eu vou dizer amanhã. Basta saber o que eu disse ontem para poder concluir logicamente o que vou dizer amanhã. Mas isso não é possível. Eu posso me contradizer completamente. Meu amanhã vai contradizer totalmente o meu ontem, então como é que você vai me seguir? Você vai ficar louco se tentar me seguir.

Cedo ou tarde você vai ter que perceber que tem de ser você mesmo, você não pode imitar ninguém.

Seus passos não deixam rastro.

Ele não é coerente. Ele não é lógico. Ele é ilógico. Ele é como um louco.

Ele não tem poder.

Será muito difícil entender isso, porque pensamos que o sábio tem poder, que ele é o mais poderoso dos homens. Ele vai tocar seus olhos cegos e eles vão se abrir e você será capaz de enxergar; você está morto e ele vai tocar em você e você será ressuscitado. Para nós um sábio é um milagreiro.

Mas Chuang Tzu diz: *Ele não tem poder* — porque o uso do poder é sempre parte do ego. O ego quer ser poderoso. Você não pode persuadir um homem sábio a usar seu poder, é impossível. Se você pode persuadi-lo, isso significa que restou algum ego para ser persuadido. Ele nunca vai usar seu poder, porque não há ninguém para usá-lo e manipulá-lo. O ego, o manipulador, não está mais lá, o barco está vazio. Quem vai dirigir esse barco? Não há ninguém.

Um sábio *é* poder, mas ele não tem poder; um sábio é poderoso, mas ele não tem poder — porque o controlador não está mais presente. Ele é energia — transbordante, sem destinatário, sem direção — não há ninguém que possa dirigi-la. Você pode ser curado em sua presença, seus olhos podem se abrir, mas o sábio não os abriu, ele não os tocou, ele não curou você. Se ele acha que o curou, ele próprio ficou doente. Esse *eu* — "Eu curei" — é uma doença maior, é uma cegueira maior.

Não tem nenhum poder.
Nada consegue, não tem reputação.
Como não julga ninguém,
Ninguém o julga.
Assim é o homem perfeito:
Seu barco está vazio.

E esse vai ser o seu caminho. Esvazie o seu barco. Comece a jogar fora tudo o que encontrar no barco, até que tudo seja jogado fora e nada seja deixado, até que *você* seja jogado fora, nada reste, o seu ser se tornou simplesmente vazio.

A última e a primeira coisa é ficar vazio; assim que ficar vazio você será preenchido. O todo descerá sobre você quando estiver vazio — só o vazio pode receber o todo, nada menos do que isso vai servir, porque, para receber o todo, você tem que estar muito vazio, completamente vazio. Só então o todo será recebido. A sua mente é tão pequena que não pode receber o divino. Seus cômodos são tão pequenos que você não pode convidar o divino. Destrua essa casa completamente, porque apenas o céu, o espaço, o espaço total, pode recebê-lo.

O vazio vai ser o caminho, a meta, tudo. A partir de amanhã de manhã, tente se esvaziar de tudo que encontrar dentro de você: sua infelicidade, sua raiva, seu ego, seus ciúmes, seus sofrimentos, suas dores, seus prazeres — tudo o que você encontrar, basta jogar fora. Sem fazer distinção, sem fazer escolhas, esvazie-se. E no momento em que estiver totalmente vazio, de repente você vai ver que você é o todo, a totalidade. Por meio do vácuo, o todo é atingido.

A meditação nada mais é do que um esvaziamento, do que se tornar ninguém.

Aqui, viva como um ninguém. Se você provocar raiva em alguém e colidir com essa pessoa, lembre-se, você deve estar no barco, é o porquê de isso estar acontecendo. Logo, quando o seu barco estiver vazio, você não colidirá, não haverá nenhum conflito, nenhuma raiva, nenhuma violência — nada.

Esse nada é a bênção, esse nada é a bem-aventurança. É por esse nada que você tem procurado a vida toda. Mas, a menos que o buscador esteja perdido, não pode haver satisfação.

E agora que você veio, não volte cheio de si mesmo. Continue vazio. Ande por este vasto mundo como um barco vazio e todas as bênçãos da vida, todas as bênçãos que são possíveis na existência, serão suas. Reivindique-as, mas você só pode reivindicá-las quando você não está. Esse é o problema — como não estar. E eu digo a você que esse problema pode ser resolvido. Eu já resolvi, é por isso que digo isso.

Vai ser difícil para você encontrar Chuang Tzu. Mas eu estou aqui. Você pode olhar em mim, e vai encontrar o mesmo barco vazio. Eu estou falando com você, mas ninguém está falando com você. E eu não estou reivindicando nenhuma sabedoria, eu não estou afirmando nada. Eu não tenho poderes para curar você, nenhum milagre vai acontecer aqui, porque eu estou interessado apenas no milagre final — quando alguém se torna comum. Esse é o milagre final. Medite sobre isso, ore por isso, faça todos os esforços para isso. E lembre-se apenas de uma coisa — você tem que se tornar um barco vazio.

Basta por hoje.

Capítulo 2

O HOMEM DO TAO

O homem em quem o Tao
Age sem impedimento
Não prejudica nenhum outro ser
Com suas ações,
No entanto, ele não se reconhece
Como "gentil" e "bondoso".

Ele não luta para ganhar dinheiro
E não faz da pobreza uma virtude.
Ele segue o seu caminho
Sem depender dos outros.
E não se orgulha
De andar sozinho.

O homem do Tao
Permanece anônimo
A virtude perfeita
Não produz nada
O não eu é o verdadeiro eu.
E o maior entre os homens
É ninguém.

A coisa mais difícil, quase impossível, para a mente, é permanecer no meio, é permanecer equilibrada. Passar de uma coisa para o seu oposto é o mais fácil. Passar de uma polaridade para a polaridade oposta é a natureza da mente. Isso tem que ser entendido muito profundamente, porque, a menos que você compreenda isso, nada pode levá-lo a meditar.

A natureza da mente é passar de um extremo ao outro. Ela depende do desequilíbrio. Se você está equilibrado, a mente desaparece. A mente é como uma doença: quando você está desequilibrado ela está presente; quando você está equilibrado, ela não está presente.

É por isso que é fácil para uma pessoa que come demais fazer jejum. Parece ilógico, porque achamos que uma pessoa obcecada por comida não consegue fazer jejum. É um engano. Somente uma pessoa obcecada por comida pode fazer jejum, porque o jejum é a mesma obsessão no sentido oposto. Não é realmente mudar a si mesmo. A pessoa está novamente obcecada por comida. Antes comia demais, agora está com fome demais — mas a mente continua focada em comida no extremo oposto.

Um homem viciado em sexo pode se tornar celibatário muito facilmente. Não há nenhum problema. Mas é difícil para a mente seguir a alimentação correta, é difícil para a mente ficar no meio.

Por que é difícil permanecer no meio? É como o pêndulo de um relógio. O pêndulo vai para a direita, então ele se move para a esquerda e depois novamente para a direita, depois novamente para a esquerda; o relógio todo depende desse movimento. Se o pêndulo permanece no meio, o relógio para. E, quando o pêndulo está indo para a direita, você acha que ele só vai para a direita; mas, ao mesmo tempo, ele está ganhando impulso para ir para a esquerda. Quanto mais ele se move para a direita, mais energia ele reúne para se deslocar para a esquerda, para o oposto. Quando ele está se movendo para a esquerda, está mais uma vez ganhando impulso para se mover para a direita.

Sempre que está comendo demais, você está ganhando impulso para fazer jejum. Sempre que você exagera no sexo, mais cedo ou mais tarde, o *brahmacharya* vai atrair você, o celibato vai atraí-lo.

E o mesmo acontece a partir do polo oposto. Vá e pergunte aos chamados *sadhus*, seus *bhikkus, sannyasins*. Eles fizeram questão de permanecer celibatários, agora a mente deles está ganhando impulso para mover-se em direção ao sexo. Fizeram questão de permanecer com uma fome cada vez maior, morrendo de fome, e a mente deles está constantemente pensando em comida. Quando você está pensando muito em comida, isso mostra que você está ganhando impulso. Pensar significa dar impulso. A mente começa a se organizar para atingir o oposto.

Uma coisa: sempre que você avança, também está avançando para o oposto. O oposto está escondido, não está aparente.

Se você ama uma pessoa, está ganhando impulso para odiá-la. É por isso que só os amigos podem se tornar inimigos. Você não pode se tornar subitamente inimigo se primeiro não se tornar amigo. Os amantes brigam, discutem. Só os amantes podem brigar e discutir, porque, a menos que você ame, como pode odiar? A menos que você tenha se movido para o lado extremo, à esquerda, como pode se mover para a direita? As pesquisas modernas dizem que o chamado "amor" é uma relação de inimizade íntima. Sua esposa é seu inimigo íntimo, seu marido é seu inimigo íntimo — ambos íntimos e hostis. Eles parecem opostos, ilógicos, porque pensamos: se é íntimo, como pode ser inimigo? Se é amigo, como pode também ser o inimigo?

A lógica é superficial, a vida é mais profunda, e na vida todos os opostos estão unidos, eles existem juntos. Lembre-se disso, porque então a meditação se torna equilíbrio.

Buda ensinou oito disciplinas, e com cada disciplina ele usou a palavra *correto*. Ele disse: "O esforço correto", porque é muito fácil passar da ação para a inação, passar do acordar para o dormir, mas manter-se no meio é difícil. Quando Buda usou a palavra "correto", ele estava dizendo: "Não vá para o oposto, apenas permaneça no meio. Alimentação correta — ele nunca disse para as pessoas jejuarem. Não coma demais e não jejue. Ele disse: "Alimentação correta." Comer corretamente significa ficar no meio.

Quando está no meio, você não está ganhando impulso. E essa é a beleza — um homem que não está ganhando impulso para se mover para lugar nenhum pode ficar despreocupado, pode ficar à vontade consigo mesmo.

Você nunca pode ficar à vontade, pois seja o que for que faça, você vai ter imediatamente que fazer o oposto para se equilibrar. E o oposto nunca equilibra, ele simplesmente lhe dá a ideia de que talvez você esteja se equilibrando, mas você vai ter que se deslocar para o extremo oposto novamente.

Um buda não é nem amigo nem inimigo de ninguém. Ele simplesmente parou no meio — o relógio não está funcionando.

Dizem acerca de um hasid místico, um *magid* — que, quando ele alcançou a iluminação, de repente o seu relógio na parede parou. Isso pode ter acontecido ou não, porque é possível, mas o simbolismo é claro: quando a mente para, o tempo para; quando o pêndulo para, o relógio para. A partir de então o ponteiro do relógio nunca mais se moveu, desde então ele sempre mostrou a mesma hora.

O tempo é criado pelo movimento da mente, assim como o movimento do pêndulo. A mente se move, você sente o tempo. Se a mente está inerte, como você pode sentir o tempo? Se não há movimento, o tempo não pode ser sentido. Assim, os cientistas e místicos concordam com relação a este ponto: o movimento cria o fenômeno de tempo. Se você não está se movendo, se você está parado, o tempo desaparece, a eternidade passa a existir. O seu relógio está se movendo rápido, e o mecanismo se move de um extremo ao outro.

A segunda coisa a se entender sobre a mente é que ela sempre anseia pelo que está distante, nunca pelo que está próximo. O que está próximo lhe dá tédio, você fica farto disso; o distante lhe dá sonhos, esperanças, a possibilidade de prazer. Então, a mente sempre pensa no que está distante. É sempre a mulher de outro homem que é atraente, bonita; é sempre a casa de outra pessoa que obceca você; é sempre o carro de outra pessoa que o fascina. É sempre o que está distante. Você é cego para o que está próximo. A mente não pode ver o que está muito próximo. Ela só pode ver o que está muito longe.

E o que está muito longe, o que está mais distante? O oposto é o mais distante. Você ama uma pessoa — agora o ódio é o fenômeno mais distante; você come demais — agora o jejum é o fenômeno mais distante; você é celibatário — agora o sexo é o fenômeno mais distante; você é um rei — agora ser um monge é o fenômeno mais distante.

O que está mais distante é o que se parece mais com um sonho. Atrai, obceca, chama você, convida você, e então, quando você tiver alcançado o outro polo, esse lugar de onde você veio ficará bonito outra vez. Você se divorcia de sua esposa e, depois de alguns anos, ela ficou bonita novamente.

Uma atriz de cinema me procurou. Ela havia se divorciado do marido quinze anos antes. Agora estava mais velha, menos bonita do que era quando ela e o marido se separaram. Seu filho tinha se casado no ano anterior e, na cerimônia de casamento, ela encontrou o marido novamente, e eles tiveram que viajar juntos. O marido se apaixonou por ela de novo, então ela me procurou e perguntou: "O que devo fazer? Porque agora ele está me pedindo em casamento de novo, ele quer se casar comigo outra vez."

Ela também estava fascinada. Estava apenas esperando minha aprovação para dizer sim. Eu disse: "Mas vocês viviam juntos, sempre houve conflitos e nada mais. Eu conheço toda a história — via como vocês discutiam, brigavam, como criavam inferno e sofrimento um para o outro. Agora outra vez...?"

O que está distante sempre se torna fascinante. Você pode passar a ter a mesma rotina e, então, novamente vai começar a pensar no oposto. Lembre-se, a mente sempre pensa o contrário, é sempre fascinada pelo oposto. Então, se você é rico, você terá fascínio pela pobreza. Todas as pessoas ricas pensam que a pobreza dá uma liberdade que nenhum homem rico pode ter. Sempre que um rei passa e olha um mendigo dormindo sob uma árvore — o trânsito continua, mas ele não é perturbado, ele consegue dormir até mesmo no mercado, e que belo sono! —, o rei sente inveja. Os reis sempre têm inveja dos mendigos, e os reis sempre sonham que se tornaram monges, *sannyasins*.

Não é coincidência que Mahavira, Buda, todos os *tirthankaras* dos jainistas fossem reis. Eles vieram de palácios, abandonaram seus reinos. Para um rei, o mendigo é sempre uma atração. Este país tem sido o país de reis e mendigos, de ambos. Num extremo existiram reis; no outro extremo, mendigos. E nós elevamos os mendigos aos píncaros da glória. Buda chamou seus *sannyasins* de *bhikkus* — mendigos. Ele era um rei. Estava farto de tudo o que significa ser um rei. Era fascinado pela vida simples, a vida inocente de um mendigo.

Mas pergunte a algum mendigo... ele não é feliz. Se os reis não são felizes, como os mendigos podem ser felizes? O mendigo é infeliz e só está esperando por uma chance, quando também poderá se tornar um rei.

Entre nos sonhos dos mendigos e você vai encontrá-los sempre se tornando imperadores. Os mendigos sonham com reinos, os reis sonham se tornar *sannyasins*, renunciando a tudo. Os mendigos sonham possuir o mundo inteiro, os reis sonham não possuir absolutamente nada.

Para a mente o oposto é magnético e, a menos que você transcenda isso por meio da compreensão, a mente vai continuar se movendo da esquerda e para a direita, da direita para a esquerda, e o relógio vai continuar funcionando.

Ele tem funcionado há muitas vidas, e é assim que você vem enganando a si mesmo — porque você não entende o mecanismo. Mais uma vez o que está distante se torna atraente, mais uma vez você inicia a viagem. No momento em que você alcança, o que estava com você agora fica distante, atrai você, torna-se uma estrela, algo de valor.

Eu estava lendo sobre um piloto. Ele estava sobrevoando a Califórnia com um amigo. Ele disse ao amigo: "Olhe ali embaixo que belo lago! Eu nasci perto dele, lá fica minha cidade."

Ele apontou para uma cidadezinha no alto das colinas perto do lago, e disse: "Eu nasci ali. Quando era criança, eu costumava me sentar perto do lago e pescar; a pesca era o meu passatempo. Mas, naquela época, quando eu era uma criança que pescava perto do lago, os aviões costumavam cruzar o céu e eu pensava no dia em que me tornaria um piloto, e estaria pilotando um avião. Esse era o meu único sonho. Agora ele está realizado, e que tristeza! Agora estou sempre olhando para o lago e pensando na época em que puder me aposentar e ir pescar novamente. Esse lago é tão bonito..."

É assim que as coisas são. É assim que as coisas são para você. Na infância, você não vê a hora de crescer rápido, porque as pessoas mais velhas são mais poderosas, os jovens são mais poderosos. A criança só anseia crescer imediatamente. Os velhos são sábios, e a criança acha que tudo o que ela faz está sempre errado. Mas pergunte ao velho — ele sempre acha que, quando a infância acaba, tudo está acabado; o paraíso estava lá na infância. E todos os velhos morrem pensando na infância, na inocência, na beleza, na terra dos sonhos.

Tudo o que você tem parece inútil, tudo o que você não tem parece útil. Lembre-se disso, caso contrário a meditação pode não acontecer, porque meditação significa isso — entender a mente, o funcionamento da mente, o próprio processo da mente.

A mente é dialética, faz você ir o tempo todo para o oposto. E esse é um processo infinito, que nunca termina, a menos que de repente você caia fora dele, a menos que você de repente se torne consciente do jogo, se torne consciente do truque da mente e pare no meio.

Parar no meio é meditação.

Em terceiro lugar, porque a mente consiste em polaridades, você nunca está inteiro. A mente não pode ser inteira, ela é sempre metade. Quando você ama alguém, já observou que você fica reprimindo o seu ódio? O amor não é total, não é completo; bem atrás dele todas as forças das trevas estão escondidas e podem entrar em erupção a qualquer momento. Você está sentado sobre um vulcão.

Quando ama alguém, você simplesmente esquece que tem raiva, que tem ódio, que tem ciúme. Você simplesmente os descarta como se nunca tivessem existido. Mas como pode descartá-los? Você só pode escondê-los no inconsciente. Você pode se tornar amoroso apenas na superfície; bem no fundo, fica escondido o tumulto. Mais cedo ou mais tarde, quando você ficar farto, quando o ser amado se tornar familiar — e dizem que é da familiaridade que nasce o desprezo... não é que a familiaridade gere o desprezo —, a familiaridade deixa você entediado, o desprezo sempre esteve lá, escondido. Ele vem à tona, estava esperando o momento certo, a semente estava lá.

A mente sempre tem o oposto dentro dela, e esse oposto vai para o inconsciente e aguarda o seu momento de vir à tona. Se observar com cuidado, você vai senti-lo a cada momento. Quando você disser a alguém: "Eu te amo", feche os olhos, fique num estado meditativo, e sinta — existe algum ódio escondido? Você vai senti-lo. Mas como você quer enganar a si mesmo, pois a verdade é muito feia — odiar uma pessoa que você ama —, você não quer enfrentar isso. Você quer escapar da realidade, então você esconde. Mas esconder não vai ajudar, porque você não está enganando ninguém a não ser a si mesmo.

Então, sempre que você sentir alguma coisa, basta fechar os olhos e ir para dentro de si para encontrar o oposto em algum lugar. Ele está lá. E, se você puder ver o oposto, que lhe dará um equilíbrio, então você não dirá: "Eu te amo." Se você for sincero, você dirá: "Meu relacionamento com você é de amor e ódio."

Todos os relacionamentos são de amor e ódio. Nenhuma relação é de puro amor, e nenhuma relação é de puro ódio. É tanto de amor quanto de ódio. Se for sincero, você estará em dificuldade. Se você disser a uma garota: "Meu relacionamento com você é de amor e ódio; eu te amo como nunca amei ninguém e te odeio como nunca odiei ninguém", será difícil que se casem, a menos que você encontre uma garota meditativa que possa compreender a realidade; a menos que você encontre um amigo que possa compreender a complexidade da mente.

A mente não é um mecanismo simples, é muito complexo; e, por meio da mente, você nunca poderá se tornar simples, porque a mente continua criando enganos. Ser meditativo significa estar ciente do fato de que a mente está escondendo algo de você; você está fechando os olhos para alguns fatos que o perturbam. Então, mais cedo ou mais tarde, esses fatos perturbadores vão entrar em erupção, dominá-lo, e você irá para o oposto. E o contrário não está lá num lugar distante, lá longe, em alguma estrela; o oposto está escondido atrás de você, em você, em sua mente, no próprio funcionamento da mente. Se você conseguir entender isso, vai parar no meio.

Se você puder ver — eu amo e odeio — de repente ambos irão desaparecer, porque os dois não podem coexistir na consciência. Você tem que criar uma barreira: um tem de existir no inconsciente e o outro no consciente. Ambos não podem existir na consciência; se ambos existirem, eles negarão um ao outro. O amor destruirá o ódio, o ódio destruirá o amor, pois eles vão equilibrar um ao outro, e vão simplesmente desaparecer. A mesma quantidade de ódio e a mesma quantidade de amor negarão um ao outro. De repente, eles vão se evaporar — você estará lá, mas não o amor e o ódio. Então você estará equilibrado.

Quando você está equilibrado, a mente não está presente — então você está inteiro. Se você está inteiro, você é santo, mas a mente não está presente. Assim, a meditação é um estado de "não mente", de "ausência da mente". Através da mente isso não é alcançado. Através da mente, seja o que for que você fizer, isso nunca poderá ser alcançado. Então o que você está fazendo quando está meditando?

Como você criou muita tensão em sua vida, agora você está meditando. Mas isso é o oposto de tensão, e não a verdadeira meditação. Você está tão tenso que a meditação se tornou atraente. É por isso que no Ocidente a meditação chama mais a atenção do que no Oriente, porque no Ocidente existe mais tensão do que no Oriente. O Oriente ainda está relaxado, as pessoas não são tão tensas, não enlouquecem com tanta facilidade, elas não cometem suicídio tão facilmente. Elas não são tão violentas, tão agressivas, tão apavoradas, não têm tanto medo — não, elas não são tão tensas. Elas não estão vivendo num ritmo tão alucinado, em que não acumulam nada mais do que tensão.

Então, se Mahesh Yogi vem à Índia, ninguém escuta. Mas, nos Estados Unidos, as pessoas são loucas por ele. Quando há muita tensão, a meditação atrai as pessoas. Mas esse recurso nada mais é do que cair na mesma armadilha. Essa não é a verdadeira meditação, é novamente um truque. Então você medita por alguns dias, fica relaxado; e quando fica relaxado, mais uma vez surge a atividade e a mente começa a pensar em fazer algo, a se mover. Você se cansa do relaxamento.

As pessoas me procuram e dizem: "Nós meditamos por alguns anos, depois ficou chato, não era mais divertido."

Outro dia mesmo uma garota veio e me disse: "Agora a meditação não é mais divertida, o que devo fazer?"

Agora a mente está buscando algo mais, chega de meditação! Agora que a garota está à vontade, a mente está pedindo mais tensões — alguma coisa para perturbá-la. Quando a garota diz que a meditação não é mais divertida, ela está querendo dizer que agora a tensão não está mais presente, então como a meditação pode ser divertida? Ela vai ter que se mover para a tensão novamente, então a meditação se tornará novamente algo de valor.

Olhe que absurdo é a mente: você tem que ir longe para chegar perto, você tem que se tornar tenso para ser meditativo. Mas isso não é meditação, esse é mais um truque da mesma mente; o mesmo jogo continua num outro nível.

Quando digo meditação, quero dizer ir além do jogo dos opostos polares, cair fora do jogo todo, olhar para o absurdo que esse jogo é, e transcendê-lo. A própria compreensão torna-se transcendência.

A mente irá forçá-lo a ir para o oposto — não vá para o oposto. Pare no meio e veja que esse sempre foi o truque da mente. É assim que a mente tem dominado você — por meio do oposto. Você já sentiu isso?

Sempre que você faz amor com uma mulher, logo depois você de repente começa a pensar em *brahmacharya* (celibato), e o *brahmacharya* tem tal fascínio que naquele momento você sente como se não houvesse nada mais a alcançar. Você se sente frustrado, enganado, sente que não havia nada nesse sexo, apenas o *brahmacharya* traz a bem-aventurança. Mas, depois de 24 horas, o sexo torna-se importante novamente, significativo, e outra vez você tem que passar para ele.

O que a mente está fazendo? Após o ato sexual, ela começou a pensar no oposto, que mais uma vez cria o gosto pelo sexo.

Um homem violento começa a pensar em não violência, e isso o leva facilmente a ser violento novamente. Um homem que fica com raiva o tempo todo sempre pensa na não raiva, sempre decide não ficar com raiva de novo. Essa decisão o ajuda a ficar com raiva de novo.

Se você realmente não quer ficar com raiva de novo, não decida contra a raiva. Basta olhar para a raiva e olhar para a sombra da raiva, que você acha que é não raiva. Olhe para o sexo e, para a sombra do sexo, que você acha que é *brahmacharya*, celibato. Ele é só negatividade, ausência. Olhe para o ato de comer demais, e a sombra dele, o jejum, que sempre acompanha o ato de comer demais. O exagero é sempre seguido por votos de celibato, a tensão é sempre seguida por algumas técnicas de meditação. Olhe-os juntos, sinta como estão relacionados, pois eles são parte de um processo.

Se você conseguir entender isso, a meditação vai acontecer a você. Não é realmente algo a ser feito, é um ponto de entendimento. Não é um esforço, não é nada que possa ser cultivado. É algo a ser compreendido em profundidade.

O entendimento dá liberdade. O conhecimento de todo o mecanismo da mente é a transformação. Então, de repente o relógio para, o tempo desaparece — e quando o contador para, não existe mais mente. Com a parada do tempo, onde está você? O barco está vazio.

Agora vamos nos voltar para este sutra de Chuang Tzu:

O homem do Tao
Age sem impedimento,

Não prejudica nenhum outro ser
Com suas ações,
No entanto, ele não se reconhece
Como "gentil" e "bondoso".

O homem do Tao age sem impedimento... Você sempre age com impedimentos, o oposto está sempre ali, criando o impedimento; você não é um fluxo.

Se você ama, o ódio está sempre ali, como um impedimento. Se você se move, algo fica prendendo você; você nunca se move totalmente, alguma coisa sempre fica, o movimento não é total. Você se move com uma perna, mas a outra perna não está se movendo. Como você pode se mover? O impedimento está lá.

E esse impedimento, esse movimento contínuo de metade de você e o não movimento da outra metade é a sua angústia, a sua ansiedade. Por que você sente tanta angústia? O que cria tanta ansiedade em você? Seja o que for que você faça, por que a felicidade não está acontecendo por meio disso que você está fazendo?

A felicidade só pode acontecer para o todo, nunca para a parte.

Quando o todo se move sem nenhum impedimento, o próprio movimento é felicidade. A felicidade não é algo que vem de fora, é o sentimento que vem quando todo o seu ser se move, o próprio movimento do todo é felicidade. Não é algo acontecendo a você, é algo que surge de dentro de você, é uma harmonia em seu ser.

Se você está dividido — e você está sempre dividido: metade se movendo, metade se contendo, metade dizendo sim, metade dizendo não, metade apaixonado, metade com ódio, você é um reino dividido — há um constante conflito em você. Você diz algo, mas nunca quer dizer aquilo, porque o contrário está ali, impedindo, criando um obstáculo.

Baal Shem costumava dizer — seus discípulos costumavam escrever tudo o que ele dizia, e ele costumava dizer: "Eu sei que o que vocês estão escrevendo, seja o que for, não é o que eu disse. Vocês ouviram uma coisa, eu disse outra, e vocês estão escrevendo ainda outra. E se vocês analisarem o significado, o significado é ainda outra coisa. Vocês nunca vão fazer o que escreveram, vocês vão fazer outra coisa — fragmentos, não um ser integrado." Por que fragmentos?

Você já ouviu a história da centopeia? A centopeia estava caminhando — uma centopeia tem cem pernas — é por isso que se chama centopeia. É um milagre andar com uma centena de pernas, controlar duas já é tão difícil... Controlar cem pernas é realmente impossível, quase impossível. Mas a centopeia consegue.

Uma raposa ficou curiosa — e as raposas são curiosas. No folclore a raposa é o símbolo da mente, do intelecto, da lógica. As raposas são seres muito lógicos. A raposa olhou, observou, analisou, ela não podia acreditar. Ela disse: "Espere, só uma pergunta! Como você consegue? Como você sabe que pé tem que pôr atrás de qual? Cem pernas! Como acontece essa harmonia, como você consegue andar tão bem?"

A centopeia disse: "Eu consigo andar, mas nunca pensei nisso. Dê-me um pouco de tempo."

Então ela fechou os olhos. Pela primeira vez ficou dividida: a mente como observadora e ela mesma como a coisa observada. Pela primeira vez a centopeia tornou-se duas. Ela costumava viver e andar, mas sua vida era um todo; não havia um observador olhando para ela, ela nunca ficara dividida; ela nunca tinha ficado dividida, ela era um ser integrado. Pela primeira vez surgiu a divisão. Ela estava olhando para si própria, pensando. Ela tinha se tornado o sujeito e o objeto, tinha se tornado duas, e então começou a andar. Foi difícil, quase impossível. Ela caiu — como você controla cem pernas?

A raposa riu e disse: "Eu sabia que devia ser difícil, sempre soube."

A centopeia começou a chorar, as lágrimas inundaram seus olhos. Ela disse: "Nunca foi difícil, mas você criou o problema. Agora eu nunca mais vou conseguir andar."

A mente tinha entrado em cena, ela entra em cena quando você está dividido. A mente se alimenta da divisão. Por isso, Krishnamurti continua dizendo que, quando o observador se torna o observado, você está em meditação.

O oposto aconteceu com a centopeia. O todo se perdeu, se transformou em dois: o observador e o observado, divididos; o sujeito e o objeto, o pensador e o pensamento. Então tudo ficou perturbado, perdeu-se a felicidade, o fluxo foi interrompido. Então ela ficou paralisada.

Sempre que a mente entra em cena, ela vem como uma força controladora, um gerente. Não é o mestre, é o gerente. E você não pode chegar ao mestre se o gerente não for posto de lado. O gerente não vai permitir que você alcance o mestre, o gerente vai estar em pé na porta, controlando. E todos os gerentes administram mal — a mente faz um ótimo trabalho de má administração.

Pobre centopeia, ela sempre fora feliz. Não tinha problema nenhum. Vivia, andava, amava, tudo, sem problema nenhum, porque não havia mente. Com a mente veio o problema, com a pergunta, com a indagação. E existem muitas raposas ao seu redor. Cuidado com elas — filósofos, teólogos, lógicos, professores — todos eles são raposas. Eles lhe fazem perguntas e criam uma perturbação.

O mestre de Chuang Tzu, Lao Tsé, disse: "Quando não existia um único filósofo, tudo estava resolvido, não havia perguntas e as respostas estavam todas à disposição. Quando surgiram os filósofos, surgiram as perguntas e as respostas desapareceram." Sempre que existe uma pergunta, a resposta está muito longe. Sempre que você pergunta, nunca consegue a resposta, mas, se você para de perguntar, a resposta sempre esteve ali.

Não sei o que aconteceu com essa centopeia. Se ela era tão tola quanto os seres humanos, está em algum hospital, aleijada, paralítica para sempre. Mas eu não acho que as centopeias sejam tão tolas. Ela deve ter deixado a questão de lado. Deve ter dito à raposa: "Guarde suas perguntas para si mesma, me deixe andar em paz." Ela deve ter descoberto que essa divisão não lhe permitiria viver, porque a divisão causa morte. Indiviso, você é vida; dividido, você é morte. Quanto mais dividido, mais morto.

O que é a felicidade? A felicidade é o sentimento que surge em você quando o observador se torna o observado. A felicidade é o sentimento que surge em você quando você está em harmonia, não fragmentado; quando você é um, não está desintegrado, não está dividido, é indiviso, um. O sentimento não é algo que vem de fora. É a melodia que brota da sua harmonia interior.

Diz Chuang Tzu:

O homem do Tao
Age sem impedimento...

... pois ele não está dividido, então quem vai impedir? O que existe para servir de impedimento? Ele está sozinho, ele se move com o todo. Esse movimento na totalidade é a maior beleza que pode acontecer, isso é possível. Às vezes você tem vislumbres disso. Às vezes, quando de repente você está inteiro, quando a mente não está funcionando, isso acontece.

O Sol está nascendo... e de repente você olha e o observador não está lá. O Sol não está lá e você não está lá, não há nenhum observador e nenhum observado. O Sol está simplesmente nascendo e sua mente não está ali para gerenciar. Você não vê isso e diz: "O Sol é lindo." No momento em que diz isso, a felicidade se desvanece. Então não há mais felicidade, ela já se tornou passado, já se foi.

De repente, você vê o sol nascente e quem vê não está lá, não surgiu ainda, não se tornou um pensamento. Você não olhou, não analisou, não observou. O Sol está nascendo e não há ninguém ali, o barco está vazio, há bem-aventurança, um vislumbre. Mas a mente imediatamente entra em cena e diz: "O Sol é lindo, este nascer do sol é tão bonito!" A comparação entra em cena e a beleza se vai.

Aqueles que têm sabedoria dizem que, quando você diz a uma pessoa "eu te amo", o amor acaba. Depois que o amor já se foi sempre dizemos "eu te amo" — pois se passou a haver um amante, como o amor pode existir? A divisão já aconteceu. O gerente já entrou em cena. A mente diz "eu te amo", porque no amor não existe nenhum eu e nenhum tu. No amor não existem indivíduos. O amor é uma fusão, eles não são dois.

O amor existe, não os amantes. No amor, o amor existe, não os amantes, mas a mente entra em cena e diz "estou apaixonada, eu te amo". Quando o eu entra em cena, surge a divisão; a divisão surge e o amor não está mais lá.

Você muitas vezes verá esses vislumbres na sua meditação. Lembre-se, sempre que você sentir esse vislumbre, não diga "que lindo!" Não diga "que maravilhoso!" Porque é assim que você vai perdê-lo. Sempre que o vislumbre vier, deixe-o ali. Não faça o que fez a centopeia — não levante nenhuma questão, não faça nenhuma observação, não analise, não permita que a mente interfira. Ande com uma centena de pernas, mas não pense em como você está andando.

Quando, na meditação, você tem o vislumbre de algum êxtase, deixe acontecer, deixe-o ir fundo. Não se divida. Não faça nenhuma declaração, caso contrário o contato se perde.

Às vezes você tem lampejos, mas já se tornou tão eficiente em perder contato com esses vislumbres que não consegue entender como eles surgem e como você, mais uma vez, os perde. Eles surgem quando você não está presente, você os perde quando você volta. Quando você está presente, eles não estão. Quando o barco está vazio, a felicidade está sempre acontecendo. Não é um acidente, é a própria natureza da existência. Não depende de nada — ela se derrama sobre você, é o próprio sopro da vida.

É realmente um milagre que você tenha conseguido ser tão infeliz, tão sedento, se chove o tempo todo. Você tem mesmo feito o impossível! Em todos os lugares é luz e você vive na escuridão. A morte não está em lugar nenhum e você está constantemente morrendo; a vida é uma bênção e você está no inferno.

Como você conseguiu? Através da divisão, através do pensamento — o pensamento depende da divisão, da análise. Meditação é quando não há nenhuma análise, nenhuma divisão, quando tudo se tornou sintetizado, quando tudo se tornou um.

Diz Chuang Tzu:

O homem do Tao
Age sem impedimento,
Não prejudica nenhum outro ser
Com suas ações,

Como ele pode prejudicar? Você só pode prejudicar os outros quando já prejudicou a si mesmo. Lembre-se disso, esse é o segredo. Se você prejudicar a si mesmo, prejudicará os outros. E prejudicará mesmo quando achar que está fazendo bem aos outros. Nada poderá acontecer através de você a não ser o prejuízo, porque quem vive com feridas, quem vive na angústia e na miséria, seja o que for que faça, só criará mais miséria e mais angústia para os outros. Você só pode dar aquilo que tem.

Eu ouvi...

Aconteceu numa sinagoga, um mendigo veio e disse ao rabino: "Eu sou um grande músico, e ouvi dizer que o músico desta sinagoga morreu e o senhor está procurando outro. Então, eu me ofereço."

O rabino ficou feliz, a congregação ficou feliz, porque eles estavam realmente sentindo falta da sua música. Então o homem tocou — foi horrível! Seria mais musical sem a sua música. Ele criou um inferno. Era impossível sentir o silêncio na sinagoga naquela manhã. Ele teve que ser interrompido, porque a maioria da congregação começou a sair da sinagoga. As pessoas fugiam tão rápido quanto podiam, porque a música dele era puramente anárquica, era como uma loucura, e ela começou a afetar as pessoas.

Quando o rabino ouviu dizer que todo mundo estava indo embora da sinagoga, ele se dirigiu ao homem e mandou-o parar. O homem disse: "Se você não me quer, pode pagar por esta manhã e então eu irei embora."

O rabino disse: "Não posso pagar, nunca ouvimos uma coisa tão horrível."

Então o homem disse: "OK, então considere esse pagamento como a minha contribuição à sinagoga."

O rabino disse: "Mas como você pode contribuir com o que ainda não tem? Você não tocou música nenhuma! Como pode contribuir? Você só pode contribuir com o que tem. Isso não é música, mas, pelo contrário, é algo mais parecido com uma antimúsica. Por favor, leve-a com você, não contribua com ela, caso contrário essa música vai continuar nos assombrando."

Você dá apenas o que tem. Você sempre dá, na verdade, o seu ser. Se você está morto por dentro, não pode ajudar a vida; aonde quer que você vá, você vai matar. Conscientemente, inconscientemente, não é essa a questão — você pode pensar que está ajudando os outros a viver, mas ainda assim você vai matar.

Perguntaram uma vez ao grande psicanalista Wilhelm Reich — pois ele estava estudando crianças, os problemas delas: "Qual é o problema mais básico com relação às crianças? O que o senhor encontrou na raiz de toda a infelicidade delas, seus problemas, anomalias?"

Ele disse: "As mães."

Nenhuma mãe vai concordar com isso, porque toda mãe está apenas ajudando seu filho, sem nenhum egoísmo da parte dela. Ela vive e morre pelo filho. E mesmo assim os psicanalistas dizem que as mães são o problema. Sem saber que estão matando, mutilando, conscientemente elas pensam que estão amando.

Se está aleijado por dentro, você vai prejudicar seus filhos. Você não pode fazer nada mais do que isso, você não pode evitar, porque você dá o que há em seu ser — não existe outra maneira de dar.

Diz Chuang Tzu: *O homem do Tao... não prejudica nenhum outro ser com suas ações*. Não que ele cultive a não violência, não que ele cultive a compaixão, não que ele viva uma vida correta, não que ele se comporte de maneira santificada — não. Ele não pode prejudicar porque parou de agredir a si mesmo. Ele não tem feridas. Ele está tão feliz que das suas ações ou inações só flui a bem-aventurança. Mesmo que possa parecer às vezes que ele está fazendo algo errado, ele não pode fazer nada errado.

Acontece exatamente o oposto com você. Às vezes parece que você está fazendo algo de bom — mas você não pode fazer nada de bom. O homem do Tao não pode fazer mal, é impossível. Não há maneira de ele fazer isso, é inconcebível — porque ele não tem divisões, fragmentos. Ele não é uma multidão, ele não é *polipsíquico*. Ele é um universo agora e nada além de uma melodia está acontecendo dentro dele. Só essa música continua se irradiando.

O homem do Tao não é de muita ação — ele não é um homem de ação, o mínimo de ação acontece por meio dele. Ele é, na verdade, um homem de inação, não está muito ocupado com nenhuma atividade.

Mas você está ocupado com muitas atividades apenas para fugir de si mesmo. Você não consegue tolerar a si mesmo, não consegue tolerar a sua própria companhia. Você vive à procura de alguém como um modo de fugir, vive à procura de alguma ocupação com a qual possa se esquecer de si mesmo, com a qual possa se envolver. Você está entediado com você mesmo.

Um homem do Tao, um homem que atingiu a natureza interior, um homem que é realmente religioso, não é um homem de muita atividade. Somente o necessário irá acontecer. O desnecessário é completamente descartado, porque ele consegue ficar à vontade sem nenhuma atividade, ele consegue ficar em casa sem fazer nada, consegue relaxar, consegue fazer companhia a si mesmo, consegue ficar com seu eu.

Você não consegue ficar consigo mesmo, daí a necessidade constante de buscar companhia. De ir a um clube, a uma reunião, a uma festa, a um comício, estar com uma multidão, onde você não esteja sozinho. Você tem tanto medo de si mesmo que se ficar sozinho ficará louco. Em apenas três semanas, se você for deixado absolutamente sozinho, sem nenhuma atividade, você ficará louco. E isso não é algo dito por pessoas religiosas, agora os psicólogos concordam com isso. Em apenas três semanas, se toda a atividade for tirada de você, se tirarem todas as suas companhias, se você for deixado numa sala — dentro de três semanas você enlouquecerá —, porque toda a sua atividade serve apenas para livrá-lo da sua loucura, é uma catarse.

O que você vai fazer se estiver sozinho? Durante três ou quatro dias você vai sonhar e falar consigo mesmo, travar um diálogo interior. Então isso vai ficar chato. Após a primeira semana você vai começar a falar em voz alta, porque pelo menos vai poder ouvir sua própria voz. Se acontecer de você estar passando por uma rua escura, no meio da noite, você começa a assobiar. Por quê? Como assobiar vai lhe dar coragem? Como assobiar vai ajudá-lo? Basta ouvir o assobio e você sente que não está sozinho, que alguém está assobiando. A ilusão de que há duas pessoas é criada.

Depois da primeira semana, você vai começar a falar em voz alta, porque assim você também pode ouvir. Você não está sozinho, está falando e está ouvindo, como se alguém estivesse falando com você. Depois da segunda semana, você vai começar a responder para si mesmo. Você não vai apenas falar, mas vai responder também — você está dividido. Agora você é dois; um pergunta e o outro responde. Agora há um diálogo — você ficou completamente louco.

Um homem estava consultando o seu psiquiatra: "Eu estou muito preocupado, falo comigo mesmo. O que devo fazer? Você pode me ajudar?"

O psiquiatra disse: "Não há nada com que se preocupar. Todo mundo fala consigo mesmo. Somente se você começar a responder, então me procure, então eu posso ajudá-lo."

Mas a diferença é apenas de grau, não é de tipo; é apenas de quantidade. Se você começar a falar sozinho, mais cedo ou mais tarde vai começar a responder também, porque como pode simplesmente continuar falando? A resposta é necessária, caso contrário você vai se sentir um idiota. Ali pela terceira semana você começa a responder — você ficou louco.

Esse mundo, o mundo dos negócios, da atividade e da ocupação, salva você do hospício. Se você está ocupado, a energia se move para fora, então você não precisa se preocupar com o interior, o mundo interior; você pode esquecê-lo.

Um homem do Tao não é um homem de muita atividade — apenas da atividade essencial. Dizem de Chuang Tzu que, se ele podia ficar de pé, não queria andar; se ele pudesse se sentar, ele não ficava de pé; se ele pudesse dormir, ele não se sentava. Apenas o essencial, o mais essencial, ele faria, porque não há nenhuma loucura nisso.

Você faz o que não é essencial, você continua fazendo o que não é essencial. Olhe para as suas atividades: noventa e nove por cento não são essenciais. Você pode deixá-las de lado, você pode poupar muita energia, pode economizar muito tempo. Mas você não consegue deixá-las porque tem medo, tem pavor de si mesmo. Se não houver rádio, televisão, jornal, ninguém para conversar, o que você vai fazer?

Eu ouvi...

Um homem, um padre, morreu. Claro, ele esperava ir para o paraíso, para o céu. E ele chegou, e tudo era lindo. A casa em que entrou era uma das mais maravilhosas que ele já tinha visto, um palácio. E no momento em que surgia um desejo, imediatamente aparecia um servo. Se ele tinha fome, um servo aparecia com comida, a mais deliciosa que ele já provara. Se ele estivesse sentindo sede, se o desejo surgia — antes mesmo de o desejo tornar-se um pensamento, quando era apenas um sentimento —, um homem aparecia com bebidas.

Assim continuou e ele ficou muito feliz por dois ou três dias, e então começou a se sentir desconfortável, porque um homem tem que fazer alguma coisa, não pode apenas ficar sentado numa cadeira. Apenas um homem do Tao pode se sentar numa cadeira e ficar o tempo todo ali sentado. Você não consegue ficar sentado numa cadeira...

O homem ficou inquieto. Durante dois ou três dias esteve tudo bem, como se fosse um feriado, um descanso. E antes ele tinha muita atividade — muito serviço público, a missão, a igreja, os sermões. Ele era um padre e estava muito envolvido com a sociedade e a comunidade, por isso ele descansou. Mas o quanto você pode descansar? A menos que seu ser esteja em repouso, mais cedo ou mais tarde, o feriado termina, e você tem que voltar para o mundo. A inquietação aumentou, ele começou a sentir uma inquietação.

De repente o servo apareceu e perguntou: "O que o senhor deseja? Isso não é um desejo, o senhor não tem sede, não tem fome, está apenas desconfortável. Então o que devo fazer?"

O homem disse: "Não posso ficar sentado aqui para sempre, por toda a eternidade; quero alguma atividade."

O servo respondeu: "Isso é impossível. Todos os seus desejos serão satisfeitos. Qual é a necessidade de ter uma atividade se todos os desejos são satisfeitos por nós? Por que o senhor precisa de atividade? Não podemos propiciar isso aqui."

O padre ficou muito inquieto e então disse: "Que tipo de céu é esse?"

O homem disse: "Quem disse que aqui é o céu? Aqui é o inferno. Quem lhe disse que é o céu?"

E aquilo era realmente um inferno. Nesse momento ele entendeu: a falta de atividade era um inferno. Ele deve ter ficado louco, mais cedo ou mais tarde. Nenhuma comunicação ou conversa, nenhum serviço social a ser feito, nenhum pagão para ser convertido ao cristianismo, nem pessoas tolas para tornar sábias — o que ele podia fazer?

Só um homem do Tao poderia ter transformado esse inferno em céu. Um homem do Tao, onde quer que esteja, está em paz, à vontade. Apenas o essencial é feito, e se você puder fazer o essencial por ele, ele fica feliz. O não essencial é descartado.

Você não consegue descartar o não essencial. Na verdade, noventa e nove por cento de sua energia é desperdiçada com o não essencial. O essencial não é suficiente, e a mente sempre anseia pelo não essencial, porque o essencial é tão pouco, tão pequeno, pode ser satisfeito facilmente. Então o que você vai fazer?

As pessoas não estão muito interessadas em ter uma boa alimentação. Elas estão mais interessadas em ter um carro grande, pois a boa comida pode ser obtida com muita facilidade. Então para quê? As pessoas não estão interessadas em ter corpos saudáveis. Isso pode ser conseguido com muita facilidade. Elas estão interessadas em algo que não pode ser conseguido tão facilmente, algo impossível, e o não essencial é sempre o impossível. Há casas maiores, carros maiores, eles vão ficando cada vez maiores e você nunca pode descansar.

O mundo inteiro está em busca do não essencial. Se você olhar para a indústria, vai ver que noventa por cento delas estão envolvidas com o não essencial. Cinquenta por cento do trabalho humano é desperdiçado no que não é útil de maneira alguma. Em vez disso, cinquenta por cento da indústria dedica-se à mente feminina, ao corpo feminino: criando roupas novas a cada três meses, projetando casas novas, vestuários, maquiagem, sabonetes, cremes; cinquenta por cento da indústria é dedicado a tal absurdo. E a humanidade está morrendo de fome, as pessoas estão morrendo sem comida, e metade da humanidade está interessada em algo absolutamente não essencial.

Ir à Lua é algo absolutamente não essencial. Se fôssemos um pouco mais sábios não pensaríamos nisso. É absolutamente insensato desperdiçar tanto dinheiro quando poderíamos alimentar toda a Terra. As guerras não são essenciais, mas a humanidade é louca, e ela precisa mais de guerras do que de alimento. Precisa mais ir à Lua do que de comida, do que de roupas, do que do essencial, porque o essencial não é suficiente.

E agora a ciência criou o horror dos horrores, e esse horror é o fato de que o essencial pode ser satisfeito com muita facilidade. Dentro de dez anos, todas as necessidades da humanidade podem ser satisfeitas; no que diz respeito às necessidades, toda a Terra pode ser satisfeita. E depois? Então o que você vai fazer? Vai se sentir na mesma posição em que o sacerdote se encontrou. Ele estava pensando que estava no céu, e então descobriu que era um inferno. Dentro de dez anos toda a Terra pode se tornar um inferno.

O não essencial é necessário para que a sua loucura permaneça ocupada. Então as Luas não são suficientes, teremos que ir mais longe, teremos que continuar criando o inútil. Ele é necessário. Ficar ocupado, isso é necessário.

Um homem do Tao não é um homem de muita atividade. Suas ações são as mais essenciais — aquelas que não podem ser evitadas. O que pode ser evitado, ele evita. Ele está tão feliz consigo mesmo que não há necessidade de empreender ações. Sua atividade é como a inatividade; ele faz sem que haja alguém fazendo.

Ele é um barco vazio, navegando no mar, indo a lugar nenhum.

No entanto, ele não se reconhece
Como "gentil" e "bondoso".

Deixe que este trecho penetre profundamente em seu coração. *No entanto, ele não se reconhece como gentil e bondoso* — porque, se você sabe, você perdeu o mais importante; se você sabe que é um homem simples, você não é. Esse conhecimento torna isso complexo. Se você sabe que é um homem de religião, você não é, porque essa mente astuta, que sabe, ainda está presente.

Se você é gentil, e não sabe disso; se você é simples, e não está ciente disso, isso se tornou a sua natureza. Então você não está ciente disso. Se algo é imposto, você está ciente disso. Se algo é estranho, você está ciente disso. Se algo é realmente natural, você não está ciente disso. Veja — alguém se torna rico, um novo rico, então ele está ciente de sua casa, de sua piscina, das suas riquezas, e você pode ver que ele não é um aristocrata, porque ele está ostentando muito.

Um homem que acabara de enriquecer encomendou três piscinas para o seu jardim. Elas foram feitas e ele as mostrou a um amigo. O amigo ficou um pouco confuso. Ele disse: "Três piscinas? Para quê? Uma bastaria."

O dono das piscinas disse: "Não, como uma bastaria? Uma é para banhos quentes, uma para banhos frios."

O homem perguntou: "E a terceira?"

Ele disse: "É para quem não sabe nadar. A terceira vai ficar vazia."

É possível perceber se um homem é um novo rico — ele mostrará isso. O aristocrata de verdade é aquele que se esqueceu de que é rico. O homem do Tao é o aristocrata do mundo interior.

Se uma pessoa mostra a sua religião, ela ainda não é muito religiosa. A religião ainda é como um espinho, não é natural, ela dói, a pessoa está ansiosa para mostrar isso. Se você quer mostrar sua simplicidade, que tipo de simplicidade é essa? Se você exibe a sua gentileza, então é simplesmente astúcia, nada de gentil existe nela.

Um homem do Tao é um aristocrata do mundo interior. Ele está tão sintonizado com esse interior que não há exposição — não só para você; ele próprio não está consciente disso. Ele não sabe que é sábio, não sabe que é inocente — como você pode saber se é inocente? Seu conhecimento vai perturbar a inocência.

Dizem que uma vez aconteceu: um seguidor de Hazrat Maomé foi com ele para a mesquita com a intenção de orar, fazer a oração da manhã. Era verão, de manhã cedo, e quando eles estavam voltando, muitas pessoas ainda estavam dormindo em suas casas ou simplesmente na rua; uma manhã de verão e muitas pessoas ainda dormiam...

O homem, muito arrogante, disse a Hazrat Maomé: "O que vai acontecer com esses pecadores? Eles não foram fazer a oração da manhã."

E esse homem tinha ido orar pela primeira vez. No dia anterior ele também estava dormindo como esses pecadores. Um novo rico quer expor, mostrar, até para Maomé: "Hazrat, o que vai acontecer com esses pecadores? Eles não fizeram a oração da manhã, são preguiçosos e ainda estão dormindo."

Maomé parou e disse: "Você vai para casa, vou ter que voltar para a mesquita de novo."

O homem disse: "Por quê?"

Ele respondeu: "Minha oração da manhã foi desperdiçada por sua causa; fazer companhia a você destruiu tudo. Vou ter que fazer a minha oração novamente. E você se lembre, por favor, de nunca mais voltar — melhor seria se estivesse dormindo como os outros; pelo menos, eles não eram pecadores. Sua oração fez apenas uma coisa — lhe deu a chave para condenar os outros."

A pessoa considerada religiosa é apenas religiosa para poder olhar para você com um olhar condenatório, para poder dizer que você é pecador. Volte-se para os seus santos, seus chamados santos, e olhe nos olhos deles. Você não vai encontrar a inocência que deveria estar lá. Você vai encontrar uma mente calculista olhando para você e pensando no inferno: "Você será jogado no inferno e eu vou estar no céu, porque eu tenho orado muito, cinco vezes por dia, e tenho feito muito jejum." Como se fosse possível comprar o céu...! Estas são as moedas — a oração, o jejum —, essas são as moedas com que ele está tentando negociar.

Se você vir a condenação nos olhos de um santo, saiba que ele é um novo rico, ele não é um aristocrata do mundo interior, ele ainda não se tornou uno com ele. Ele sabe disso — mas você conhece uma coisa apenas quando ela está separada de você.

Uma coisa tem de ser lembrada aqui: por isso, o autoconhecimento é impossível. Você não pode conhecer a si mesmo, porque seja o que for que você saiba, isso não é o eu, é outra coisa, algo separado de você. O eu é sempre o conhecedor, nunca o conhecido; assim, como você pode conhecê-lo? Você não pode reduzi-lo a um objeto.

Eu posso ver você. Como posso me ver? Então, quem será o que vê e quem será visto? Não, o eu não pode ser conhecido da mesma maneira que outras coisas são conhecidas.

O autoconhecimento não é possível, no sentido comum, porque o conhecedor sempre transcende, sempre vai além. Seja o que for que ele saiba, não é isso. Os *Upanishads* dizem: *neti neti* — nem isso, nem aquilo. Eles dizem: Seja o que for que você saiba, você não é isso; seja o que for que você não saiba, você também não é isso. Você é aquele que sabe, e esse observador não pode ser reduzido a um objeto conhecido.

O autoconhecimento não é possível. Se a sua inocência sair da sua fonte interior, você não pode conhecê-la. Se você a impôs de fora, você pode conhecê-la; se ela é só como uma roupa que você vestiu, você a conhece, mas ela não é o próprio alento da sua vida. Essa inocência é cultivada, e uma inocência cultivada é uma coisa feia.

Um homem do Tao não reconhece a si mesmo como amável e gentil. Ele *é* amável, mas não sabe; ele é gentil, mas não sabe; ele é amor, mas não sabe — porque o amante e o conhecedor não são dois; a gentileza, a bondade, a compaixão e o conhecedor não são dois. Não, eles não podem ser divididos em o conhecido e o conhecedor. Essa é a aristocracia interior, quando você se tornou tão rico que não está ciente disso. Quando você é tão rico assim, não há nenhuma necessidade de exibir isso.

Eu ouvi...

Aconteceu uma vez, Henry Ford foi à Inglaterra. No balcão de informações do aeroporto, ele perguntou sobre o hotel mais barato na cidade. O homem olhou para ele — o rosto dele era famoso. Henry Ford era conhecido no mundo todo. Apenas um dia antes havia grandes fotos dele nos jornais dizendo que ele estava chegando. E ele estava perguntando pelo hotel mais barato, e seu casaco parecia tão velho quanto ele próprio.

Então o homem do balcão de informações perguntou: "Se eu não me engano, o senhor é Henry Ford. Lembro-me bem, vi a sua foto."

O homem disse: "Tem razão."

O atendente ficou muito confuso, e disse: "E o senhor está pedindo o hotel mais barato! E o seu casaco parece tão velho quanto o senhor mesmo. Também já vi o seu filho aqui no aeroporto, e ele sempre pergunta sobre o melhor hotel, e vem com as melhores roupas."

Dizem que Henry Ford respondeu: "Sim, o comportamento do meu filho é exibicionista, ele ainda não está sintonizado. Não há necessidade de eu ficar num hotel caro; onde quer que eu fique eu sou Henry Ford. Mesmo no hotel mais barato eu sou Henry Ford, não faz diferença. Meu filho ainda é novo, tem medo do que as pessoas vão pensar se ele ficar num hotel barato. E este casaco, sim, ele pertencia ao meu pai — mas isso não faz diferença, eu não preciso de roupas novas. Eu sou Henry Ford, seja o que for que eu vista, mesmo que esteja nu, sou Henry Ford. Não faz diferença nenhuma."

Quando você está realmente em sintonia, você é muito rico no mundo interior, não está preocupado com a ostentação. Quando você vai a um templo pela primeira vez, sua oração é um pouco mais alta do que outras. Ela tem que ser. Você quer se exibir.

O exibicionismo faz parte do ego, o que você mostra não é a questão. Você mostra, exibe, então o ego está presente, o barco não está vazio — e um homem do Tao é um barco vazio. Ele é gentil sem ter consciência disso; ele é inocente sem saber; ele é sábio, é por isso que pode viver como um tolo, despreocupado. Seja o que for que ele faça não faz nenhuma diferença, a sua sabedoria está intacta, ele pode se dar ao luxo de ser tolo. Você não pode.

Você está sempre com medo de que alguém possa pensar que você é tolo. Você tem medo de que, se os outros pensarem que você é tolo, você comece a suspeitar disso também. Se muita gente achar que você é tolo, a sua autoconfiança se perderá. E se todo mundo ficar repetindo que você é um tolo, mais cedo ou mais tarde você vai acreditar. Somente o homem sábio não pode ser enganado, ele pode parecer um idiota.

Ouvi falar de um homem sábio que era conhecido como O Louco. Ninguém sabia nada mais sobre ele, seu nome nem nada; ele era conhecido apenas como O Louco. Ele era judeu, e os judeus criaram alguns homens realmente sábios, eles têm algo da fonte interior. É por isso que Jesus pôde nascer entre eles.

Esse louco se comportava de maneira tão tola que toda a comunidade ficou perturbada, porque ninguém sabia o que fazer. Nos dias religiosos, o Yom Kippur ou em outros festivais, toda a comunidade ficava com medo, porque não se poderia prever o que esse rabino faria, como ele iria aparecer, como ele se comportaria. Suas orações também eram malucas.

Uma vez ele convocou o tribunal, o tribunal judaico, todos os dez juízes do tribunal. O tribunal veio, porque o rabino tinha convocado, e ele disse: "Eu tenho um caso contra Deus, então vocês decidem como punir esse sujeito, Deus. E eu vou oferecer todos os argumentos que provam que Deus é injusto e um criminoso."

Os juízes, o povo, todo mundo ficou com muito medo, mas eles tiveram que ouvir, porque ele era o rabino, o chefe do templo. E ele apresentou todos os argumentos, como um advogado no tribunal.

Ele disse: "Você criou o mundo, e agora você envia mensageiros para nos dizer como renunciar a ele. Que loucura! Você nos deu desejos e agora todos os seus professores chegam e dizem: 'Não tenha desejos.' Então o que você pensa que está fazendo? Se cometemos pecados, na verdade *você* é que é culpado; se não é, por que criou o desejo?"

O que o tribunal deveria decidir? Ele estava certo, mas o tribunal decidiu que esse homem tinha ficado completamente louco. Assim, o tribunal decidiu expulsar esse louco do templo.

Mas esse homem na verdade está dizendo um fato. Ele ama muito a Deus — é uma relação eu/tu, muito íntima. Ele pergunta: "O que você está fazendo? Chega agora, pare, não me engane mais." Ele deve ter amado tanto o divino, que podia se comportar dessa maneira.

E conta a história que Deus parou imediatamente quando ele chamou. Ele teve que ouvir esse homem.

Dizem que os anjos perguntaram: "De repente você parou, o que aconteceu?"

Deus disse: "Aquele louco, ele está orando. Eu tenho que ouvir, porque tudo o que ele diz é verdade, e ele me ama tanto que não há necessidade de seguir nenhuma etiqueta." No amor, no ódio, tudo é permitido, tudo é autorizado.

Esse louco estava passando e uma mulher veio até ele. Ela perguntou: "Eu desejo muito um filho há quarenta anos. E se, dentro de três ou quatro anos, ele não vier, então não será mais possível. Então me ajude."

O louco disse: "Eu posso ajudar, porque minha mãe teve o mesmo problema. Ela esperou quarenta anos e não teve nenhum filho. Então ela foi até Baal Shem, um místico; ela contou tudo a ele e ele interveio. Minha mãe lhe deu um boné bonito. Baal Shem colocou o boné na cabeça, olhou para cima e disse a Deus: 'O que você está fazendo? Isso é injusto! Não há nada de errado no pedido dessa mulher, portanto dê-lhe um filho.' E depois de nove meses, eu nasci."

Então a mulher disse, radiante, feliz, ela disse: "Eu vou para casa e eu vou lhe trazer um boné, o mais bonito que você já viu. E aí a criança vai nascer?"

O louco disse: "Você não entendeu. Minha mãe nunca soube dessa história. O seu boné não vai adiantar, você não entendeu. Você não pode imitar a religião, você não pode imitar a oração. Se imitar é porque não entendeu." Assim, sempre que as pessoas procuravam esse louco, ele dizia: "Não imite, jogue fora todas as escrituras."

Quando esse louco morreu, ele tinha queimado todos os livros escritos sobre ele. E a última coisa que fez foi dizer aos seus discípulos: "Façam uma busca ao redor da casa e me digam se resta ainda alguma coisa, não quero nem uma única carta escrita por mim, para que eu possa morrer em paz. Caso contrário, as pessoas vão começar a seguir isso e, se seguirem, vão se perder." Então, tudo foi recolhido e queimado. Quando tudo foi queimado ele disse: "Agora posso morrer em paz. Eu não estou deixando nenhum vestígio para trás."

Esse tipo de sábio não tem medo. Como pode um sábio ter medo de alguém? O que ele diz não faz sentido. Ele pode ser, aparentemente, um tolo, não precisa mostrar a sua sabedoria.

Você já observou a si mesmo? Está sempre tentando exibir sua sabedoria, em busca de uma vítima a quem possa mostrar seu conhecimento, sua capacidade; só procurando, caçando alguém mais fraco do que você — para que possa se intrometer e mostrar a sua sabedoria.

O sábio não precisa ser exibicionista. Seja o que for que ele seja, ele é. Ele não está consciente disso, não está com pressa de mostrá-lo. Se você quiser encontrar isso, você terá que fazer um esforço. Se quiser saber se ele é gentil ou não, vai ter que descobrir por si mesmo.

Ele não luta para ganhar dinheiro
E não faz da pobreza uma virtude.

Lembre-se disso. É muito fácil ganhar dinheiro e também é muito fácil fazer da pobreza uma virtude. Mas esses dois tipos não são diferentes. Um homem sai para ganhar dinheiro, e então de repente fica frustrado. Ele conseguiu e nada ganhou — assim, ele renuncia. Então a pobreza vira uma virtude, ele vive a vida de um homem pobre e, então, diz: "Esta é a única vida verdadeira, essa é a vida religiosa." Esse homem é o mesmo, nada mudou. O pêndulo afastou-se da esquerda, mas foi agora para o outro extremo.

Ele não luta para ganhar dinheiro...

Isso você vai entender; a outra parte é mais difícil.

...ele não faz da pobreza uma virtude.

Ele não é nem pobre nem rico. Ele não está fazendo nenhum esforço pelo dinheiro, ele não está fazendo nenhum esforço para ser pobre — aconteça o que acontecer, ele permite que isso aconteça. Se um palácio surgir, ele vai estar no palácio; se o palácio desaparecer, ele não vai procurar por ele. Seja o que for que estiver acontecendo, ele vai acompanhar; sua felicidade não pode ser perturbada. Ele não está lutando por dinheiro, ele não está lutando pela pobreza.

Ele segue o seu caminho
Sem depender dos outros.

Isso você pode facilmente entender.

Ele segue o seu caminho
Sem depender dos outros.
E não se orgulha
De andar sozinho.

O oposto tem de ser descartado imediatamente. Você depende dos outros, da sua esposa, dos seus filhos, do seu pai, da sua mãe, dos amigos, da sociedade; de repente você se afasta deles — e foge para o Himalaia. Então você começa a se orgulhar: "Eu moro sozinho, não preciso de ninguém, eu me libertei daquele mundo."

Mesmo assim você ainda não está sozinho, porque sua solidão ainda depende do mundo. Como você poderia estar sozinho se não houvesse um mundo do qual se afastar? Como você poderia estar sozinho se não houvesse uma sociedade a que renunciar? Como você poderia estar sozinho se não houvesse uma esposa, filhos, uma família para deixar para trás? Sua solidão depende deles. Como você poderia ser pobre se não houvesse dinheiro a que renunciar? Sua pobreza depende de suas riquezas.

Não, um homem perfeito, um homem que é realmente sábio, o homem do Tao, ele segue seu caminho sem depender dos outros. Porque, se você depender dos outros, vai sofrer, se depender dos outros, estará sempre no cativeiro. Se depender dos outros, vai se tornar dependente e frágil. Mas isso não significa que você se orgulhe de caminhar sozinho. Caminhe sozinho, mas não se orgulhe disso. Depois, você pode se mover no mundo sem fazer parte dele. Depois, você pode viver em família sem ser um membro dela. Depois, você pode ser um marido sem ser marido. Então você pode possuir sem ser possuído por suas posses. Então, o mundo estará lá fora, mas não dentro. Então você estará lá, mas não será corrompido por ele.

Esta é a solidão verdadeira — viver no mundo sem ser tocado por ele. Mas, se você é orgulhoso, você se perdeu. Se você pensa *Eu me tornei alguém*, o barco não está vazio, e novamente você se tornou vítima do ego.

O homem do Tao
Permanece anônimo.
A virtude perfeita
Não produz nada.
O não eu é o verdadeiro eu.
E o maior entre os homens
É ninguém.

Ouça... O homem do Tao permanece desconhecido. Não que ninguém vá conhecê-lo, mas cabe a você descobri-lo. Ele não está fazendo nenhum esforço para ser conhecido. Qualquer esforço para ser conhecido vem do ego, porque o ego não pode existir se você for desconhecido; ele só existe quando você é conhecido. Ele existe, é alimentado, quando as pessoas olham para você, quando prestam atenção em você, quando você é alguém importante, significativo.

Mas como você pode ser significativo se ninguém conhece você? Quando o mundo inteiro conhece você, então você passa a ser significativo. É por isso que as pessoas correm tanto atrás da fama e, se a fama não pode ser alcançada, elas correm atrás da notoriedade — mas nunca querem ser desconhecidas. Se as pessoas não aplaudirem você, então você vai procurar ser condenado, mas elas só não podem ser indiferentes a você.

Ouvi falar de um político. Ele tinha um grande séquito, muitos seguidores, muitos que o apreciavam quando ele não estava no poder, porque na política tudo é momentâneo. Quando não está no poder, você parece muito inocente, porque, se não há poder, o que você pode fazer? Como pode prejudicar? Portanto, sua verdadeira natureza só passa a ser conhecida quando você está no poder.

Olhe para os seguidores de Gandhi na Índia antes da independência — tão santos! E agora tudo foi para o extremo oposto. Agora eles são os mais corruptos. O que aconteceu? Uma lei simples: quando não estavam no poder eram como pombas, inocentes; quando subiram ao poder, tornaram-se semelhantes a serpentes; astutos, corrompidos, exploradores.

A sua verdadeira natureza só é conhecida quando você tem poder. Quando você pode prejudicar, então se sabe se você vai prejudicar ou não.

Lorde Acton disse: "O poder corrompe e o poder absoluto corrompe absolutamente." Não, isso não está correto. O poder nunca corrompe, ele só traz a corrupção para fora. Como o poder pode corromper? Você já era corrupto, mas não havia oportunidade. Você já era feio, mas estava na escuridão. Agora você está sob a luz dos holofotes e como vai dizer que a luz fez você ficar feio? Não, a luz apenas revela.

... Esse político era muito apreciado, amado, tinha uma personalidade carismática. Então ele subiu ao poder e todo mundo ficou contra ele. Então, ele foi expulso do poder, o seu nome se tornou notório, ele foi condenado em todos os lugares, teve que deixar sua cidade, porque as pessoas não permitiram que ele vivesse lá; ele tinha causado muitos danos.

Assim, com sua esposa, ele estava procurando uma nova residência em outra cidade. Viajou para várias cidades apenas para conhecê-las e ver onde morariam. Então o povo de uma cidade começou a atirar pedras nele. Ele disse: "Este é o lugar certo, devemos escolher esta cidade."

A esposa disse: "Você está louco? Você perdeu o juízo? As pessoas estão atirando pedras."

O político disse: "Pelo menos não são indiferentes."

A indiferença dói mais porque o ego não pode existir na indiferença. Se você for a meu favor ou contra mim, o ego pode existir, mas não seja indiferente a mim, porque do contrário como posso existir, como o ego pode existir? O homem do Tao permanece desconhecido. Isso significa que ele não está à procura de pessoas que deveriam conhecê-lo. Se quiserem conhecê-lo, elas têm de procurá-lo.

A virtude perfeita
Não produz nada.

Este é um dos princípios básicos da vida taoista.

A virtude perfeita não produz nada, porque, quando você é perfeitamente virtuoso, nada é necessário. Quando você é perfeitamente virtuoso, não há desejo, não há motivação. Você é perfeito. Como a perfeição pode avançar? Apenas a imperfeição avança. Só a imperfeição deseja produzir algo. Por isso, um artista perfeito nunca pinta um quadro, e um músico perfeito joga fora sua cítara. Um arqueiro perfeito quebra seu arco e joga fora, e um homem perfeito como Buda é absolutamente inútil. O que Buda produziu — poesia, uma escultura, uma pintura, uma sociedade? O que Buda produziu? Ele parece absolutamente improdutivo, ele não fez nada.

A virtude perfeita não produz nada, porque não precisa de nada. A produção é resultado do desejo, a produção ocorre porque você é imperfeito. Você cria algo para compensar, porque você se sente insatisfeito. Se você está absolutamente preenchido, por que deveria criar, como poderia criar? Então você mesmo se torna uma criação gloriosa, então o próprio eu interior é tão perfeito que nada é necessário.

A virtude perfeita não produz nada. Se o mundo for virtuoso, todos os objetivos utilitários serão perdidos. Se o mundo for realmente virtuoso haverá brincadeira e nenhuma produção. Então a coisa toda vai se tornar uma simples brincadeira. Você a aprecia, mas não precisa dela. Um sábio perfeito é absolutamente inútil.

O não eu é o verdadeiro eu.

Quando você sente que não é nada, pela primeira vez você é, porque o eu não é nada mais que um sinônimo de ego. É por isso que Buda, Lao Tsé, Chuang Tzu, todos eles dizem que não existe nenhum eu, nenhum *atman*. Não que não exista — eles dizem que não existe *atman*, não existe eu, porque seu ego é tão astuto que pode se esconder atrás dele. Você pode dizer: "*Aham brahmasmi*, eu sou brahman, *Ana'l haq*, eu sou Deus." e o ego pode se esconder atrás disso.

Buda diz que não existe ninguém para reclamar, não existe um eu dentro de você. Buda diz que você é como a cebola: você descasca, continua a descascar as camadas e, por fim, nada resta. Sua mente é como uma cebola, continue a descascá-la. Isso é que é meditação — ir descascando, descascando, até chegar um momento em que nada reste. Esse nada é o seu verdadeiro eu.

O não eu é o verdadeiro eu. Quando o barco estiver vazio, então pela primeira vez você está no barco.

E o maior entre os homens
É ninguém.

Aconteceu: Buda renunciou ao reino. Então ele saiu numa busca, de floresta em floresta, de *ashram* em *ashram*, de mestre em mestre, andando a pé. Ele nunca tinha andado descalço, mas agora ele era apenas um mendigo. Ele estava passando por um rio, caminhando ao lado do rio, na areia, e deixou suas pegadas.

Enquanto estava descansando à sombra de uma árvore, um astrólogo o viu. Ele estava voltando de Kashi, onde tinha aprendido astrologia. Tinha se tornado especialista nessa matéria, tinha se tornado perfeito, um grande doutor em astrologia, e estava voltando à sua cidade natal para desempenhar seu ofício.

Ele olhou para as pegadas na areia molhada. Ficou perturbado, porque aquelas pegadas não poderiam pertencer a um homem que caminha sobre a areia sem sapatos, num verão quente, ao meio-dia. Aqueles pés pertenciam a um grande imperador, um *chakravartin*. O *chakravartin* é um imperador que governa o mundo inteiro. Todos os símbolos estavam lá, de que esse homem era um *chakravartin*, um imperador do mundo inteiro, dos seis continentes. Mas por que um *chakravartin* andaria na areia com os pés nus, sem sapatos, numa tarde de verão tão quente? Era impossível!

O astrólogo estava carregando seus livros mais valiosos. E pensou: *Se isso for possível eu jogo esses livros no rio e esqueço a astrologia para sempre, porque isso é um absurdo. É muito, muito difícil encontrar um homem que tenha os pés de um chakravartin. Uma vez em milhões de anos um homem se torna um chakravartin, e o que esse chakravartin está fazendo aqui?*

Então ele seguiu as pegadas e chegou a Buda. O astrólogo olhou para ele ali sentado, descansando sob uma árvore com os olhos fechados. Ficou mais perturbado, absolutamente perturbado, porque o rosto era também o rosto de um *chakravartin*. Mas o homem parecia um mendigo, tendo ao seu lado apenas uma tigela de pedir esmolas, e usava roupas rasgadas. Mas o rosto parecia o de um *chakravartin*, então o que fazer?

Ele disse: "Estou muito perturbado, me esclareça. Tenho apenas uma pergunta a fazer. Vi e estudei suas pegadas. Elas devem pertencer a um *chakravartin*, um grande imperador que governa o mundo todo, toda a Terra é o seu reino — e você é um mendigo. Então o que devo fazer? Devo jogar fora todos os meus livros de astrologia? Meus doze anos de esforço em Kashi foram desperdiçados e as pessoas ali são todas tolas.

Eu perdi a fase mais importante da minha vida, por isso me esclareça. Diga-me, o que devo fazer?"

Buda disse: "Você não precisa se preocupar. Isso não vai acontecer novamente. Leve seus livros, vá para a cidade, inicie o exercício de sua profissão, não se preocupe comigo. Eu nasci para ser um *chakravartin*. Essas pegadas carregam o meu passado."

Todas as pegadas carregam o seu passado — as linhas da sua mão, a palma da sua mão, carregam o seu passado. É por isso que a astrologia e a quiromancia são sempre verdadeiras com relação ao passado, mas nunca tão verdadeiras com relação ao futuro, e absolutamente falsas com relação a um buda, porque quem joga fora todo o seu passado caminha para o desconhecido — você não pode prever o seu futuro.

Buda disse: "Você não vai se deparar com um homem intrigante novamente. Não se preocupe, isso não vai acontecer de novo, considere uma exceção."

Mas o astrólogo disse: "Só mais algumas perguntas. Eu gostaria de saber quem você é. Estou realmente tendo um sonho? Um *chakravartin* sentado como um mendigo? Quem é você? Você é um imperador disfarçado?"

Buda disse: "Não."

Em seguida, o astrólogo perguntou: "Mas o seu rosto parece tão bonito, tão calmo, tão cheio de silêncio interior. Quem é você? Você é um anjo do paraíso?"

Buda disse: "Não."

O astrólogo fez mais uma pergunta: "Não é muito educado perguntar, mas você criou o desejo, a avidez. Você é um ser humano? Se não é um imperador, um *chakravartin*, se não é um *deva* do paraíso, então é um ser humano?"

E Buda disse: "Não, eu sou ninguém. Eu não pertenço a nenhuma forma, a nenhum nome."

O astrólogo disse: "Você agora me deixou mais perturbado ainda. O que quer dizer?"

Isso é o que Buda quis dizer:

E o maior entre os homens
É ninguém.

Você pode ser alguém, mas não pode ser o maior. Há sempre alguém maior em algum lugar do mundo. E quem é alguém? Você é a medida. Você diz que este homem é grandioso — mas quem é a medida? Você.

A colher é a medida do oceano. Você diz: "Este homem é grandioso." Você diz, e muitos como você dizem: "Este homem é grandioso" — e ele se torna grande por sua causa.

Não. Neste mundo, seja quem for não pode ser o maior, porque o oceano não pode ser medido a colheradas. E vocês todos são colheres de chá de medição do oceano. Não, não é possível.

Assim, o maior será realmente ninguém entre vocês. O que significa quando Chuang Tzu diz: "O maior entre os homens é ninguém?" Isso significa que é imensurável. Você não pode medir, você não pode rotular, não é possível categorizar, você não pode dizer: "Quem é este?" Ele simplesmente escapa de medição. Ele simplesmente vai além e além e além, e a colher cai no chão — imensurável.

Deus deve ser ninguém. Ele não pode ser alguém porque quem iria fazer dele alguém? Você? — então você mediu. Então você se tornou maior do que Deus, então a colher de chá tornou-se maior que o oceano. Não, Deus não pode ser medido. Ele continuará a ser um ninguém.

Lembro-me desse louco outra vez, esse judeu. Ele costumava dizer em suas orações: "Deus, você e eu somos dois estranhos neste mundo."

Então um dia um discípulo ouviu a oração que ele estava fazendo: "Deus, você e eu somos dois estranhos neste mundo."

O discípulo perguntou: "O que o senhor quer dizer? Deus e o senhor, estranhos?"

Ele disse: "Ele é ninguém e eu também sou ninguém — imensuráveis — você não pode medi-lo e nem pode me medir."

Alguém significa que você foi medido. Você está rotulado, categorizado. Você é conhecido. *Ninguém* significa que você permanece desconhecido. Por mais que você saiba, seja o que for que você saiba, seu conhecimento não irá esgotá-lo. Você saberá que esse não é o limite. E quanto mais íntimo você se torna, maior ele se torna, mais imensurável. Chega um momento em que você simplesmente joga fora sua colher de chá, simplesmente não faz mais esforço para medir. E só então você é íntimo do grande homem, o homem do Tao.

Basta por hoje.

Capítulo 3

A CORUJA E A FÊNIX

Hui Tzu era primeiro-ministro de Liang. Ele acreditava possuir a informação privilegiada de que Chuang Tzu cobiçava seu posto e estava fazendo intrigas para derrubá-lo. Na verdade, quando Chuang Tzu foi visitar Liang, o primeiro-ministro enviou a polícia para prendê-lo. A polícia procurou-o durante três dias e três noites, mas, entretanto, Chuang Tzu, apresentou-se diante de Hui Tzu por vontade própria e lhe disse:

"Já ouviu falar do pássaro
Que vive no sul?
A Fênix, que jamais envelhece?

"Essa Fênix imortal
Ergue-se do Mar do Sul
E voa para o Mar do Norte,
Jamais pousando
A não ser em certas árvores sagradas.
Não toca nenhum alimento
A não ser a mais requintada
Fruta rara,
Bebendo apenas
Das mais cristalinas nascentes.

"Uma vez uma coruja
Mastigando um rato morto
Já meio apodrecido,
Viu a Fênix voando,
Olhou para cima,
E gritou com alarme,
Apertando o rato contra si
Com medo e espanto.

"Por que estás tão frenética
Apegando-se ao teu ministério
E gritando para mim
Com pavor?"

A mente religiosa é basicamente sem ambição. Se houver algum tipo de ambição, ser religioso fica impossível, porque só um homem superior pode se tornar religioso. Ambição implica inferioridade. Tente entender isso, porque é uma das leis básicas. Sem entender isso, você pode ir a templos, você pode ir para o Himalaia, você pode orar e meditar, mas tudo será em vão. Você estará simplesmente desperdiçando sua vida se não entendeu a natureza da mente — seja ela ambiciosa ou sem ambição. Sua busca do todo será inútil, porque a ambição nunca pode levar ao divino. Só a não ambição pode tornar-se a porta.

A psicologia moderna também está de acordo com Chuang Tzu, com Lao Tsé, com Buda, com todos aqueles que sabiam que a inferioridade cria ambição. Por isso, os políticos vêm do que existe de pior na humanidade. Todos os políticos são sudras, intocáveis. Não podem ser de outro jeito, porque sempre que a mente sente o complexo de inferioridade ela quer se tornar superior — surge o oposto. Quando se sente feio, você tenta ser bonito. Se você é bonito, então não há esforço.

Então olhe para as mulheres feias e você conhecerá a natureza do político. Uma mulher feia está sempre tentando esconder a feiura, sempre tentando ser bonita. Pelo menos o rosto, o rosto pintado, as roupas, os enfeites, todos eles pertencem ao feio. A feiura de alguma forma tem de ser superada e você tem que criar o oposto para escondê-la, para escapar dela. Uma mulher verdadeiramente bonita não se preocupa, ela nem tem consciência da sua beleza. E só uma beleza inconsciente é bonita. Quando você se torna consciente, a fealdade aparece.

Quando você sente que é inferior, quando você se compara e vê que os outros são superiores a você, o que você faz? O ego se sente magoado — você é inferior. Você simplesmente não pode aceitar essa inferioridade, então tem que enganar a si mesmo e aos outros.

Como você engana? Existem duas maneiras. Uma delas é enlouquecer. Você pode declarar que você é um Alexandre o Grande, um Hitler, um Nixon. Nesse caso, você pode declarar isso com facilidade, porque não se incomoda com o que os outros dizem. Visite manicômios em todo o mundo e lá você vai encontrar todas as grandes personagens da história ainda presentes.

Quando Pandit Jawaharlal Nehru estava vivo, pelo menos uma dezena de pessoas na Índia acreditava que eram Pandit Jawaharlal Nehru. Uma vez ele chegou a um hospício para inaugurar uma nova ala. E as autoridades desse manicômio tinham planejado que algumas pessoas receberiam alta pelas mãos dele, porque agora elas estavam saudáveis e normais. A primeira pessoa foi trazida a Nehru, e foi apresentada. Nehru se apresentou para o louco que tinha se tornado mais normal e disse: "Eu sou Pandit Jawaharlal Nehru, primeiro-ministro da Índia."

O louco riu e disse: "Não se preocupe. Fique aqui durante três anos e você se tornará tão normal quanto eu. Três anos atrás, quando cheguei a este hospício era nisso que eu acreditava — eu era Pandit Jawaharlal Nehru, primeiro-ministro da Índia. Mas eles me curaram completamente, então não se preocupe."

Isso já aconteceu de muitas maneiras. Lloyd George foi primeiro-ministro da Inglaterra. Na época da guerra, às seis horas da tarde, costumava haver um toque de recolher e ninguém podia sair de casa. Todo o tráfego parava, e todos tinham que ir para algum abrigo. Nenhuma luz, nenhuma energia elétrica era permitida. Lloyd George fazia sua caminhada noturna de todos os dias. Ele esqueceu.

De repente, a sirene... Eram seis horas e sua casa estava muito longe e ele tinha que caminhar pelo menos um quilômetro. Então ele bateu na porta mais próxima e disse ao homem que abriu: "Deixe-me passar esta noite aqui, caso contrário a polícia vai me pegar. Eu sou Lloyd George, o primeiro-ministro."

O homem de repente agarrou-o e disse: "Entre. Este é o lugar certo para você. Já temos três Lloyd George aqui!" Era um hospício.

Lloyd George tentou convencer o homem, mas ele disse: "Não tente, todos eles tentam me convencer. Ou você entra ou eu vou ter que bater em você."

Assim, Lloyd George teve que manter a calma durante toda a noite, ou teria sido espancado. Como poderia convencê-los? Já havia três Lloyd George e todos eles tinham tentado provar isso.

Uma maneira é enlouquecer — nesse caso de repente você declara que é superior, o mais superior. Outra maneira é ser político. Ou você fica louco ou se torna político. Na política você não pode simplesmente declarar — você tem que provar que é realmente o primeiro-ministro ou o presidente. Por isso, esse é um caminho mais longo. A loucura é um atalho para a fama, a política é o caminho mais longo. Mas têm o mesmo objetivo.

E, se o mundo um dia se tornar são, se tornar um mundo normal, então dois tipos de pessoas terão que ser curadas: os loucos e os políticos. Ambos estão doentes. Um tomou a rota mais longa, o outro tomou o atalho. E lembre-se bem que o louco é menos prejudicial do que o político, porque ele simplesmente se declara, ele nunca se preocupa em provar isso; o político se preocupa em provar — e a prova custa muito caro.

Como Hitler tentou provar? Provar que ele era o mais superior, o ariano supremo? Teria sido melhor para o mundo se ele tivesse enlouquecido e pegasse o atalho, então não teria acontecido uma Segunda Guerra Mundial.

Os políticos são mais perigosos porque são loucos com provas. Eles são loucos trabalhando, conquistando, alcançando um objetivo, apenas para esconder a inferioridade que existe dentro deles. Sempre que alguém se sente inferior, ele tem que provar, ou simplesmente hipnotizar a si mesmo — para se convencer de que não é inferior. Você não pode ser religioso se você for louco, nesse sentido. Nenhum louco à maneira de São Francisco é louco — essa loucura vem através do êxtase, através da inferioridade. A loucura de um São Francisco ou de um Chuang Tzu vem da superioridade, vem do coração, vem da fonte original. Essa outra loucura vem do ego, vem da inferioridade. A alma é sempre superior e o ego é sempre inferior.

Então, um egoísta tem de se tornar um político de um jeito ou de outro. Qualquer que seja a profissão que ele escolha, por meio dessa profissão ele vai ser um político.

O que quero dizer quando digo política? Quero dizer o conflito entre egos, a luta para sobreviver. Entre os egos — o seu ego e o meu ego em conflito —, então somos políticos. Quando não estou em conflito com o ego de ninguém, eu sou um homem religioso. Quando eu não tento ser superior, eu sou superior. Mas essa superioridade não é oposta à inferioridade, é uma ausência da sensação de inferioridade.

Essa distinção tem de ser lembrada. Existem dois tipos de superioridade. Num deles você simplesmente escondeu a inferioridade, cobriu-a; você está usando uma máscara — a inferioridade existe por trás da máscara. Sua superioridade é apenas superficial; no fundo você permanece inferior e, porque você continua sentindo inferioridade, você tem que usar essa máscara de superioridade, de beleza. Como você está consciente de que é feio, você tem que dar um jeito de ser bonito, você tem que se exibir, tem que ter um rosto falso. Esse é um tipo de superioridade, mas não é verdadeiro.

Existe outro tipo de superioridade, e essa superioridade é a ausência de inferioridade, não é oposta a ela. Você simplesmente não se compara. Se você não se compara, como pode ser inferior? Veja, se você é o único na Terra e não existe mais ninguém, você vai ser inferior? A quem? Com quem você vai se comparar? Em relação a o quê? Se você está sozinho, o que você vai ser, inferior ou superior? Você não vai ser nenhum dos dois. Você não pode ser inferior, porque não há ninguém à sua frente; você não pode se declarar superior, porque não há ninguém atrás de você. Você não vai ser nem superior nem inferior — e digo a você que essa é a superioridade da alma. Ela nunca compara. Compare e surge a inferioridade. Não se compare, e você simplesmente é — único.

O homem religioso é superior no sentido de que a inferioridade desapareceu. O político é superior no sentido de que ele superou a sua inferioridade. Ela está escondida ali, ainda está lá dentro. Ele está apenas usando o traje, o rosto, a máscara de um homem superior.

Quando você compara, você perde; então você sempre vai olhar para os outros. E não existem duas pessoas iguais; elas não podem ser iguais. Cada indivíduo é único e cada indivíduo é superior, mas essa superioridade não é comparável. Você é superior porque não pode ser outra coisa. Superioridade é apenas a sua natureza. A árvore é superior, a rocha também é superior, porque toda a existência é divina. Como alguma coisa pode ser inferior aqui? É a existência, transbordando em milhões de formas. Num lugar a existência tornou-se uma árvore, em outro lugar a existência tornou-se uma rocha, em outro a existência tornou-se um pássaro, em outro a existência se tornou você.

Apenas a divindade existe; portanto, não existe comparação. E a existência é superior, mas não com relação a alguma coisa — porque a divindade apenas é, e não pode haver inferioridade.

Um homem religioso vem vivenciar a sua singularidade, vem vivenciar a sua divindade, e por meio de sua vivência da divindade ele percebe a divindade de tudo. Isso é apolítico, porque já não há ambição; você não tem que provar nada, você já está provado, você não tem nada a declarar, você já está declarado. Seu próprio ser é a prova. Você é... basta. Nada mais é necessário.

Portanto, lembre-se disso como a lei básica: se na religião você continua a fazer comparações, você está na política, não está na religião. É por isso que todas as religiões tornaram-se políticas. Elas usam terminologia religiosa, mas oculta por trás delas está a política. O que é o Islã, o que é o cristianismo, o que é o hinduísmo agora? Todos eles são grupos políticos, organizações políticas fazendo política em nome da religião.

Quando você vai ao templo orar, simplesmente ora ou se compara? Se alguém está ali orando, a comparação surge em sua mente? Ele está orando melhor do que você, ou você está orando melhor do que ele? Então, o templo não está mais ali. O templo desapareceu, tornou-se política.

Na religião, a comparação não é possível; você simplesmente ora, e o espírito de oração torna-se o seu ser interior. Não é algo exterior, para ser comparado. Essa devoção incomparável, essa meditação incomparável vai levar você à superioridade intrínseca de toda a existência.

Buda diz: Não seja ambicioso, porque através da ambição você sempre será inferior. Seja não ambicioso e atinja a sua superioridade intrínseca. Ela é intrínseca, não é nada que precise ser provado ou alcançado; você já a tem, você a conquistou. Ela já existe — sempre esteve com você e permanecerá para sempre com você. O seu próprio ser é superior, mas você não sabe que ser existe em você. Você não sabe quem você é — por isso tanto esforço para descobrir sua identidade, na tentativa de provar que você é superior aos outros. Você não sabe quem você é.

Depois que você sabe, então não há problema. Você já é superior. E não é só você que é superior — tudo é superior. Toda a existência é superior, nada é inferior, porque a existência é uma só. Nem o inferior nem o superior podem existir. A mente não ambiciosa acaba percebendo isso.

Agora, vamos analisar as frases de Chuang Tzu, esse belo incidente que realmente aconteceu. Chuang Tzu estava indo para a capital e o primeiro-ministro ficou com medo. Ele deve ter ouvido a notícia de que Chuang Tzu estava a caminho pela polícia secreta, a CID. E os políticos estão sempre com medo, porque todo mundo é inimigo, até mesmo os amigos são inimigos; é preciso proteger-se dos amigos, porque eles também estão tentando empurrar ou puxar você para baixo.

Lembre-se, ninguém é amigo. Na política, todo mundo é inimigo. A amizade é apenas uma fachada. Na religião não há ninguém que seja inimigo. Na religião não pode haver nenhum inimigo; na política não pode haver nenhum amigo.

O primeiro-ministro ficou com medo — Chuang Tzu estava para chegar. E a superioridade de Chuang Tzu era tal que o primeiro-ministro achou que ele poderia tentar se tornar primeiro-ministro. Era perigoso e, claro, Chuang Tzu *era* superior, não superior em comparação com qualquer outra pessoa, ele era simplesmente superior. Era algo intrínseco.

Quando um homem como Chuang Tzu se move, ele é rei; se ele está vivendo como um mendigo ou não, não faz qualquer diferença. Ele é um rei aonde quer que vá. O reino não é algo externo a ele, é algo interior.

Um mendigo, um monge da Índia, foi para os Estados Unidos no início deste século. Seu nome era Ramateertha. Ele costumava se chamar de "O Imperador". O presidente dos Estados Unidos veio vê-lo; olhou para ele — era apenas um mendigo! O presidente perguntou: "Eu não consigo entender. Por que você se intitula O Imperador? Você vive como um mendigo. Até escreveu um livro — Por quê?" Ele tinha escrito um livro: *As Seis Ordens do Imperador Ram*.

Ramateertha riu e disse: "Olhe dentro de mim, meu reino pertence ao mundo interior. Olhe para mim. Eu *sou* um imperador. O meu reino não é deste mundo."

Por isso, Jesus foi crucificado. Ele sempre falava do reino. Estava sempre dizendo: "Eu sou o rei." Ele foi mal interpretado. O homem que era o rei, Herodes, ficou alerta. O vice-rei, Pôncio Pilatos, pensou que esse homem fosse perigoso, porque ele falava sobre o reino, o rei, e havia declarado: "Eu sou o *rei dos judeus*." Ele foi mal interpretado. Estava falando de um tipo diferente de reino, que não é deste mundo.

Quando ele estava sendo crucificado, os soldados zombaram dele, jogaram pedras e sapatos contra ele e, apenas para zombar, colocaram uma coroa de espinhos em sua cabeça com as palavras o Rei dos Judeus escritas nela. E enquanto estavam jogando pedras e sapatos contra ele, eles estavam dizendo: "Agora, diga algo sobre o reino, diga algo; você, o rei dos judeus!"

Ele estava falando de outro reino, não deste mundo; esse reino não está fora, está dentro. Mas sempre que um homem como Jesus caminha, ele é o imperador. Ele não pode evitar. Ele não está competindo com ninguém, ele não está disputando nenhuma coroa deste mundo, mas aonde quer que ele vá as pessoas ambiciosas ficam com medo, os políticos ficam com medo. Esse homem é perigoso, porque seu rosto, seus olhos, a maneira como ele caminha, tudo isso é de um imperador. Ele não precisa provar, ele é a prova. Não precisa expressar isso, não precisa dizer isso.

Quando o primeiro-ministro ouviu da polícia secreta que Chuang Tzu estava chegando, ele achou que Chuang Tzu deveria estar indo à capital para derrubá-lo; caso contrário, por que iria? As pessoas só vão à capital para isso. Ninguém vai a Nova Délhi por outro motivo. As pessoas vão às capitais em busca da ambição, em busca do ego, de identidade. Por que ele deveria ir — um faquir, um mendigo? Qual é a necessidade de ir à capital?

"Ele deve estar vindo para tomar meu lugar, meu posto. Deve estar vindo procurar o rei, para dizer, 'Eu sou o homem certo. Faça de mim o primeiro-ministro e eu vou consertar tudo o que está errado. Vou resolver todos os seus problemas'."

E o homem tinha uma glória ao seu redor, um carisma. O primeiro-ministro ficou com medo. Primeiros-ministros são sempre inferiores. No fundo, o complexo de inferioridade está lá, como uma doença, como um verme corroendo o coração, sempre com medo do superior.

Hui Tzu era primeiro-ministro de Liang. Ele tinha o que acreditava ser a informação privilegiada de que Chuang Tzu cobiçava seu posto, e estava conspirando para derrubá-lo.

Os políticos não podem pensar de outro modo. A primeira coisa a se entender: você julga os outros de acordo com o que você é. Seus desejos, suas ambições dão a você o padrão. Se você está atrás de dinheiro, você acha que todo mundo está atrás de dinheiro. Se você é um ladrão, está sempre verificando seus próprios bolsos, o tempo todo. É assim que você vai mostrar que você é um ladrão. Seu desejo interior é a linguagem do seu entendimento. Os políticos sempre pensam em termos de tramas, conspirações — "Alguém vai me derrubar, alguém vai me expulsar." Porque é isso o que eles sempre fizeram; conspirar é o que eles têm feito a vida toda. Os políticos são conspiradores, essa é sua linguagem. E você olha para os outros através da sua mente, você projeta nos outros as coisas que estão profundamente escondidas dentro de você.

Hui Tzu pensou: *Este Chuang Tzu está tramando para me derrubar.*

Quando Chuang Tzu foi visitar Liang, o primeiro-ministro enviou a polícia para prendê-lo, mas, embora eles tenham procurado por ele durante três dias e três noites, não conseguiram encontrá-lo.

Isso é lindo!

A polícia só pode encontrar ladrões — eles se entendem. A mente do policial e a mente de um ladrão não são diferentes. Os ladrões a serviço do governo são a polícia. Suas mentes, seu modo de pensar são os mesmos, só os seus mestres são diferentes. O ladrão está a serviço dele mesmo, o policial está a serviço do Estado, mas ambos são ladrões. É por isso que os policiais podem pegar os ladrões. Se você enviar um *sadhu* para encontrar um ladrão, ele não vai encontrá-lo, porque ele vai olhar para os outros através de sua mente.

Um rabino estava passando. Havia um jovem ali, era um dia religioso e ele estava fumando. Mas era proibido fumar nesse dia. Então, o rabino parou e perguntou ao jovem "Você não sabe, meu jovem, que hoje é um dia religioso, e você não devia estar fumando?"

O jovem disse: "Sim, eu sei que hoje é um dia religioso." Ainda assim, ele continuou fumando — e não só isso, ficou soprando a fumaça no rosto do rabino.

O rabino perguntou: "E você não sabe que é proibido fumar?"

O jovem disse com arrogância: "Sim, eu sei que é proibido." E continuou.

O rabino olhou para o céu e disse: "Pai, esse é um belo rapaz. Ele pode estar infringindo a lei, mas ninguém pode forçá-lo a mentir. Ele é um homem honesto. Ele diz: 'Sim, eu sei que este é um dia religioso, e sim, eu sei que é proibido. Lembre-se disso no dia do juízo final, que ninguém conseguiria obrigar este jovem a mentir."

Este é um belo rabino. Este é o espírito de um *sadhu*. Ele não pode ver nada errado, ele sempre vê tudo certo.

A polícia não conseguiu encontrar Chuang Tzu. Eles poderiam ter encontrado se ele fosse um homem ambicioso, se estivesse conspirando, se estivesse pensando em termos de política — então ele poderia ter sido capturado. A polícia deve ter procurado nos lugares onde ele não estava, e seus caminhos devem ter se cruzado muitas vezes. Ele era um mendigo, a polícia não deve ter percebido que ele era um mendigo, um homem sem ambição. Ele não estava tramando. Não tinha cabeça para intrigas, ele era como a brisa. A polícia procurou por vários dias e não conseguiu encontrá-lo.

Você pode encontrar apenas o que você é. Você sempre se encontra nos outros, porque os outros são apenas espelhos. Para pegar Chuang Tzu, seria necessário um Lao Tsé. Ninguém mais poderia pegá-lo, pois quem poderia entendê-lo? Um buda seria necessário; Buda o teria agarrado imediatamente: "Aqui está ele!" Mas um policial? Impossível! Só se ele fosse um ladrão seria possível. Olhe para o policial, a maneira como ele é, o jeito como ele fala, o linguajar sujo e vulgar que ele usa; é ainda mais vulgar do que o linguajar dos ladrões. O policial tem que ser mais vulgar, caso contrário, os ladrões iriam ganhar.

Eu ouvi...

Um homem foi preso e o juiz perguntou: "Diga-me, quando foi pego, o que esse policial disse a você?"

O homem disse: "Posso usar a linguagem vulgar que ele usou, aqui no tribunal? O senhor não vai se sentir ofendido?"

O magistrado disse: "Deixe de fora a linguagem vulgar e diga o que ele disse."

O homem pensou e disse: "Então... ele não disse nada."

A polícia foi ter com Hui Tzu e relatou: "Este homem não pode ser encontrado, não existe tal homem." Eles deviam ter uma foto, uma imagem, alguma coisa para identificar esse homem, Chuang Tzu; como encontrá-lo, como prendê-lo, que tipo de homem ele era.

Mas Chuang Tzu não tem identidade, ele não tem rosto. A cada momento ele é um fluxo, uma liquidez. A cada momento ele reflete, responde à existência. Ele não tem domicílio fixo, ele não tem casa, não tem rosto. Não tem nome. Ele não é um passado, é sempre um presente, e todas as fotografias pertencem ao passado.

Parece absurdo, mas dizem, e isso é belo e significativo, que sempre que houver um homem como Buda, você não pode fotografar. Não que você não possa fotografá-lo — mas no momento em que a fotografia é tirada, Buda já se foi. Por isso, a fotografia é sempre do passado, nunca do presente. Você não pode capturar o rosto de Buda no momento presente. No momento em que você pegá-lo, ele já passou. Quando você entender, o momento já se foi.

Um dos nomes de Buda é *Tathagata*. Esta palavra é realmente maravilhosa, e significa: assim como o vento, ele veio e se foi; portanto, veio como o vento e assim foi. Você não pode fotografar o vento, a brisa. Antes de ser pego, ele já se foi, não está mais ali.

Chuang Tzu não pôde ser encontrado porque a polícia estava à procura de seu passado e ele vivia no presente. Ele era um ser, não era uma mente. A mente pode ser capturada, mas o ser não pode ser pego. Não existem redes para isso. O ser não pode ser capturado. A mente pode ser pega muito facilmente, e todos são presos de um modo ou de outro. Como você tem uma mente, uma esposa, um marido vai pegar você; uma loja, um tesouro, uma posição, qualquer coisa vai pegar você. Existem redes, milhões de redes. E você só pode ser livre se estiver livre da mente. Você vai ser capturado muitas vezes. Se você deixar essa esposa, outra mulher vai pegar você imediatamente. Você não pode escapar. Você pode escapar dessa mulher, mas não pode escapar das mulheres. Você pode escapar desse homem, mas para onde vai fugir? Antes que deixe esse, outro vai surgir. Você pode deixar esta cidade, mas aonde você vai? Outra cidade vai pegar você. Você pode deixar este desejo, mas outro vai se tornar a sua escravidão. Porque a mente está sempre em cativeiro, já está presa. Se você soltar a mente, então a polícia não poderá pegá-lo.

Este Chuang Tzu era sem mente. Ele era um mendigo sem mente, ou um imperador, o que significa a mesma coisa. Ele não poderia ser pego.

Quando Chuang Tzu foi visitar Liang, o primeiro-ministro enviou a polícia para prendê-lo. A polícia procurou-o durante três dias e três noites, entretanto, Chuang Tzu, apresentou-se diante de Hui Tzu por vontade própria e lhe disse...

De repente, no terceiro ou no quarto dia, Chuang Tzu surgiu por vontade própria. Esse tipo de homem, esse estilo de homem, Chuang Tzu, não pode ser capturado. Ele aparece sempre por vontade própria. É a sua liberdade. Você não pode pegá-lo, você só pode convidá-lo. Ele é livre para aparecer ou não.

Quando há mente, você é sempre pego. A mente obriga você, você é seu prisioneiro. Se não há mente, você é livre. Você pode aparecer e pode desaparecer por vontade própria. É a sua própria liberdade.

Se eu estou falando com você, não é porque você fez uma pergunta, é por minha própria vontade. Se eu estou trabalhando com você, não é por sua causa, é por minha própria vontade. Quando não há mente, há liberdade. A mente é a base de toda a escravidão.

Chuang Tzu surgiu por sua própria vontade e contou uma bela parábola. Ouça a partir do núcleo mais profundo do seu coração.

"Já ouviu falar do pássaro
Que vive no sul?
A Fênix ...

Um pássaro mítico...

... que jamais envelhece?"

Um mito chinês, bonito e carregado de grande significado. O mito não é verdade, mas mais verdadeiro do que qualquer verdade. O mito é uma parábola, indica algo que não pode ser dito de outra maneira. Só por meio de uma parábola, por meio da poesia, pode-se dizer. Mito é poesia, não é descrição. Ele indica a verdade, não um evento no mundo exterior; ele pertence ao interior.

"Já ouviu falar sobre o pássaro que vive no sul?" Na China, a Índia é o sul, e esse pássaro vive ali. Dizem que, quando Lao Tsé desapareceu, ele desapareceu no sul. Eles não sabem quando ele morreu — ele nunca morreu. Essas pessoas nunca morrem, elas simplesmente vão para o sul — elas desaparecem na Índia.

Dizem que Bodhidharma veio do sul. Ele deixou a Índia, e então esperou nove anos até surgir um discípulo a quem transmitir o tesouro de Buda. Ele o transmitiu e dizem que, em seguida, desapareceu novamente no sul. A Índia é o sul da China. Na verdade, a Índia é a fonte de todo mito, não existe um único mito em todo o mundo que não tenha surgido ali.

A ciência surgiu da mente grega, o mito surgiu da mente indiana. E só existem duas maneiras de olhar o mundo: uma é a ciência, a outra é a religião. Se você olhar para o mundo, um dia através da ciência, outro dia através da religião...

Se você olhar o mundo através da ciência, verá que sua busca é por meio da análise, da matemática, da lógica. Atenas, a mente grega, deu a ciência ao mundo, o método socrático de lógica, análise e dúvida. A religião é um padrão totalmente diferente de olhar o mundo. Ela olha o mundo através da poesia, através do mito, através do amor. É claro que é romântico. Ela não pode lhe dar os fatos, ela só vai lhe dar ficções. Mas eu digo que as ficções são mais factuais do que quaisquer fatos, porque elas lhe dão o núcleo mais íntimo, elas não estão preocupadas com o fato exterior. Assim, a Índia não tem história. Tem apenas o mito, *puranas*; não *itihas*; nenhuma história, apenas mitologia.

Rama não é uma pessoa histórica. Ele pode ter existido, mas também pode não ter. Não se pode provar a existência dele; ninguém pode dizer nada, se ele existiu ou não. Krishna é um mito, não um fato histórico.

Talvez ele tenha existido, talvez não. Mas a Índia não está preocupada se Krishna e Rama são históricos. Eles são significativos, são uma grande poesia, épicos. E a história não tem sentido para a Índia, porque a história contém apenas meros fatos, o núcleo mais profundo nunca é revelado. Estamos preocupados com o núcleo central, o centro da roda. A roda, que é a história, continua em movimento, mas o centro da roda, nunca se move, é o mito.

Disse Chuang Tzu: "*Já ouviu falar sobre o pássaro que vive no sul? A Fênix, que nunca envelhece?*" Tudo o que nasce envelhece. A história não pode acreditar nesse pássaro, porque a história significa o início e o fim, a história significa o nascimento e a morte. O tempo entre o nascimento e a morte é a história, e o intervalo entre o não nascido e o imortal é o mito.

Rama nunca nasce e nunca morre. Krishna nunca nasce e nunca morre. Eles estão sempre lá. O mito não está preocupado com o tempo, ele está preocupado com a eternidade. A história está sempre mudando, o mito sempre permanece relevante. Não há e nunca haverá um mito que se torne desatualizado. Jornal é história, o jornal de ontem já está desatualizado. Rama não faz parte do jornal, ele não é notícia, ele nunca vai estar desatualizado. Ele está sempre no presente; é sempre significativo, relevante. A história vai mudando; Rama continua lá no centro da roda, imóvel.

Chuang Tzu diz: "*... que vive no sul — A Fênix que nunca envelhece?*"

Você já viu uma imagem de Rama ou Krishna na velhice? Eles estão sempre jovens, até mesmo sem barba ou bigode. Alguma vez você já viu alguma imagem de Rama com uma barba? A menos que houvesse algum problema hormonal, se ele era realmente um homem — e ele era um homem —, a barba deveria ter crescido. Se Rama era histórico, então a barba devia estar lá, mas ele era imberbe. Temos imagens dele sem barba porque, no momento em que a barba cresce, você já começou a ficar velho. Mais cedo ou mais tarde ela vai embranquecer. A morte está se aproximando e não podemos pensar que Rama possa morrer, por isso deixamos o rosto dele completamente limpo de qualquer sinal de morte. E isso não só com Rama; os vinte e quatro *tirthankaras* dos jainistas são todos imberbes, sem bigodes. Buda e todos os avatares dos hindus não tinham barbas, bigodes — só para indicar a sua juventude eterna, a eternidade, a atemporalidade, a perenidade.

"... *a Fênix, que nunca envelhece.*" Não existe tempo — tudo muda no tempo — e existe a eternidade. Nada muda na eternidade. A história pertence ao tempo, o mito pertence à eternidade. A ciência pertence ao tempo, a religião pertence ao não temporal, ao eterno.

Em você também, ambos existem — o tempo e a eternidade. Na sua superfície, a roda, o tempo, você nasceu, você vai morrer, mas isso é só na superfície. Você é jovem, você se tornará velho. Está saudável, mas vai ficar doente. Agora você está cheio de vida, tudo, mais cedo ou mais tarde, vai diminuir, a morte vai penetrar você. Mas isso é só na superfície, na roda da história. No fundo, neste exato momento, a eternidade existe em você, o atemporal existe. Na eternidade nada envelhece — a Fênix, o sul, a Índia, o eterno. Onde nada envelhece, nada muda, tudo é imóvel. Esse sul está dentro de você.

É por isso que eu continuo dizendo que a Índia não faz parte da geografia, ela não faz parte da história, ela é parte de um mapa interior. Ela não existe em Délhi, nunca existiu ali. Os políticos não pertencem a ela, ela não pertence à política. É o interior. Ela existe em toda parte.

De onde quer que um homem venha, no fundo, em si mesmo, ele chega à Índia. Essa é a razão para a atração eterna, o magnetismo da Índia. Sempre que uma pessoa se sente desconfortável com sua vida, ele segue em direção à Índia. Isso é apenas simbólico. Se fizer um movimento físico, você não vai encontrar a Índia. Um movimento diferente é necessário, quando você começa a se mover a partir do exterior em direção ao interior, para o sul, para a terra do mito, do imortal, "... *a Fênix, que nunca envelhece*".

"Essa Fênix imortal
Ergue-se do mar do sul
E voa para o mar do norte,
Jamais pousando
A não ser em certas árvores sagradas.
Não toca nenhum alimento
A não ser a mais requintada
Fruta rara,

Bebendo apenas
Das mais cristalinas nascentes."

Essa alma, esse núcleo mais profundo do seu ser, "... *jamais pousando, exceto em certas árvores sagradas*", esse pássaro interior, ele é o seu ser. Ele pousa somente em certas árvores sagradas.

... Não toca nenhum alimento
A não ser a mais requintada
Fruta rara,
Bebendo apenas
Das mais cristalinas nascentes."

"Uma vez uma coruja
Mastigando um rato morto
Já meio apodrecido,
Viu a Fênix voando.
Olhou para cima
E gritou com alarme,
Apertando o rato contra si
Com medo e espanto."

Chuang Tzu está dizendo: "Eu sou a fênix, e você é apenas uma coruja mastigando um rato morto. E você está com medo de que eu tenha vindo para destruí-lo. Sua posição, seu poder não é nada mais do que um rato morto para mim. Isso não é comida para mim. A ambição não é uma forma de vida, é apenas para aqueles que já estão mortos. Eu vi a ambição e descobri que ela é inútil."

Uma vez aconteceu: uma mulher veio chorando e soluçando procurar um rabino, mas o rabino estava fazendo sua oração. Então ela disse ao secretário: "Vá, e mesmo que sua oração tenha de ser interrompida, interrompa. Meu marido me deixou. O rabino tem de orar por mim, para que o meu marido volte."

O secretário entrou e interrompeu a oração. O rabino enviou o secretário de volta para a mulher, com a mensagem: "Não se preocupe, seu marido vai voltar em breve."

O secretário voltou para a mulher e disse: "Não se preocupe, não fique triste. O rabino disse que seu marido vai voltar em breve. Vá para casa e fique tranquila."

Feliz, a mulher saiu, dizendo: "Deus recompensará seu rabino um milhão de vezes, ele é tão bom!"

Quando a mulher saiu, o secretário ficou triste, e disse a alguém que estava ali que aquilo não ia adiantar: "O marido não pode voltar, pobre mulher, e ela saiu daqui tão feliz..."

A outra pessoa disse: "Mas por quê? Você não acredita em seu rabino e na oração dele?"

O secretário disse: "Claro que eu acredito no meu rabino e acredito em sua oração. Mas ele apenas ouviu o pedido da mulher, e eu vi seu rosto. O marido dela não pode voltar *jamais*."

Alguém que tenha visto o rosto da ambição, que tenha visto o rosto do desejo, que tenha visto o rosto da luxúria, nunca vai voltar para o desejo, a luxúria, a ambição. É impossível, o rosto é tão feio!

Chuang Tzu viu o rosto da ambição. É por isso que ele diz: "O seu posto, o seu poder, seu ministério, tudo é apenas um rato morto para mim. Não grite, nem se desespere."

"Essa Fênix imortal
Ergue-se do mar do sul
E voa para o mar do norte,
Jamais pousando
A não ser em certas árvores sagradas.
Não toca nenhum alimento
A não ser a mais requintada
Fruta rara,
Bebendo apenas
Das mais cristalinas nascentes."

"Uma vez uma coruja
Mastigando um rato morto
Já meio apodrecido,
Viu a Fênix voando,
Olhou para cima

E gritou com alarme,
Apertando o rato contra si
Com medo e espanto."

"Primeiro-ministro
Por que estás tão frenético
Apegando-se ao teu ministério
E gritando para mim
Com pavor?"

O fato é esse, mas só depois que você o conhece, só então. Você sempre ouve Buda ou Jesus ou Zaratustra dizendo: "Pare de desejar e você será feliz." Mas você não consegue deixar de desejar, você não consegue entender como pode ser feliz abandonando o desejo, porque você só provou até hoje do desejo. Ele pode ser venenoso, mas tem sido seu único alimento. Você tem bebido de fontes envenenadas e, quando alguém diz: "Largue isso", você pensa: *Mas eu vou morrer de sede.* Você não sabe que existem fontes límpidas, e não sabe que existem árvores com frutas raras. Você olha apenas através do seu desejo, então não pode ver os frutos e as árvores.

Quando seus olhos estão cheios de desejo, eles veem apenas ratos mortos. Ramakrishna costumava dizer que existem pessoas que não podem ver nada mais do que os objetos de sua luxúria. Essa coruja pode se sentar no topo de uma árvore alta, mas ela está apenas em busca de ratos mortos. Sempre que aparece um rato morto na rua, a coruja fica agitada. Ela não vai ficar apenas agitada, mas não vai nem ver se você atirar para ela um belo fruto. Ela não vai ver, nem vai tomar conhecimento; a informação nunca vai alcançá-la, porque os desejos funcionam como um filtro. O tempo todo, apenas o que os seus desejos permitem entra em você. Seus desejos são como um vigia na porta do seu ser. Eles só permitem aquilo que os atrai.

Mude esse vigia, caso contrário você sempre viverá à base de ratos mortos. Você continuará a ser uma coruja, e isso é uma tristeza, porque lá no fundo a fênix está oculta e você está se comportando como uma coruja. Esse é o descontentamento. É por isso que você nunca consegue se sentir à vontade, é por isso que nunca pode se sentir feliz. Você não pode se sentir — como pode uma fênix se sentir feliz com um rato morto? Ele é sempre um estranho, esse não é o alimento certo para ela.

Foi isso que você sentiu muitas vezes. Ao fazer amor com uma mulher ou um homem, você sentiu muitas vezes que isso não era para você. A fênix se afirma, mas a coruja é muito mais ruidosa. A fênix não pode ser ouvida, a voz é muito sutil, silenciosa, não agressiva. Em momentos de paz e meditação, a fênix diz: "O que você está fazendo? Isso não é para você. O que você está comendo? Isso não é para você. O que você está bebendo? Isso não é para você."

Mas a coruja é muito barulhenta e você acreditou na coruja durante tanto tempo que vai segui-la apenas por hábito. Tornou-se um hábito morto. Você simplesmente o segue, porque não existe a menor resistência. A trilha de terra batida está ali. Você não precisa fazer nada. Você simplesmente anda na trilha, e continua andando — os mesmos desejos, os mesmos anseios, as mesmas ambições, e você continua andando em círculos. Não admira que viva com angústia, viva num pesadelo.

Deixe o Chuang Tzu interior se afirmar, deixe a fênix interior se afirmar. Ouça-a, é uma voz ainda baixa, pequenina. Você tem que se acalmar, você terá que colocar essa coruja para dormir, só então será capaz de ouvir. Essa coruja é o ego, a mente; a fênix é a alma. Ela nasce no sul, surge do mar. Não é uma parte da terra, não é uma parte da lama — do vasto mar ela nasce. Ela nunca envelhece, nunca morre. Pousa somente em árvores raras, sagradas, santas, só come frutas raras e requintadas, bebe apenas nas fontes mais cristalinas. Essas fontes existem, essas árvores sagradas existem. Você tem estado ausente por causa da coruja, a coruja se tornou o líder.

Toda meditação nada mais é do que um esforço para silenciar essa coruja, para que a voz mansa e delicada possa ser ouvida. Então você vai ver o que tem feito — mastigado um rato morto.

Chuang Tzu está certo. O primeiro-ministro estava desnecessariamente apavorado. Se você, sua fênix interior, passar a viver a sua vida, a coruja, o primeiro-ministro, ficará a princípio apavorada. Sua mente vai criar todo tipo de obstáculo para a meditação, porque a mente fica com medo, o primeiro-ministro fica com medo — esse Chuang Tzu, esse estado meditativo, está vindo para derrubá-lo.

Sua mente vai agarrar o rato morto, e vai gritar, com medo, como se alguém fosse tomar os alimentos de você. No início isso vai acontecer — e você tem que estar alerta e consciente disso. Pouco a pouco a sua consciência vai ajudar.

Sempre que alguém começa a meditar, a mente fica rebelde. Ela levanta todos os tipos de argumentos: "O que você está fazendo, por que está perdendo tempo? Aproveite melhor esse tempo! Muito pode ser feito com ele, muito pode ser conquistado. Aquele desejo tem esperado por tanto tempo e não há tempo, e você está perdendo tempo com meditação? Esqueça isso. Aqueles que dizem que a meditação é possível estão enganando você. Esses Budas, esses Chuang Tzus, não acredite neles. Acredite na mente" — diz a mente. Ela cria todo tipo de dúvidas sobre todo mundo, mas nunca cria dúvida sobre si mesmo.

Eu ouvi...

Um homem estava conversando com o filhinho. A criança havia escrito uma carta, como parte da lição de casa, e foi mostrá-la ao pai. Havia tantos erros de ortografia quanto palavras, talvez até mais. Assim, o pai disse: "Sua ortografia é horrível. Por que você não olha no dicionário? Quando ficar em dúvida, procure no dicionário."

A criança disse: "Mas, pai, nunca fico em dúvida."

Isso é o que a sua mente faz. Ela diz para Buda: "Mas, pai, nunca fico em dúvida."

A mente nunca duvida de si mesmo, esse é o problema. Duvida de todo mundo — vai duvidar até mesmo de um Buda. Se Krishna bater à sua porta, ela vai duvidar; se Jesus vier, ela vai duvidar. Tem sido sempre assim; você tem feito isso continuamente.

Você duvida de mim, mas nunca vai duvidar de si mesmo, porque, quando a mente começa a duvidar de si mesma, já está começando a perder sua existência. Depois que a autodúvida surge, a base se quebra; a mente perde a sua confiança. Depois que você começa a duvidar da mente, mais cedo ou mais tarde cai no abismo da meditação.

Baal Shem, um místico, morreu. Seu filho, Hertz, era uma pessoa muito sonolenta, muito inconsciente. Quando Baal Shem estava morrendo, o filho estava dormindo, e Baal Shem disse: "Esta noite vai ser a derradeira."

Mas Hertz tinha dito: "Ninguém pode saber quando a morte virá." Ele duvidou. Baal Shem era seu pai, e milhares acreditavam que ele era o messias, o homem que levaria milhões para a salvação. Mas o filho duvidou, e caiu no sono.

Ele foi acordado à meia-noite. Seu pai estava morto. Ele começou a chorar, a soluçar. Ele tinha perdido uma grande oportunidade, e agora não haveria possibilidade de uma reunião. Mas ele nunca duvidou de sua mente, duvidou de Baal Shem.

Então, em desânimo e desespero, ele começou a chorar. Fechou os olhos e, pela primeira vez em sua vida, quando o pai estava morto, ele começou a falar com ele. Seu pai o havia chamado muitas vezes: "Hertz, venha a mim." E ele dizia: "Sim, eu irei, mas existem outras coisas mais importantes a fazer primeiro."

Isto é o que sua mente está dizendo. Eu continuo chamando-o: "Vinde a mim." Você diz: "Existem outras coisas mais importantes agora. Eu irei mais tarde, aguarde!"

Mas a morte tinha quebrado a ponte. Então Hertz chorou e começou a conversar com seu pai, e ele disse: "O que devo fazer agora? Estou perdido. Estou na escuridão. Agora como posso me libertar dessa mente que me enganou? Eu nunca duvidei dela, duvidei de você. Agora isso me deixa muito triste."

Baal Shem apareceu dentro de Hertz e disse: "Olhe para mim. Faça o mesmo." Como se estivesse num sonho, Hertz estava vendo Baal Shem ir para o topo de uma colina e se jogar num abismo. E ele disse: "Faça o mesmo."

Disse Hertz: "Eu não consigo entender." Na verdade, a dúvida surgiu novamente: "O que esse homem está dizendo? Isso será suicídio."

Baal Shem riu e disse: "Você ainda está duvidando de mim, não duvidando de si mesmo. Então faça isso." Em sua visão, Hertz viu uma grande montanha em chamas, como um vulcão, o fogo por toda a montanha, rochas se partindo, e toda a montanha se estilhaçando. Baal Shem disse: "Ou faça assim: Deixe a mente ser jogada num abismo, deixe a mente ser completamente carbonizada."

E segundo a história Hertz disse: "Vou pensar nisso."

Sempre que você diz: "Vou pensar nisso", você começou a duvidar. A dúvida pensa, não você. E quando não há dúvida, a fé age, não você.

A dúvida pensa, a fé age. Por meio da dúvida você pode se tornar um grande filósofo; por meio da fé você vai se tornar um Chuang Tzu, uma fênix que nunca envelhece, que é imortal. Por meio da dúvida, você pode penetrar os mistérios do tempo, por meio da fé você vai entrar pela porta da eternidade.

Eu ouvi...

Dois homens estavam perdidos numa floresta. Era um lugar muito perigoso, a floresta era muito densa, era noite, estava escuro, e havia animais selvagens por perto. Um homem era filósofo e o outro era místico — um homem de dúvida, o outro, um homem de fé. De repente, começou uma tempestade, um trovão e um grande relâmpago.

O filósofo olhou para o céu, o místico olhou para o caminho. Naquele momento do relâmpago, o caminho estava diante dele, iluminado. O filósofo olhou para o relâmpago e começou a pensar: "O que está acontecendo?" E errou o caminho.

Você está perdido numa floresta mais densa do que a da história. A noite é mais escura. Às vezes vem um raio. Olhe o caminho.

Chuang Tzu é um relâmpago, Buda é um raio, eu sou um raio. Não olhe para mim, olhe para o caminho. Se você olhar para mim, já perdeu a chance, porque o raio não vai durar muito. Ele dura apenas um instante, e o instante é raro quando a eternidade penetra no tempo; é como um relâmpago.

Se você olhar para o raio, se você olhar para um buda — e um buda é lindo, o rosto fascina, os olhos são magnéticos — se você olhar para o buda, você perdeu o caminho.

Olhe para o caminho, esqueça o buda. Olhe para o caminho. Mas esse olhar só acontece quando não há dúvida, quando há fé; quando não há pensamento, nenhuma mente.

Não pense sobre Chuang Tzu. Não pense sobre ele. Apenas deixe essa história penetrá-lo e esqueça-a. Através dessa história o caminho é iluminado. Olhe para o caminho, e faça alguma coisa. Siga o caminho, aja. Só a ação vai levar você, não o pensamento, porque o pensamento se passa na cabeça, ele nunca pode ser total. Somente quando age, você é total.

Basta por hoje.

Capítulo 4

AS DESCULPAS

Quando um homem pisa no pé de um estranho
No mercado,
Desculpa-se educadamente
E oferece uma explicação
"Este lugar está
Tão abarrotado de gente!"

Se um irmão mais velho
Pisa no pé do irmão mais moço,
Diz: "Desculpe!"
E fica por isso mesmo.

Quando um pai
Pisa no pé do filho,
Não lhe diz nada.

A mais perfeita polidez
Está livre de qualquer formalidade.
A perfeita conduta
Está livre de preocupação.
A perfeita sabedoria
Não é premeditada.

O perfeito amor
Dispensa demonstrações.
A perfeita sinceridade não oferece
Nenhuma garantia.

Tudo o que é grandioso, tudo o que é belo, tudo o que é verdadeiro e real é sempre espontâneo. Você não pode planejar. No momento em que planeja, tudo dá errado. No momento em que entra o planejamento, tudo deixa de ser verdadeiro.

Mas isso aconteceu com a humanidade. O seu amor, a sua sinceridade, a sua verdade, tudo deu errado, porque você planejou, porque você foi ensinado a não ser espontâneo. Você foi ensinado a manipular a si próprio, a controlar, a gerenciar, e não ser um fluxo natural. Você se tornou rígido, congelado, morto.

A vida não conhece nenhum planejamento. Ela por si só é suficiente. Será que as árvores planejam como vão crescer, como vão amadurecer, como vão florescer? Elas simplesmente crescem, mesmo sem estar consciente do crescimento. Não existe nenhuma autoconsciência, não há separação.

Sempre que começa a planejar, você se divide, você se torna dois — aquele que está controlando e aquele que é controlado. Um conflito surgiu e agora você nunca estará em paz. Você pode ter sucesso no controle, mas não haverá paz, ou você pode não ter êxito no controle, então também não haverá paz. Quer tenha sucesso ou falhe, no fim você vai perceber que falhou. Sua falha será um fracasso, o seu sucesso também será um fracasso. Seja o que for que você faça, sua vida será uma miséria.

Essa divisão cria feiura, você não é uno, e a beleza pertence à unicidade, a beleza pertence a um todo harmonioso. Toda cultura, toda civilização, todas as sociedades tornam você feio. Toda moralidade torna você feio, porque se baseia na divisão, no controle.

Eu ouvi...

Uma vez Baal Shem estava viajando numa bela carruagem puxada por três cavalos. Mas ele pensava continuamente. Durante três dias ele viajou, mas nem mesmo uma vez um dos cavalos relinchou. O que acontecia com os cavalos? Então, de repente, no quarto dia, um camponês que passava gritou para que ele relaxasse as rédeas. Ele relaxou, e de repente todos os três cavalos começaram a relinchar, ganhando vida. Durante três dias, eles tinham estado mortos, moribundos.

Isso já aconteceu com você, com toda a humanidade. Você não pode relinchar e, a menos que um cavalo relinche, ele está morto, porque o relincho significa que ele está gostando, é um transbordamento. Mas você não pode relinchar, você está morto. Sua vida não é de maneira alguma uma canção transbordante, uma dança que acontece quando a energia é abundante.

A floração é sempre um luxo, não uma necessidade. Nenhuma árvore precisa de flores como uma necessidade, as raízes são suficientes. A floração é sempre um luxo. As flores só aparecem quando a árvore tem muito; ela precisa dar, precisa compartilhar.

Sempre que você tem muito, a vida se torna uma dança, uma celebração. Mas a sociedade não permite que você dance, que você celebre; pois a sociedade tem que cuidar para que você nunca tenha mais energia do que o necessário. Você só está autorizado a viver no nível de fome. Você não tem permissão para ser muito, porque, se tiver, você não pode ser controlado, e a sociedade quer controlar você. É uma dominação muito sutil.

Toda criança nasce transbordante. Então nós temos que cortar a fonte da energia, temos que podar a criança aqui e ali para que ela se torne controlável. E a raiz de todo o controle é dividir a criança em duas. Então você não precisa se preocupar, ela mesma fará o controle. Não precisa mais se preocupar, ela própria será inimiga de si mesma.

Então dizem à criança: "Isso está errado. Não faça isso." De repente, a criança fica dividida, agora ela sabe o que é errado, agora ela sabe que parte do seu ser está errada, e sua cabeça se torna o controlador.

Através da divisão, o intelecto torna-se o controlador, o mestre. Se você não está dividido, não terá cabeça. Não que a cabeça vá desaparecer ou cair; você não será conduzido pela cabeça — o seu ser total será você.

Neste momento você é apenas a cabeça, o resto do corpo serve apenas para sustentar a cabeça. A cabeça torna-se o explorador, o ditador. E isso vem por meio do conflito, da criação do conflito em você. Você aprendeu que isso é bom e aquilo é ruim. O intelecto aprende isso e então fica condenando você.

Lembre-se, se você condena a si mesmo, vai condenar todo mundo — você vai condenar o todo. E uma pessoa que condena a si mesma não pode amar. Uma pessoa que condena a si mesma não pode rezar. Uma pessoa que condena a si mesma, para ela não existe nenhum Deus, não pode haver. Uma mente condenatória nunca pode entrar no templo divino. Somente quando dança, só quando está em êxtase, sem condenar; só quando você está transbordante, sem ninguém no controle, ninguém gerenciando nada, a vida se torna um "deixar acontecer". Ela não é formal, é natural. Então você entra, então todos os lugares são a porta. Então, você pode chegar ao templo vindo de qualquer lugar.

Mas agora, do jeito que você é, você é esquizofrênico. Você não é só esquizofrênico quando um psicanalista diz que você é. Não há necessidade de qualquer psicanalista analisar você. A sociedade cria esquizofrênicos, a divisão é a esquizofrenia. Você não é uno. Você nasceu uno, mas imediatamente a sociedade começa a entrar em ação, é grande a cirurgia a ser feita; você é operado de forma contínua, para ser dividido. Então, a sociedade fica tranquila, porque você está lutando consigo mesmo, sua energia é dissipada na luta interior, nunca é um transbordamento. Então você não é perigoso.

A energia transbordante torna-se revolta. A energia transbordante é sempre rebelde, a energia transbordante está sempre em revolução. É como um rio na cheia — ele não acredita nos bancos de areia, nas normas, nas leis; simplesmente continua transbordando em direção ao mar. Ele conhece apenas um objetivo — tornar-se o oceano, tornar-se o infinito.

A energia transbordante está sempre se movendo em direção à santidade. Isso está faltando em nosso mundo, não por causa da ciência, não por causa dos ateus. É por causa das pessoas ditas religiosas. Elas dividiram você a tal ponto que o rio fica lutando com ele mesmo. Nada deixa que ele avance, não resta nenhuma energia; você está tão cansado de lutar consigo mesmo, como pode avançar em direção ao mar?

Uma das leis básicas do Tao, de Lao Tsé, de Chuang Tzu, é que, ser espontâneo é o mais alto que se pode chegar do espírito de oração; você não pode deixar de chegar a Deus, o que quer que você faça vai chegar a ele. Por isso, Chuang Tzu nunca fala de Deus; falar é irrelevante, não é necessário. Ele só fala sobre trazer a plenitude para dentro de você.

A santidade é irrelevante. Quando você se torna inteiro, você se torna santo. Quando os seus fragmentos se dissolvem e você se torna um, sua vida torna-se uma oração. Homens do Tao nunca falam sobre a oração, não é necessário.

Espontaneidade, viver como um todo... Mas se você quer viver como um todo, você não pode planejar. Quem vai planejar? Você não pode decidir o futuro, você pode viver apenas aqui e agora. Quem vai decidir? Se você decidir, a divisão já começou; então você terá que manipular. Quem vai planejar? O futuro é desconhecido, e como você pode planejar sobre o desconhecido? Se você planeja sobre o desconhecido, o planejamento virá do passado. Isso significa que os mortos vão controlar os vivos. O passado está morto, e o passado vai controlar o futuro, por isso você está tão entediado. É natural, isso tem que acontecer. O tédio vem do passado, porque o passado está morto e o passado está tentando controlar o futuro.

O futuro é sempre uma aventura, mas você não permite que ele seja uma aventura. Você o planeja. Uma vez planejado, sua vida está se passando numa trilha de terra batida. Não é um rio.

Quando você anda numa trilha de terra batida, você sabe onde está indo, o que está acontecendo. Tudo é apenas uma repetição. Quem vai planejar? Se a mente planeja, a mente está sempre no passado. A vida não pode ser planejada, porque ao fazer um planejamento você está cometendo suicídio.

A vida só pode ser "não planejada", avançar a cada momento rumo ao desconhecido. Mas qual é o medo? Você vai estar lá para responder; seja qual for a situação, você vai estar lá para responder. Qual é o seu medo? Por que planejar?

O medo vem porque você não tem certeza se você vai estar lá ou não. Você é muito inconsciente, essa é a incerteza. Você não está alerta.

Você vai a uma entrevista para um emprego, então planeja mentalmente o que vai responder, como responder, como entrar no escritório, como ficar de pé, como se sentar. Mas por quê? Você vai estar lá, você pode responder.

Mas você não confia em si mesmo, você é muito pouco alerta, é muito inconsciente, você não sabe — se você não planeja, algo pode dar errado. Se você estivesse alerta, então não haveria dúvida. Você vai estar lá, então qualquer coisa que a situação exigir, você vai responder.

E, lembre-se, esse planejamento não vai adiantar, porque, se você não está consciente, não pode estar consciente numa situação em que está planejando, então esse planejamento também é feito enquanto você está adormecido. Mas você pode repeti-lo tantas vezes que ele se torna mecânico; então, quando a pergunta é feita, você pode responder. A resposta está pronta, você não é necessário. É um padrão fixo, basta repeti-lo; você se torna um dispositivo mecânico, você não precisa estar presente. A resposta pode ser dada, ela vem da memória; você a repetiu tantas vezes que sabe que pode confiar nela.

Através do planejamento a vida se torna cada vez mais inconsciente, e quanto mais inconsciente você for, mais você precisa de planejamento. Antes de morrer de fato, você já está morto. Estar vivo significa estar respondendo, sensível. Vivo significa: seja o que for que vier, eu vou estar lá para responder, e a resposta virá de mim, não da memória. Eu não vou prepará-la.

Veja a diferença: um missionário cristão ou um ministro cristão, um padre, prepara o seu sermão...

Certa vez, visitei uma faculdade de teologia. Lá eles preparam os seus ministros, seus sacerdotes — cinco anos de formação. Então eu perguntei-lhes onde Jesus foi preparado e treinado, quem o ensinou a falar.

É claro que esses sacerdotes cristãos estão mortos, tudo neles é planejado. Quando você diz uma coisa, esse gesto deve ser planejado — nem o gesto pode ser espontâneo. Quando você diz outra coisa, você tem que olhar de certa maneira; nem os olhos podem ser espontâneos. Como você tem que ficar, quando você tem que falar alto e quando você tem que sussurrar, quando você tem que bater na mesa e quando não tem — tudo é planejado.

Perguntei-lhes onde Jesus foi treinado. Ele não era um ministro nem nada, ele não era um sacerdote. Ele nunca foi para nenhuma faculdade de teologia, era filho de um carpinteiro.

Durante dois mil anos, os sacerdotes cristãos foram treinados, mas eles não produziram um único Jesus, e nunca vão produzir, porque Jesus não pode ser produzido. Você não pode produzir Jesus numa fábrica. E elas são fábricas, essas faculdades de teologia, onde se produzem sacerdotes, e os sacerdotes são apenas chatos, mortos, um fardo — é óbvio que isso vai continuar assim.

Existem dois tipos de religião. Uma delas é a da mente — ela está morta. Essa religião é conhecida como teologia. Há outro tipo de religião — a real, a espontânea. Não é teológica, é mística. E, lembre-se, os hindus têm uma teologia, os muçulmanos têm outra diferente, os cristãos outra, mas a religião, a religião mística, é a mesma; não pode ser diferente.

Buda e Jesus e Chuang Tzu e Lao Tsé, eles são a mesma religião, porque não são teólogos. Eles não estão falando a partir da cabeça, eles estão simplesmente expressando o que existe no seu coração. Eles não são lógicos, são poetas. Eles não estão dizendo algo que está nas escrituras, eles não são treinados para isso; eles estão simplesmente respondendo a uma necessidade em você. Suas palavras não são uma fórmula pronta, seus modos não são fixos, seu comportamento não é planejado.

Agora vamos comentar o sutra de Chuang Tzu:

Quando um homem pisa no pé de um estranho
No mercado,
Desculpa-se educadamente
E oferece uma explicação
"Este lugar está
Tão abarrotado de gente!"

As desculpas são necessárias porque não há nenhum relacionamento, o outro é um estranho. A explicação é necessária porque não há amor. Se existe amor então não há necessidade de uma explicação, o outro vai compreender. Se existe amor, não há necessidade do pedido de desculpas, o outro vai entender — o amor sempre entende.

Portanto, não há moral mais elevada do que o amor, não pode haver. O amor é a lei suprema, mas, se ele não estiver presente, então são necessários substitutos. Se alguém pisar no pé de um estranho no mercado, é necessário um pedido de desculpas e uma explicação também:

"Este lugar está
Tão abarrotado de gente!"

Em referência a isso, uma coisa tem de ser entendida. No Ocidente, até um marido ofereceria um pedido de desculpas, uma esposa ofereceria uma explicação. Isso significa que o amor desapareceu. Isso significa que todo mundo se tornou um estranho, que não existe mais um lar, todo lugar se tornou um mercado. No Oriente, é impossível conceber isso, mas acho que os ocidentais acham que os orientais são rudes. Um marido nunca irá dar uma explicação — não há necessidade, porque não somos estranhos e o outro pode compreender. Só quando o outro não consegue entender é que o pedido de desculpas é necessário. E, se o amor não pode entender, que bem um pedido de desculpas pode fazer?

Se o mundo tornar-se um lar, todas as desculpas vão desaparecer, todas as explicações vão desaparecer. Você dá explicações porque não está certo com relação ao outro. A explicação é um truque para evitar o conflito, o pedido de desculpas é um dispositivo para evitar conflitos. Mas o conflito está lá, e você tem medo dele.

Essa é uma forma civilizada de sair do conflito! Você pisou no pé de um estranho, você olha — a violência está nos olhos dele —, ele tornou-se agressivo, ele vai bater em você. As desculpas são necessárias, a raiva da outra pessoa vai diminuir com um pedido de desculpas — é um truque. Você não precisa ser autêntico em seu pedido de desculpas, esse é apenas um dispositivo social, que funciona como um lubrificante. Aí você dá uma explicação só para dizer: "Eu não sou responsável, o lugar está abarrotado, é um mercado, não posso fazer nada, foi inevitável." A explicação diz que você não é responsável.

O amor é sempre responsável, esteja o lugar abarrotado ou não, porque o amor está sempre consciente e alerta. Você não pode transferir a responsabilidade para a situação, *você* é responsável.

Olhe para esse fenômeno — o pedido de desculpas é um dispositivo, tal como um lubrificante, para evitar conflitos, e a explicação está transferindo a responsabilidade para outra coisa. Você não diz: "Eu estava inconsciente, distraído, é por isso que pisei no seu pé." Você diz: "O lugar está tão abarrotado!"

Uma pessoa religiosa não pode fazer isso e, se você continuar fazendo, nunca irá se tornar religioso, porque religião significa assumir toda a responsabilidade, sem evitá-la, sem fugir dela. Quanto mais responsável você é, mais consciência ela irá suscitar em você; quanto menos você se sentir responsável, mais e mais inconsciente você se tornará. Sempre que você sentir que não é responsável, você vai dormir. E isso aconteceu — não só nas relações individuais, em todos os níveis da sociedade isso aconteceu.

O marxismo diz que a sociedade é responsável por tudo. Se um homem é pobre, a sociedade é responsável; se um homem é um ladrão, a sociedade é responsável. Você não é responsável, nenhum indivíduo é responsável. É por isso que o comunismo é antirreligioso — não porque negue Deus, não porque diz que a alma não existe, mas por causa disso. Ele transfere toda a responsabilidade para a sociedade; você não é responsável.

Veja a atitude religiosa, que é totalmente diferente, qualitativamente diferente. Um homem religioso se considera responsável: se alguém está pedindo esmolas, se existe um mendigo, eu sou responsável. O mendigo pode estar na outra extremidade da Terra, eu não o conheço, posso não cruzar com o caminho dele, mas se o mendigo existe, eu sou responsável. Se uma guerra acontece em algum lugar, em Israel, no Vietnã, em qualquer lugar, eu não estou participando de nenhuma forma visível, mas sou responsável. Eu estou aqui. Não posso transferir a responsabilidade para a sociedade.

O que você quer dizer quando diz sociedade? Onde está essa sociedade? Essa é uma das maiores fugas — só os indivíduos existem —, você nunca vai se deparar com a sociedade. Você nunca será capaz de identificá-la; de dizer "eis aqui a sociedade". Em toda parte o indivíduo está existindo, e a sociedade é apenas uma palavra.

Onde está a sociedade? As civilizações antigas pregaram uma peça. Elas disseram: Deus é responsável, o destino é responsável. Agora o comunismo joga o mesmo jogo dizendo que a sociedade é responsável. Mas onde está a sociedade? Deus pode estar em algum lugar, a sociedade não está em lugar nenhum; existem apenas indivíduos. A religião diz: eu sou o responsável. Nenhuma explicação é necessária para evitar isso.

E lembre-se de mais uma coisa: sempre que você sente que é responsável por toda a fealdade, por toda a confusão, anarquia, guerra, violência, agressão, de repente você fica alerta. A responsabilidade penetra no seu coração e torna você consciente. Se você diz: "Este lugar está tão abarrotado", você pode continuar andando como se estivesse dormindo.

Na verdade, você pisa no pé do estranho não porque o lugar está abarrotado, mas porque você está inconsciente. Você está caminhando como um sonâmbulo; um homem andando enquanto dorme. Quando você pisa no pé do outro, você de repente se torna consciente, porque agora existe um perigo. Você pede desculpas, cai no sono e, novamente, diz: "O lugar está abarrotado!" E começa a andar novamente.

Ouvi falar de um aldeão simples, que tinha ido à cidade pela primeira vez. Na plataforma da estação, alguém pisou no pé dele e disse: "Desculpe." Então ele entrou num hotel, alguém novamente trombou com ele e disse: "Desculpe!" Então ele entrou num teatro e alguém quase o derrubou, e disse: "Desculpe."

O aldeão disse: "Isso é lindo, não conhecíamos esse truque. Faça o que quiser a qualquer um e peça desculpas!" Então ele esmurrou um homem que estava passando e disse: "Desculpe!"

O que você está realmente fazendo quando pede desculpas? Seu sono é interrompido, você estava andando dormindo — você devia estar sonhando, imaginando, algo estava acontecendo na sua mente — e então você pisou no pé de alguém. Não que o lugar estivesse abarrotado — você teria tropeçado mesmo que não houvesse ninguém lá, mesmo assim, você teria pisado em alguém.

É você, sua inconsciência, seu comportamento inconsciente. Um buda não pode tropeçar, mesmo que seja num mercado, porque ele se move com plena consciência. Tudo o que ele está fazendo, ele está fazendo intencionalmente. E, se ele pisa no seu pé, significa que ele pisou intencionalmente, deve haver um propósito nisso. Pode ser apenas para ajudá-lo a acordar, apenas para acordá-lo, mas ele não vai dizer que o lugar está abarrotado, ele não vai dar nenhuma explicação.

As explicações são sempre enganosas. Elas parecem lógicas, mas são falsas. Você dá explicações somente quando tem que esconder alguma coisa. Você pode ver e observar isso em sua própria vida. Isso não é uma teoria, é um simples fato da experiência de todos — você dá explicações apenas quando você quer esconder algo.

A verdade não precisa de explicação. Quanto mais você mente, mais as explicações são necessárias. Existem tantas escrituras porque o homem mentiu muito; então, as explicações são necessárias para esconder as mentiras. Você tem que dar uma explicação, então essa explicação vai precisar de mais explicações, e assim por diante. É uma regressão infinita. E mesmo com a última explicação, nada é explicado; a mentira básica continua a ser uma mentira — você não pode converter uma mentira em uma verdade apenas explicando-a. Você pode pensar assim, mas as explicações não explicam nada.

Uma vez aconteceu: o Mulá Nasruddin viajou pela primeira vez de avião, e ele estava com medo, mas não queria que ninguém soubesse. Acontece com todo mundo em sua primeira viagem de avião. Ninguém quer que saibam que é a primeira vez que viajam. Ele queria se comportar com indiferença, então foi com muita valentia. Essa valentia era uma explicação: "Eu sempre viajo de avião." Então ele se sentou na poltrona do avião e queria dizer algo apenas para ficar à vontade, porque, sempre que você começa a falar, você fica valente; com uma conversa, você sente menos medo.

Então, Nasruddin falou com o passageiro ao lado dele. Ele olhou pela janela e disse: "Veja que altura! As pessoas parecem formigas."

O outro homem disse: "Senhor, não decolamos ainda. São *mesmo* formigas."

As explicações não podem esconder nada. Pelo contrário, elas revelam. Se você puder olhar, se você tiver olhos, toda explicação fica transparente. Teria sido melhor se ele tivesse ficado em silêncio. Mas não tente usar o silêncio como uma explicação. Como explicação ele é inútil. Seu silêncio será revelador, e suas palavras irão revelar — é melhor não ser mentiroso! Então você não precisa dar nenhuma explicação. É melhor ser verdadeiro — o mais fácil é ser verdadeiro e autêntico. Se você tem medo, é melhor dizer: "Estou com medo" e, aceitando o fato, o medo desaparecerá.

A aceitação é um milagre. Se você aceita que tem medo e diz: "Esta é minha primeira viagem", de repente você sente uma mudança em si. O medo básico não é o medo, o medo básico é o medo do medo — ninguém deve saber que eu tenho medo. Ninguém deve saber que eu sou covarde. Mas todo mundo é covarde numa situação nova, e numa situação nova ser corajoso é uma tolice. Ser covarde só significa que a situação é tão nova que sua mente não pode dar nenhuma resposta, o passado não pode dar as respostas, então você está tremendo. Mas isso é bom! Por que tentar fornecer uma resposta da mente? Trema, e deixe a resposta vir da sua consciência presente. Você é sensível, isso é tudo; não mate essa sensibilidade por meio de explicações.

Da próxima vez que você tentar dar uma explicação, fique alerta. O que você está fazendo? Tentando esconder algo? Tentando explicar algo? Nada disso vai adiantar.

Um homem que tinha ficado rico havia pouco tempo foi a uma praia; a mais cara, a mais exclusiva, e ele estava gastando loucamente apenas para influenciar as pessoas ao seu redor. No dia seguinte, ao nadar, sua esposa se afogou. Ela foi levada para a areia, uma multidão se reuniu, então ele perguntou: "O que estão fazendo?"

Um homem disse: "Estamos tentando fazer sua esposa respirar por meio de respiração artificial."

O homem disse: "Nada disso, deem a ela a respiração verdadeira. Eu posso pagar."

Tudo o que você faz, tudo o que você não faz, tudo o que você diz, tudo o que você não diz, é revelador. Em todos os lugares os espelhos estão ao seu redor. Toda pessoa é um espelho, cada situação é um espelho — e quem você acha que está enganando? E se enganar se tornar um hábito, no final das contas você terá enganado a si mesmo e a mais ninguém. É sua vida que você está desperdiçando com enganos.

Chuang Tzu diz: as explicações mostram que você não é verdadeiro, não é autêntico.

Se um irmão mais velho
Pisa no pé do irmão mais moço,
Diz: "Desculpe!"
E fica por isso mesmo.

Dois irmãos... Quando a relação é mais íntima, o outro não é um estranho. Então, nenhuma explicação é necessária; o irmão simplesmente pede desculpas. Ele aceita que a culpa é dele. Ele diz: "Eu estava inconsciente." Ele não está transferindo a responsabilidade para outra pessoa, ele aceita que é responsável. A relação é mais estreita.

Quando um pai
Pisa no pé do filho,
Não lhe diz nada.

Não há necessidade, a relação é ainda mais próxima, mais íntima. Existe amor, e esse amor bastará. Nenhum substituto é necessário, nenhuma explicação, nenhum pedido de desculpas.

A mais perfeita polidez
Está livre de qualquer formalidade.
A perfeita conduta
Está livre de preocupação.
A perfeita sabedoria
Não é premeditada.
O perfeito amor
Dispensa demonstrações.
A perfeita sinceridade não oferece
Nenhuma garantia.

Mas todas essas perfeições precisam de uma coisa — consciência espontânea; caso contrário, você vai ter sempre moedas falsas, você sempre terá faces falsas. Você pode ser sincero, mas, se você tiver que fazer algum esforço, então a sinceridade é apenas formal.

Você pode ser afetuoso, mas, se o seu afeto precisa de esforço, se o seu amor é do tipo que Dale Carnegie fala no livro *Como Fazer Amigos e Influenciar Pessoas*, se existe esse tipo de amor, ele não pode ser real. Você está manipulando. Então, até a amizade é um negócio.

Cuidado com os Dale Carnegies da vida; essas são pessoas perigosas, elas destroem tudo o que é verdadeiro e autêntico. Elas mostram como fazer amigos, eles lhe ensinam truques, técnicas, fazem você ficar eficiente, dão-lhe o *know-how*.

Mas o amor não tem *know-how*; ele não pode ter. O amor não precisa de treinamento, e a amizade não é algo que você tenha que aprender. Uma amizade aprendida não é uma amizade; é apenas exploração — você está explorando o outro e enganando-o. Você não é verdadeiro, essa é uma relação de negócios.

Mas tudo se tornou negócio, a amizade e o amor também — e os livros de Dale Carnegie já venderam milhões de cópias, foram centenas de edições; só não vendem mais que a Bíblia.

Ninguém sabe como ser amigo; isso tem que ser aprendido. Mais cedo ou mais tarde, vão surgir faculdades para ensinar o amor, cursos práticos, até mesmo pelo correio, lições que você pode aprender e aplicar. E o problema é que, se você tiver sucesso, então estará perdido para sempre, porque o verdadeiro nunca vai acontecer a você, a porta estará completamente fechada. Depois de você se tornar eficiente em uma determinada coisa, a mente resiste. A mente diz: Este é o caminho mais curto e você o conhece bem, então por que escolher outro caminho?

A mente é sempre a favor do menor esforço. É por isso que pessoas inteligentes não são capazes de amar. Elas são tão espertas que começam a manipular. Elas não vão dizer o que está no coração delas, elas vão dizer o que vai agradar. Elas vão olhar para a outra pessoa e ver o que ela quer que seja dito. Eles não vão falar de coração, vão apenas criar uma situação em que o outro é enganado.

Maridos enganando esposas, esposas enganando maridos, amigos enganando amigos... O mundo inteiro tornou-se apenas uma multidão de inimigos. Existem apenas dois tipos de inimigos: aqueles que você não é capaz de enganar e aqueles que você é capaz de enganar. Essa é a única diferença. Então como pode haver êxtase em sua vida?

Portanto, isso não é um aprendizado... A autenticidade não pode vir através da escolaridade; a autenticidade vem através da consciência — se você está consciente, se você vive de uma forma consciente. Veja a diferença: viver conscientemente significa viver abertamente, não para se esconder, não para fazer joguinhos. Estar alerta significa ser vulnerável, e seja o que for que aconteça, acontece. Você aceita, mas nunca se compromete, você nunca obtém nada ao abrir mão da sua consciência. Mesmo que você seja deixado totalmente sozinho, você aceita ficar sozinho, mas você vai querer estar conscientemente alerta. Apenas neste estado de alerta a religião verdadeira começa a acontecer.

Vou contar uma história:

Aconteceu uma vez, nos tempos antigos: havia um rei que era também astrólogo. Ele tinha um profundo interesse pelo estudo das estrelas. De repente, sentiu pânico no coração, porque descobriu que a colheita do ano seguinte ia ser perigosa. Quem comesse a colheita do ano seguinte iria enlouquecer. Então, ele chamou seu primeiro-ministro, seu assessor e conselheiro, e lhe contou que isso ia acontecer, que era uma certeza. "As estrelas são claras. A combinação de raios cósmicos é tal que a safra deste ano vai ser venenosa. Acontece raramente, em milhares de anos, mas isso vai acontecer este ano e quem comer vai ficar louco. Então o que devemos fazer?" O primeiro-ministro disse: "É impossível suprir a todos com a colheita do ano passado, mas uma coisa pode ser feita. Você e eu podemos viver da colheita do ano passado. A colheita do ano passado pode ser coletada, requisitada. Não há nenhum problema, para você e para mim será o suficiente."

O rei disse: "Isso não me agrada. Porque todas as pessoas dedicadas a mim vão enlouquecer — mulheres, santos e sábios, servidores dedicados, todos os meus súditos, até mesmo as crianças, e não me agrada ficar de fora. Não valeria a pena salvar a mim e a você apenas; isso não serviria. Prefiro ficar louco com todos os outros. Mas eu tenho outra sugestão. Vou marcar a sua cabeça com o selo da loucura e você vai marcar a minha cabeça com o selo da loucura."

"Mas", o primeiro-ministro disse, "em que isso vai ajudar?"

O rei disse: "Eu ouvi: é um dos pilares antigos da sabedoria, de modo que vamos tentar. Depois que todo mundo ficar louco, depois de termos enlouquecido, sempre que eu olhar para sua testa eu vou me lembrar de que sou louco. E sempre que você olhar para a minha testa, vai se lembrar de que você é louco."

O primeiro-ministro ainda estava intrigado e disse: "Mas o que vai adiantar?"

O rei disse: "Tenho ouvido de homens sábios que se você se lembra de que é louco, você não está mais louco."

Um louco não se lembra de que é louco. Um homem ignorante não consegue se lembrar de que é ignorante. Um homem que está sonhando não pode se lembrar de que está sonhando. Se, em seus sonhos, você ficar alerta e souber que está sonhando, o sonho foi interrompido, você fica plenamente desperto. Se você conseguir entender que é ignorante, a ignorância acaba. As pessoas ignorantes continuam a acreditar que são sábias e as loucas pensam que são as únicas realmente sãs. Quando alguém se torna realmente sábio, ele se torna sábio reconhecendo sua ignorância. Então o rei disse: "É isso o que nós vamos fazer."

Eu não sei o que aconteceu, a história termina aí, mas ela é significativa.

Apenas o estado alerta pode ajudar quando todo o mundo é louco, nada mais pode. Manter-se de fora, ir para o Himalaia, não será de muita ajuda. Quando todo mundo é louco, você vai ficar louco, porque você é parte integrante deste mundo; é uma totalidade, uma totalidade orgânica.

Como você pode se separar? Como você pode ir para o Himalaia? No fundo, você continua a fazer parte do todo. Mesmo vivendo no Himalaia, você vai se lembrar dos seus amigos. Eles vão estar em seus sonhos, você vai pensar neles, você vai querer saber o que estão pensando de você — você vai continuar ligado a eles.

Você não pode sair do mundo. Não há nenhum lugar fora deste mundo, o mundo é um continente. Ninguém pode ser uma ilha — até mesmo as ilhas estão unidas ao continente lá no fundo. Você pode apenas pensar superficialmente que está separado, mas ninguém pode viver separado.

O rei era realmente sábio. Ele disse: "Não vai adiantar. Eu não vou ser um estrangeiro, quero ficar aqui, é isso o que vou fazer. Vou tentar lembrar que sou louco, porque, se você esquece que é louco, é porque está realmente louco. Isso é o que vai ser feito."

Onde quer que esteja, lembre a si mesmo que você existe; essa consciência de que você existe deve tornar-se algo contínuo. Não o seu nome, sua casta, sua nacionalidade, essas são coisas fúteis, absolutamente inúteis. Basta lembrar "eu sou"; isso não deve ser esquecido. Isso é o que os hindus chamam de recordação de si mesmo, o que o Buda chamou de atenção correta, o que Gurdjieff costumava chamar de lembrar-se de si mesmo, o que Krishnamurti chama de consciência.

Essa é a parte mais substancial da meditação, lembrar que "eu sou". Andando, sentado, comendo, falando, lembre-se: eu sou. Nunca se esqueça disso. Vai ser difícil, muito árduo. No começo você vai ficar esquecendo; só haverá momentos esparsos em que vai se sentir iluminado, então isso passará. Mas não fique triste; até mesmo esses momentos significam muito. Continue, sempre que conseguir se lembrar, lembre-se novamente, agarre-se ao fio novamente. Se você se esquecer, não se preocupe — lembre-se de novo, de novo agarre o fio, e pouco a pouco as lacunas diminuirão, os intervalos vão começar a diminuir, uma continuidade irá surgir.

E sempre que sua consciência se tornar contínua, você não vai precisar usar a mente. Então, não há planejamento, você vai agir conforme a sua consciência, não de acordo com a sua mente. Então, não haverá necessidade de qualquer pedido de desculpas, não haverá necessidade de dar nenhuma explicação. Então, você será tudo o que você é, não haverá nada a esconder. Tudo o que você é, você é. Você não pode fazer mais nada. Você só pode estar em um estado de contínua lembrança. Através dessa lembrança, dessa consciência, vem a religião autêntica, vem a moralidade autêntica.

A mais perfeita polidez
Está livre de qualquer formalidade.

Se você não é formal, então ninguém é estranho. Se você passar no mercado ou numa rua movimentada, ninguém é estranho, todo mundo é amigo. Não só um amigo, na verdade, todo mundo é apenas uma extensão de você mesmo. Então a formalidade não é necessária. Se eu piso no meu próprio pé — o que é difícil — eu não vou pedir desculpas, e eu não vou dizer a mim mesmo: "O lugar está abarrotado!" Se eu pisar no seu pé, estou pisando no meu pé.

Uma mente que está totalmente alerta sabe que a consciência é una, a vida é una, o ser é uno, a existência é una, não é fragmentada. A árvore florescendo lá sou eu em uma forma diferente; a rocha lá no chão sou eu em uma forma diferente. Então, toda a existência se torna uma unidade orgânica — a vida orgânica, que flui através dela, não é mecânica. A unidade mecânica é uma coisa diferente — ela está morta.

Um carro é uma unidade mecânica, não há vida nele, e é por isso que você pode substituir uma peça por outra. Todas as peças são substituíveis. Mas você pode substituir um ser humano? Impossível! Quando um ser humano morre, um fenômeno único desaparece; desaparece completamente, você não pode substituí-lo. Quando sua esposa morre ou seu marido morre, como você pode substituí-los? Você pode ter outra mulher, mas ela vai ser outra mulher, não uma substituição. E a sombra da primeira estará sempre ali, a primeira não poderá ser esquecida, ela sempre estará ali. Pode tornar-se uma sombra, mas mesmo sombras de amor são muito reais.

Você não pode substituir uma pessoa, não há como. Se ela fosse uma unidade mecânica, então as esposas seriam peças de reposição; você poderia até estocar esposas de reposição. Você poderia mantê-las na sua despensa e, quando sua esposa morresse, você poderia substituí-la.

Isso é o que está acontecendo no Ocidente. As pessoas começaram a pensar em termos de mecanismo. Então, agora elas dizem que nada é um problema — uma mulher morre, você pega outra; um marido some, você arranja um substituto. O casamento no Ocidente é uma unidade mecânica, é por isso que o divórcio é possível. O Oriente nega o divórcio porque o casamento é uma unidade orgânica. Como você pode substituir uma pessoa viva? Isso nunca vai acontecer novamente, essa pessoa simplesmente desapareceu no derradeiro mistério.

A vida é uma unidade orgânica. Eu digo que você não pode substituir uma planta, pois cada planta é única, você não consegue encontrar outra, não pode encontrar a mesma. A vida tem uma característica de singularidade. Mesmo uma pedrinha é única — você pode dar a volta ao mundo para tentar encontrar uma pedra semelhante e não será capaz de encontrar. Como você pode substituí-la? Essa é a diferença entre a unidade orgânica e a unidade mecânica. A unidade mecânica depende das peças; as partes são substituíveis, elas não são únicas. A unidade orgânica depende do todo, e não das partes. As partes não são realmente partes, elas não estão separadas do todo — elas são unas, não podem ser substituídas.

Quando você fica alerta para a chama interior do seu ser interior, de repente você se dá conta de que não é uma ilha, é um vasto continente, um continente infinito. Não há fronteiras que separem você dele. Todos os limites são falsos, um faz de conta. Todos os limites estão na mente; na vida não há limites.

Então quem é um estranho? Quando você pisa no pé de alguém, essa pessoa é você; você pisou no seu próprio pé. Nenhum pedido de desculpas é necessário, nenhuma explicação é necessária. Não há outra pessoa, existe apenas uma pessoa. Então, sua vida se torna real, autêntica, espontânea; então você não é formal, não vai seguir regras. Você passou a conhecer a lei suprema. Agora não há necessidade de regras. Você se tornou a lei — não há necessidade de lembrar as regras agora.

A mais perfeita polidez
Está livre de qualquer formalidade.

Você já reparou nas pessoas que são educadas? Você não vai encontrar pessoas mais egoístas do que elas. Olhe para uma pessoa educada, o modo como ela é, o jeito como ela fala, o jeito como olha, anda; ela faz tudo para parecer educada, mas em seu ego ela está manipulando.

Olhe para as pessoas que se dizem humildes. Elas dizem que não são ninguém, mas quando dizem isso, olhe nos olhos dela, para o ego se afirmando. E esse é um ego muito esperto, porque, se você disser: "Eu sou alguém", todos ficarão contra você, e todo mundo vai tentar colocá-lo em seu lugar. Se você disser: "Eu não sou ninguém", todo mundo fica a seu favor, ninguém fica contra você.

As pessoas educadas são muito astutas, inteligentes. Elas sabem o que dizer, o que fazer, para que possam explorar você. Se elas dizem: "Eu sou alguém", todos ficam contra elas. Então, o conflito surge, porque todo mundo pensa que ela é egoísta. Vai ser difícil para ela explorar as pessoas, porque todo mundo está fechado, contra ela. Se ela disser: "Eu não sou ninguém, sou apenas uma pobre coitada", então as portas estão abertas e ela pode explorar as outras pessoas. Toda etiqueta, cultura, é um tipo de esperteza sofisticada; a pessoa está explorando.

A mais perfeita polidez
Está livre de qualquer formalidade.

Aconteceu de Confúcio um dia encontrar Lao Tsé, o mestre de Chuang Tzu. E Confúcio era a imagem de polidez formal. Ele foi o maior formalista do mundo, o mundo nunca conheceu um formalista tão grande. Ele consistia simplesmente em modos, formalidade, cultura, etiqueta. Ele foi ver Lao Tsé, o seu oposto polar.

Confúcio era muito velho, Lao Tsé não era tão velho assim. Portanto, para ser formal, quando Confúcio chegou, Lao Tsé deveria ter se levantado para recebê-lo. Mas ele permaneceu sentado. Era impossível para Confúcio acreditar que um mestre tão grandioso, conhecido em todo o país por sua humildade, fosse tão mal-educado. Ele tinha que falar sobre isso.

Imediatamente ele disse: "Isso não está certo. Eu sou mais velho que você."

Lao Tsé riu alto e disse: "Ninguém é mais velho do que eu. Eu existia antes de tudo vir à existência. Confúcio, somos da mesma idade, tudo é da mesma idade. Desde a eternidade que já existimos, portanto, não carregue esse fardo da velhice. Sente-se."

Confúcio tinha ido fazer algumas perguntas. Ele disse: "Como deve se comportar um homem religioso?"

Lao Tsé disse: "Quando o *como* vem à baila, não existe nenhuma religião. O *como* não é uma pergunta para um homem religioso. O *como* mostra que você não é religioso, mas que pretende se comportar como um homem religioso — é por isso que você pergunta *como*."

Será que um amante pergunta como deve amar? Ele ama! Na verdade, só mais tarde ele se torna consciente de que se apaixonou. Pode ser que, quando a amante se vá, ele fique consciente de que se apaixonou. Ele simplesmente ama. Isso acontece. É um acontecimento, não um fazer.

A todas as perguntas de Confúcio, Lao Tsé deu respostas que deixaram Confúcio muito perturbado: "Este homem é perigoso!"

Ele voltou; seus discípulos perguntaram: "O que aconteceu? Que tipo de homem é esse Lao Tsé?"

Confúcio disse: "Não cheguem perto dele. Vocês podem já ter visto cobras perigosas, mas nada se compara a esse homem. Vocês podem ter ouvido falar de leões ferozes, eles não são nada diante desse homem. Esse homem é um dragão caminhando sobre a terra, ele pode nadar no mar, ele pode ir até os confins do céu — é muito perigoso. Ele não é para nós, pessoas pequenas; somos muito pequenos. Ele é perigoso, vasto como um abismo. Não cheguem perto dele, senão vocês vão ficar tontos e poderão cair. Mesmo eu me senti tonto. Eu não consegui entender o que ele disse, ele está além da compreensão."

Lao Tsé vai ficar além da compreensão se você tentar entendê-lo através de formalidade; caso contrário, ele é simples. Mas para Confúcio ele é difícil, quase impossível de entender, porque ele vê através das formas, e Lao Tsé não tem forma e nem formalidade. Sem nome, sem forma, ele vive no infinito.

A mais perfeita polidez
Está livre de qualquer formalidade.

Lao Tsé estava sentado, Confúcio estava esperando que ele se levantasse. Quem era realmente educado? Confúcio, ao esperar, por ser mais velho, que Lao Tsé se levantasse e o recebesse e lhe desse as boas-vindas, é apenas egoísta. Agora, o ego tomou a forma da idade, a superioridade em idade.

Mas Confúcio não podia olhar diretamente nos olhos de Lao Tsé, porque Lao Tsé estava certo. Ele estava dizendo: Nós somos da mesma idade. De fato, nós somos iguais. A mesma vida que flui em você flui em mim. Você não é superior a mim, eu não sou superior a você. Não existe essa questão de superioridade e inferioridade, e nem de quem é mais novo e quem é mais velho. Não há dúvida, somos um.

Se Confúcio conseguisse olhar nos olhos dele, veria que aqueles olhos eram divinos. Mas um homem cujos próprios olhos estão cheios de leis, regras, regulamentos, formalidades, é quase cego; ele não consegue ver.

A perfeita conduta
Está livre de preocupação.

Você se conduz bem porque está preocupado. Você se comporta bem, porque está preocupado.

Ainda outro dia um homem me procurou. Ele disse: "Eu gostaria de dar o salto, eu gostaria de me tornar um *sannyasin*, mas tenho família, meus filhos estão estudando na faculdade e tenho uma grande responsabilidade com relação a eles."

Ele está preocupado. Ele tem um dever a cumprir, mas não amor. Dever é preocupação; é pensar em termos de algo que tem de ser feito porque é isso que se espera, porque "O que as pessoas vão dizer se eu for embora?" Quem pensa no que as pessoas vão dizer? O ego. "O que as pessoas vão dizer? Então, primeiro me deixe cumprir os meus deveres."

Eu nunca digo a ninguém para ir embora, eu nunca digo a ninguém para renunciar, mas eu insisto em dizer que não se deve estar num relacionamento por causa de dever — porque, então, todo o relacionamento é feio. Deve-se estar num relacionamento por causa do amor. Então esse homem não diria: "Eu tenho um dever a cumprir." Ele diria: "Não posso ir agora. Meus filhos estão crescendo, e eu os amo, e estou feliz de trabalhar para eles."

Então isso seria uma felicidade. Agora não é uma felicidade, é um fardo. Se você carrega um fardo, se você transforma o seu amor num fardo, não pode ser feliz. E se você tiver transformado o seu amor num fardo, a sua oração também se tornará um fardo, a sua meditação também se tornará um fardo. Então você vai dizer: "Por causa desse guru, desse mestre, eu estou preso, e agora tenho que fazer isso." Seu amor não vai sair de você, da sua totalidade, não será transbordante.

Por que se preocupar? Se há amor, onde quer que você esteja, não haverá nenhum fardo. E se você ama seus filhos, mesmo se você deixá-los, eles vão entender. E se você não ama seus filhos, e continuar a servi-los, eles nunca vão entender, e eles vão saber que essas são coisas falsas.

Isso está acontecendo. As pessoas vêm me ver e dizem: "Eu trabalhei minha vida inteira e ninguém ao menos sente gratidão por mim." Como alguém pode sentir gratidão por você? Você os carregava como um fardo. Mesmo as crianças pequenas entendem bem quando existe amor, e elas entendem bem quando você está apenas fazendo algo por dever. O dever é feio, o dever é violento; mostra a sua preocupação, mas não mostra a sua espontaneidade.

Diz Chuang Tzu:

A perfeita conduta
Está livre de preocupação.

O que quer que seja feito, é feito por amor — então você não é honesto porque a honestidade compensa, você é honesto porque a honestidade é adorável.

Até os homens de negócios são honestos se a honestidade compensar. Eles dizem: A honestidade é a melhor política. Como você pode destruir uma coisa bonita como a honestidade e transformá-la na melhor política? Política é política, a honestidade é a religião.

Um velho estava no leito de morte, moribundo. Ele chamou seu filho e disse: "Agora que estou morrendo devo lhe contar o meu segredo. Lembre-se sempre de duas coisas — foi assim que eu tive êxito. Primeiro, sempre que você fizer uma promessa, cumpra-a. Custe o que custar, seja honesto e cumpra-a. Este tem sido meu princípio, é por isso que eu tive êxito. E a segunda coisa é: nunca faça promessas."

Para um homem de negócios até mesmo a religião é uma política, para um político até mesmo a religião é uma política — tudo é política, até mesmo o amor é uma política. Os reis e as rainhas nunca se casam com pessoas comuns, do povo. Por quê? Faz parte da política. Os reis se casam com outras princesas, rainhas; e a preocupação é que a relação seja a mais vantajosa para o reino. Se dois reinos se relacionam, eles se tornam amigos, não serão antagônicos. Então, com quem o casamento deve ocorrer?

Na Índia, em tempos antigos, um rei se casava com muitas mulheres, centenas, talvez milhares. Fazia parte da política, por isso ele se casava com a filha de alguém que tinha certo poder, para que pudesse criar uma rede de relações de poder. A pessoa cuja filha se casou com você se tornará seu amigo, ela vai ajudá-lo.

Nos tempos de Buda, a Índia tinha dois mil reinos. Então o rei de maior sucesso era o único que tinha duas mil mulheres, uma mulher de cada reino. Então, ele podia viver em paz, não havia ninguém antagônico, hostil a ele. Todo o país se tornava como uma família. Mas como o amor pode existir com tal preocupação? O amor nunca pensa nas consequências, nunca anseia por resultados. Ele se basta.

A perfeita conduta
Está livre de preocupação.
A perfeita sabedoria
Não é premeditada.

Um homem sábio vive momento a momento, sem nunca planejar. Somente as pessoas ignorantes planejam e, quando as pessoas ignorantes planejam, o que elas podem planejar? Elas planejam baseadas na ignorância. Sem planejar teriam se dado melhor, porque da ignorância só pode vir ignorância; da confusão surge apenas mais confusão.

Um homem sábio vive momento a momento, ele não planeja. Sua vida é livre como uma nuvem flutuando no céu, não tem nenhum objetivo, nada determinado. Ele não tem nenhum mapa para o futuro, vive sem mapa, avança sem mapa — porque a coisa real não é o objetivo, a única coisa real é a beleza do movimento. A coisa real não é chegar, a coisa real é a jornada. Lembre-se, a coisa real é a jornada, a própria viagem. É tão bonito, por que se preocupar com a meta? Se você estiver muito preocupado com a meta, vai perder a viagem, e a viagem é a vida — a meta só pode ser a morte.

A viagem é a vida e é uma viagem infinita. Você está em movimento desde o início — se houve de fato um início. Aqueles que sabem dizem que não houve um começo; então, desde o "não início" você está em movimento, até o final você vai estar em movimento — e se você for orientado para um objetivo, vai se perder. O todo é a viagem, o caminho, o caminho sem fim, que nunca começa nem nunca termina. Não há realmente nenhuma meta — a meta é criada pela mente astuta. Para onde toda essa existência está se movendo? Para onde? Ela não vai a lugar nenhum. Está simplesmente indo, e ir é tão bonito, é por isso que a existência não carrega nenhum fardo. Não há nenhum plano, nenhum objetivo e nenhum propósito. Não é um negócio, é um jogo, um *leela*. Cada momento é o objetivo.

A perfeita sabedoria
Não é premeditada.
O perfeito amor
Dispensa demonstrações.

A demonstração é necessária porque não existe amor. E quanto menos você ama, mais você vai demonstrar — quando existe amor, você não demonstra. Sempre que um marido chega em casa com algum presente para a esposa, ela sabe que algo está errado. Ele deve ter saído da linha, deve ter conhecido outra mulher. Agora, essa é a explicação, esse é um substituto; caso contrário o amor é como um presente, nenhum outro presente é necessário. Não que o amor não dará presentes, mas o próprio amor é um presente tão lindo. O que mais você pode dar? O que mais é possível?

Mas sempre que o marido sente que algo está errado, tem que endireitar a situação. Tudo tem que ser reorganizado, equilibrado. E este é o problema — as mulheres são tão intuitivas que sabem imediatamente, o presente não pode enganá-las. É impossível, porque as mulheres continuam a ter intuição, com a sua mente ilógica. Elas "sacam" de imediato, e vão entender que algo está errado, do contrário por que o marido daria um presente?

Sempre que você demonstra, demonstra a sua pobreza interior. Se o seu *sannyas* torna-se uma demonstração você não é um *sannyasin*. Se a sua meditação torna-se uma demonstração, você não é meditativo, porque sempre que o real está presente, é como uma luz — não é preciso demonstrá-lo. Quando sua casa está iluminada, quando há uma chama, você não precisa procurar os vizinhos e dizer a eles: "Olha, nossa casa tem uma lâmpada." A luz é visível. Mas, quando sua casa está nas trevas, você tenta convencer os seus vizinhos de que a luz existe. Convencendo-os, você tenta se convencer de que aquilo é o real. Por que você quer demonstrar? Porque, se o outro estiver convencido, a convicção dele irá ajudá-lo a se convencer.

Eu ouvi...

Uma vez o Mulá Nasruddin tinha uma bela casa, mas ele se cansou, ficou entediado, assim como todo mundo fica. Se era bonita ou não, não fazia nenhuma diferença; vivendo na mesma casa todos os dias, ele ficou entediado. A casa era linda, com um grande jardim, vários acres de campos verdejantes, piscina, tudo. Mas ele se cansou, então chamou um corretor imobiliário e disse: "Quero vendê-la. Estou farto, esta casa se tornou um inferno."

No dia seguinte, apareceu um anúncio nos jornais matinais, o corretor imobiliário tinha colocado um belo anúncio. O Mulá Nasruddin o leu várias e várias vezes e ficou tão convencido que telefonou para o corretor: "Espere, eu não quero vendê-la. Seu anúncio me convenceu a tal ponto que agora eu sei que a minha vida inteira eu quis esta casa, procurei por esta casa."

Quando você consegue convencer os outros do seu amor, você se convence também. Mas, se você tem amor, não há necessidade, você sabe.

Se você tem sabedoria, não há necessidade de demonstrá-la. Mas, se você tem apenas o conhecimento, você o demonstra, convence os outros e, quando eles estão convencidos, você se convence de que é um homem de conhecimento. Se você tem sabedoria, não há necessidade. Se nem uma única pessoa está convencida, mesmo assim, você está convencido, você é prova suficiente.

A perfeita sinceridade não oferece
Nenhuma garantia.

Todas as garantias existem por causa de falta de sinceridade. Você garante, você promete, você diz: "Esta é a garantia, vou fazer isso." No momento em que você está dando a garantia, nesse exato momento a insinceridade já está presente.

A perfeita sinceridade não oferece nenhuma garantia, porque a perfeita sinceridade é muito consciente, consciente de muitas coisas. Primeiro, o futuro é desconhecido. Como você pode dar uma garantia? A vida muda a cada momento, como você pode prometer? Todas as garantias, todas as promessas, só podem valer para este momento, não para o próximo. Para o próximo momento nada pode ser feito. Você vai ter que esperar.

Se você é realmente sincero e ama uma mulher, você não pode dizer: "Eu te amarei por toda minha vida." Se disser isso, você é um mentiroso. Essa garantia é falsa. Mas, se você ama, este momento é suficiente. A mulher não irá pedir a vida inteira. Se o amor existe neste momento, é tão gratificante que um momento é suficiente para muitas vidas. Um único momento de amor é a eternidade; ela não vai pedir mais. Mas ela está sempre pedindo porque neste momento não há amor. Então ela pergunta: "Qual é a garantia? Você vai me amar para sempre?"

Neste momento não há amor e ela está pedindo uma garantia. Neste momento não há amor e você garante para o futuro — porque só através dessa garantia você pode enganar neste momento. Você pode criar uma bela imagem do futuro e pode ocultar a imagem feia do presente. Você diz: "Sim, eu vou te amar para sempre. Nem a morte irá nos separar."Que absurdo! Que falta de sinceridade! Como você pode fazer isso?

Você pode fazer isso e o faz tão facilmente, porque não está consciente do que está dizendo. O momento seguinte é desconhecido; aonde ele vai levar ninguém sabe; o que vai acontecer ninguém sabe, ninguém pode saber.

O desconhecimento é parte do jogo futuro. Como você pode garantir? No máximo, pode dizer: "Eu amo você neste momento e neste momento sinto — este é um sentimento do momento — que nem mesmo a morte pode nos separar. Mas este é um sentimento do momento. Essa não é uma garantia. Neste momento apetece-me dizer que eu vou amá-la para sempre, mas este é um sentimento deste momento, isso não é garantia. O que vai acontecer no futuro ninguém sabe. Nós nunca sabemos nem o que acontece neste momento, assim, como podemos saber sobre outros momentos? Teremos de esperar. Teremos que estar sempre em oração para que aconteça, para que eu ame você para sempre, mas isso não é uma garantia."

A perfeita sinceridade não pode dar nenhuma garantia. A perfeita sinceridade é tão sincera que não pode prometer. Ela dá tudo que pode dar aqui e agora. A perfeita sinceridade vive no presente, ela não tem ideia do futuro.

A mente se move no futuro, o ser vive aqui e agora. E a sinceridade perfeita pertence ao ser, não à mente. Amor, verdade, meditação, sinceridade, simplicidade, inocência, tudo isso pertence ao ser. Os opostos pertencem à mente e para esconder os opostos a mente cria moedas falsas: sinceridade falsa, que garante, promete; falso amor, que é apenas um nome para o dever; falsa beleza, que é apenas um rosto para a feiura interior. A mente cria moedas falsas, e ninguém é enganado, lembre-se, a não ser você mesmo.

Basta por hoje.

Capítulo 5

TRÊS PELA MANHÃ

O que é esse "três pela manhã?"

Um adestrador de macacos dirigiu-se aos seus macacos e disse-lhes: "Quanto às suas castanhas: vocês vão ter três punhados pela manhã e quatro à tarde."

Ao ouvir isso, todos eles ficaram com raiva. Então ele disse: "Tudo bem, nesse caso, eu lhes darei quatro pela manhã e três à tarde." Desta vez eles ficaram satisfeitos.

Os dois arranjos eram iguais, pois o número de castanhas não se alterou. Mas, em um deles os animais ficaram descontentes, e no outro ficaram satisfeitos. O adestrador estava disposto a mudar sua disposição pessoal, a fim de atender às condições objetivas. Ele nada perdeu com isso!

O homem verdadeiramente sábio, considerando os dois lados da questão, sem parcialidade, vê ambos à luz do Tao.

A isso se chama seguir dois cursos de uma só vez.

A lei das três pela manhã: Chuang Tzu adorava essa história. Muitas vezes ele a repetiu. É bonita, com muitas camadas de significado. Obviamente, muito simples, mas ainda assim profundamente indicativa da mente humana.

A primeira coisa a ser entendida é: a mente humana é como a do macaco. Não foi Darwin quem descobriu que o homem veio do macaco. É uma observação de longa data que a mente humana tem os mesmos padrões que a mente do macaco. Só raramente acontece de você transcender sua condição de macaco. Quando a mente se aquieta, quando a mente fica silenciosa, quando não há, na verdade, nenhuma mente, você transcende o padrão "parecido com o do macaco".

Qual é o padrão "parecido com o do macaco"? Por um lado, o macaco nunca fica parado. E a menos que você esteja parado, não pode ver a verdade. Você está oscilando, se mexendo tanto que nada pode ser visto. A percepção clara é impossível. Enquanto medita, o que você está fazendo? Está colocando o macaco numa postura de silêncio, daí todas as dificuldades da meditação. Quanto mais você tenta fazer com que a mente se aquiete, mais ela se revolta, mais ela começa a ficar turbulenta, mais inquieta ela fica.

Você já viu um macaco sentado quieto e silencioso? Impossível! O macaco está sempre comendo alguma coisa, fazendo algo, balançando, conversando. Isso é o que você está fazendo. O homem inventou muitas coisas. Se não há nada a fazer, ele vai mascar chiclete; se não há nada a fazer, ele vai fumar. Essas são apenas ocupações tolas, ocupações de macaco. Algo tem que ser feito continuamente, de modo que você permaneça ocupado.

Você é tão inquieto que sua inquietação deve ficar ocupada de uma forma ou de outra. Por isso, seja o que for que digam contra o tabagismo, ele não pode ser abandonado. Somente num mundo de meditação pode-se parar de fumar — caso contrário, não. Mesmo que exista o perigo de morte, do câncer, da tuberculose, ele não pode ser abandonado, porque não é apenas uma questão de fumar, é uma questão de como se libertar da agitação.

As pessoas que entoam mantras conseguem parar de fumar, porque elas encontraram um substituto. Você pode viver cantando Ram, Ram, Ram, e isso se torna uma espécie de hábito, como fumar. Seus lábios estão ocupados, sua boca está se movendo, a sua inquietação está sendo liberada. Então *japa* pode se tornar uma espécie de tabagismo, de um tipo melhor, com menos danos para a saúde.

Mas, basicamente, continua sendo a mesma coisa, sua mente não consegue ficar em repouso. A mente tem que fazer alguma coisa, não só enquanto você está acordado, mas também quando você está dormindo. Preste atenção na sua esposa ou no seu marido enquanto ele dorme; fique simplesmente sentado durante duas ou três horas em silêncio e observe o rosto dele ou dela. Você vai ver o macaco, não o homem. Mesmo durante o sono, tudo continua. A mente está em movimento. Esse sono não pode ser profundo, não pode ser muito relaxante, porque a atividade continua. Dia após dia, a mente continua em atividade, ela não para, continua a funcionar da mesma maneira. Existe uma conversa interior constante, você continua a falar consigo mesmo, há um monólogo interior, e não é nenhuma surpresa que você fique entediado. Você está se entediando. Todo mundo parece entediado.

O Mulá Nasruddin estava contando uma história aos seus discípulos — deve ter sido um dia como este. De repente a chuva começou e um transeunte, apenas para se proteger, entrou no galpão onde Nasruddin estava falando aos seus discípulos. Ele estava apenas esperando a chuva parar, mas não pôde deixar de ouvir.

Nasruddin estava contando histórias meio exageradas. Muitas vezes o homem quase não conseguiu resistir e interromper, porque Nasruddin estava dizendo coisas absurdas. Mas ele pensou: *Não é da minha conta. Estou aqui apenas para me obrigar da chuva, e logo que a chuva parar eu vou embora. Não posso interferir.* Mas a certa altura ele não conseguiu resistir, não se conteve. Ele interrompeu: "Chega. Vão me desculpar, isto não é da minha conta, mas agora o senhor se excedeu!"

Preciso primeiro contar a história e o ponto em que esse homem não se conteve...

Nasruddin estava dizendo: "Uma vez aconteceu que, na minha juventude, eu estava viajando pelas selvas africanas, pelo continente negro. Um dia, um leão de repente apareceu a apenas cinco metros de mim, e eu estava sem armas, sem nenhuma proteção, sozinho na floresta. Esse leão olhou para mim e começou a andar na minha direção."

Os discípulos ficaram muito entusiasmados. Nasruddin parou por um momento e olhou para o rosto deles. Então, um discípulo disse: "Ora, não nos faça esperar, o que aconteceu?"

Nasruddin disse: "O leão chegou cada vez mais perto, estava a apenas dois metros de distância."

Outro discípulo disse: "Não pare! Diga-nos o que aconteceu."

Nasruddin disse: "É tão simples, é tão lógico, vocês podem concluir sozinhos. O leão saltou, me matou e me devorou!"

Neste ponto, o estranho não se conteve. Ele disse: "Basta. O que você está dizendo? O leão matou e devorou você, e você está sentado aqui, vivo?"

Nasruddin olhou para o homem, encarou-o e disse: "Há-há, você chama isso de estar vivo?"

Olhe para o rosto das pessoas e você vai entender o que ele quis dizer. Você chama isso de estar vivo? Assim, morto de tédio, arrastando-se...

Aconteceu que, certa vez, um homem perguntou a Nasruddin: "Eu sou muito pobre. É quase impossível, parece quase impossível sobreviver agora. Tenho seis filhos e uma esposa, minha irmã viúva e pai e mãe idosos, uma grande família e parentes. Está ficando cada vez mais difícil. Você pode sugerir algo? Devemos cometer suicídio?"

Nasruddin disse: "Você pode fazer duas coisas e ambas serão úteis. Uma delas é: comecem a assar pão, porque as pessoas têm de viver e elas têm que comer, você sempre terá um negócio."

O homem perguntou: "E a outra?"

Nasruddin disse: "Comece a fazer mortalhas para os mortos, porque, se as pessoas estão vivas, elas vão morrer. E esse negócio também vai ser sempre bem-sucedido. Esses dois negócios são bons — pão e mortalhas para os mortos."

Depois de um mês, o homem voltou. Ele parecia ainda mais desesperado, muito triste, e disse: "Nada parece ajudar. Eu investi tudo o que eu tinha no negócio, como você sugeriu, mas tudo parece estar contra mim."

Nasruddin disse: "Como isso pode acontecer? As pessoas têm que comer pão enquanto estão vivas e, quando morrem, seus parentes têm de comprar mortalhas."

O homem disse: "Mas você não entende. Nesta aldeia ninguém está vivo e ninguém morre. Eles estão simplesmente se arrastando."

Todo mundo está apenas se arrastando, ninguém está vivo e ninguém morre, porque para morrer é preciso primeiro estar vivo. As pessoas estão apenas se arrastando. Olhe para os rostos delas — não é preciso olhar para os rostos dos outros, basta se olhar no espelho e você vai descobrir o que significa se arrastar — nem vivo nem morto. A vida é tão bela, a morte também é linda — arrastar-se é feio.

Mas por que você parece tão sobrecarregado? Porque a vibração constante da mente dissipa a energia. A vibração constante da mente é um vazamento constante no seu ser. A energia é dissipada. Você nunca tem energia suficiente para se sentir vivo, jovem, renovado, e se você não é jovem e renovado e vivo, sua morte também vai ser um negócio muito chato.

Aquele que vive intensamente morre intensamente e, quando a morte é intensa, tem uma beleza própria. Aquele que vive totalmente morre totalmente, e onde quer que haja totalidade existe beleza. A morte não é feia por causa da morte, mas porque você nunca viveu corretamente. Se você nunca esteve vivo, você não merece ter uma morte bela. Isso tem de ser conquistado. A pessoa tem de viver de tal maneira, tão totalmente e tão por inteiro, que ela pode morrer totalmente, não em fragmentos. Você vive em fragmentos, de modo que você morre em fragmentos. Uma parte morre, depois outra, depois outra, e você leva muitos anos para morrer. A coisa toda se torna feia. A morte seria linda se as pessoas estivessem vivas. Esse macaco interior não permite que você esteja vivo, e esse macaco interior não irá permitir que você morra lindamente. Essa vibração constante tem de cessar.

E o que é essa tagarelice, qual é o assunto? O assunto é o "três pela manhã" que nunca para na mente. O que você está fazendo dentro da mente? Continuamente armando esquemas: fazer isso, não fazer aquilo, construir esta casa, demolir aquela casa, passar deste negócio para outro, porque vai haver mais lucro; trocar esta mulher, este marido. O que você está fazendo? Apenas mudando o arranjo.

Chuang Tzu diz que, por fim, em última instância, se você conseguir olhar para o todo, o todo é sempre o mesmo. São sete. Se você tem três punhados de castanhas de manhã e quatro punhados de tarde, ou o contrário — quatro punhados de manhã e três punhados de tarde — o total é sete. Essa é uma das leis mais secretas — o total é sempre o mesmo.

Você pode não compreender, mas, quando um mendigo ou um imperador morre, o total deles é o mesmo. O mendigo viveu nas ruas, o imperador viveu nos palácios, mas o total é o mesmo. Um homem rico, um homem pobre, um homem de sucesso e um fracassado, o total é o mesmo. Se você conseguir olhar para o total da vida, então vai saber o que Chuang Tzu quer dizer com três pela manhã.

O que acontece? A vida não é imparcial, a vida não é parcial, a vida é absolutamente indiferente aos seus arranjos — não se preocupa com os acordos que você faz. A vida é uma dádiva. Se você mudar o esquema, o total não é alterado.

Um homem rico se alimenta melhor, mas não tem mais fome; ele não consegue sentir de fato a intensidade da fome. A proporção é sempre a mesma. Ele tem uma bela cama, mas com a cama vem a insônia; ele não consegue dormir. Ele tem melhores condições para dormir. Devia adormecer em *sushupti* — o que os hindus chamam de *samadhi* inconsciente —, mas isso não está acontecendo. Ele não consegue adormecer. Ele mudou o esquema das coisas.

O mendigo dorme na rua. Os carros estão passando e o mendigo está dormindo. Ele não tem cama. O lugar onde ele dorme é irregular, duro e desconfortável, mas ele está dormindo. O mendigo não consegue se alimentar bem, é impossível, porque ele tem que pedir esmolas. Mas ele tem bom apetite. O resultado total é o mesmo. O resultado total é sete.

Um homem de sucesso não é só bem-sucedido, pois com o sucesso vêm todos os tipos de calamidades. Uma falha não é apenas um fracasso, pois com o fracasso vêm muitos tipos de bênçãos. O total é sempre o mesmo, mas o total tem que ser compreendido e observado, uma perspectiva clara é necessária. Os olhos são necessários para olhar o total, porque a mente pode olhar apenas para o fragmento. Se a mente olha para a manhã, não pode olhar para a tarde; se a mente olha para a tarde, a manhã é esquecida. A mente não pode olhar para o dia total, a mente é fragmentária.

Só uma consciência meditativa pode olhar para o todo, do nascimento à morte — e então o total é sempre sete. É por isso que os sábios nunca tentam mudar o regime. É por isso que no Oriente nenhuma revolução jamais aconteceu — porque revolução significa mudar o esquema das coisas.

Veja o que aconteceu na Rússia Soviética. Em 1917, a maior revolução aconteceu na Terra. O esquema das coisas foi alterado. Mas eu acho que Lênin, Stálin e Trotsky nunca tinham ouvido falar dessa história de três pela manhã. Eles poderiam ter aprendido muito com Chuang Tzu. Mas então não teria ocorrido nenhuma revolução. O que aconteceu? Os capitalistas desapareceram, ninguém era rico, ninguém era pobre. As velhas classes não existiam mais. Mas apenas os nomes mudaram. Novas classes surgiram. Agora é o dirigente e o dirigido. Antes, era o homem rico e o pobre, o capitalista e o proletário — agora, o dirigente e o dirigido. Mas a distinção continua a mesma, a diferença continua a mesma. Nada mudou. Só que agora você chama o capitalista de dirigente.

Aqueles que estudaram a Revolução Russa dizem que esta não é uma revolução socialista, é uma revolução empresarial. A mesma diferença, a mesma distância continua a existir entre as duas classes, e não chegou a existir uma sociedade sem classes.

Chuang Tzu teria rido. Ele teria contado essa história. O que você fez? O dirigente se tornou poderoso, o dirigido continua impotente.

Os hindus dizem que há pessoas que sempre serão dirigentes e há pessoas que sempre serão dirigidas. Há *sudras* e *kshatriyas*, e estes não são apenas rótulos, são tipos de pessoas. Os hindus dividem a sociedade em quatro classes e dizem que a sociedade nunca pode deixar de ter classes. Não é uma questão de esquema social — existem quatro tipos. A menos que você altere o tipo, nenhuma revolução ajuda muito.

Eles dizem que existe um tipo, o sudra, que é um trabalhador, que sempre será dirigido. Se ninguém o dirigir, ele vai ficar perdido, ele não será feliz. Ele precisa de alguém para mandar nele, ele precisa de alguém a quem possa obedecer, ele precisa de alguém que possa assumir toda a responsabilidade. Ele não está pronto para assumir a responsabilidade. Esse é um tipo. Esse tipo de pessoa só trabalha se houver um dirigente por perto. Se o dirigente não estiver lá, ele vai simplesmente cruzar os braços.

O dirigente pode ser um fenômeno sutil, ele pode ser até mesmo invisível. Por exemplo, numa sociedade capitalista, o lucro é o que motiva os dirigentes. Um sudra trabalha não porque goste de trabalhar, não porque o trabalho seja o seu *hobby*, não porque seja criativo, mas porque tem de alimentar a si mesmo e à sua família. Se ele não trabalhar, quem vai alimentá-lo? É a motivação do lucro, a fome, o corpo, o estômago quem manda.

Num país comunista, esse motivo não é o dirigente. Lá eles têm que ter dirigentes visíveis. Dizem que na Rússia de Stálin havia um policial para cada cidadão. Caso contrário, ficava difícil comandar, porque a motivação do lucro não existia lá. Portanto, é preciso forçar, é preciso ordenar, é preciso estar constantemente reclamando, do contrário o sudra não trabalha.

Há sempre um tipo de homem de negócio que gosta de dinheiro, riquezas, acumulação. Ele vai fazer isso — não faz diferença o modo como faz. Se o dinheiro está disponível, ele vai acumular dinheiro; se o dinheiro não estiver disponível, então ele vai colecionar selos. Mas vai fazer isso, ele vai acumular. Se os selos não estiverem disponíveis, ele irá acumular seguidores — mas ele vai acumular. Ele tem que fazer algo com números. Quando ele diz que tem dez mil, vinte mil seguidores, um milhão de seguidores — é o mesmo que dizer que ele tem um milhão de rupias.

Vejam os seus gurus — quanto maior o número de seguidores, maiores eles são. Assim, os seguidores não passam de saldos bancários. Se ninguém segue você, você não é ninguém — você é um guru pobre. Se muitas pessoas seguem você, então você é um guru rico. Seja o que for que aconteça, o empresário irá acumular. Ele vai contar. O que ele vai contar é irrelevante.

Há também o guerreiro que vai lutar — qualquer desculpa serve. Ele vai lutar, a luta está em seu sangue, nos seus ossos. Por causa desse tipo o mundo não pode viver em paz. É impossível. Uma vez a cada dez anos surge a propensão para uma grande guerra. E se quisermos evitar grandes guerras, então haverá muitas guerras pequenas, mas o total permanecerá o mesmo. Por causa das bombas atômicas e de hidrogênio, agora uma grande guerra tornou-se quase impossível. É por isso que há tantas guerras pequenas em todo o mundo: no Vietnã, na Caxemira, em Bangladesh, em Israel, muitas guerras pequenas, mas o total será o mesmo. Em cinco mil anos o homem travou quinze mil guerras, três guerras por ano.

Existe esse tipo que tem que lutar. Você pode alterar o tipo, mas a mudança será superficial. Se esse guerreiro não tiver permissão para lutar na guerra, ele vai lutar de outras maneiras. Ele vai lutar numa eleição, ou pode se tornar um esportista — ele pode lutar no críquete ou no futebol. Mas ele vai lutar, vai competir, precisa de alguém para desafiar. Os combates têm que acontecer num lugar ou noutro para satisfazê-lo. É por isso que, à medida que a civilização cresce, é preciso oferecer às pessoas mais jogos. Se o tipo guerreiro não tiver jogos, o que ele fará?

Quando um jogo de críquete ou futebol ou hóquei está acontecendo, repare como as pessoas ficam loucas, como se algo muito grave estivesse acontecendo, como se uma verdadeira guerra estivesse acontecendo. E aqueles que lutam, aqueles que estão jogando, eles ficam sérios, e os fãs ao redor deles enlouquecem. Brigas acontecem, motins. É perigoso, o campo de jogo é sempre perigoso, porque o tipo que se reúne ali é o tipo guerreiro. A qualquer momento alguma coisa pode dar errado.

Existe o tipo brâmane, que sempre vive em meio a palavras, escrituras. No Ocidente, não existe o tipo chamado brâmane, mas o nome não é importante, o brâmane existe em toda parte. Seus cientistas, seus professores, as universidades estão cheios deles. Eles trabalham com palavras, símbolos, criando teorias, defendendo, argumentando. Eles sempre vão em frente, às vezes em nome da ciência, às vezes em nome da religião, às vezes em nome da literatura. Os nomes mudam, mas o brâmane continua.

Estes são os quatro tipos. Você não pode criar uma sociedade sem classes. Esses quatro persistirão e o esquema total será o mesmo. Os fragmentos podem mudar. De manhã você pode fazer uma coisa, à tarde outra, mas o dia total permanecerá o mesmo.

Ouvi falar de um cientista — seu pai era contra a sua investigação científica. O pai sempre achou que ela era inútil: "Não desperdice o seu tempo. É melhor ser médico, que será mais prático e útil para as pessoas. Apenas teorias, teorias abstratas da física, não são de nenhuma ajuda." Finalmente, ele convenceu o filho e ele se tornou médico.

O primeiro homem que o procurou tinha uma pneumonia grave. Ele olhou em seus livros — porque ele era um pensador abstrato, um brâmane. Ele consultou seus livros, tentou e tentou. O paciente ficou impaciente, e disse: "Quanto tempo eu tenho que esperar?"

O cientista, que agora estava exercendo a medicina, disse: "Eu não acho que haja esperança. Você terá que morrer. Não existe nenhum tratamento. A doença está num estágio que não tem mais cura." O paciente, que era um alfaiate, foi para casa.

Duas ou três semanas depois, o médico estava passando e viu o alfaiate trabalhando, e ele estava saudável e cheio de energia. Então ele disse: "O quê? Você ainda está vivo? Você devia estar morto. Eu consultei os livros e isso é impossível. Como você pode estar vivo?"

O alfaiate disse: "Você me disse que dentro de uma semana eu teria que morrer, então eu pensei: Então por que não viver? Apenas me resta uma semana... panquecas de batata são a minha fraqueza, então eu deixei o seu consultório e fui direto para um hotel e comi 32 panquecas de batata. Imediatamente senti uma grande quantidade de energia brotando em mim. E agora eu estou absolutamente curado."

O médico imediatamente anotou em seu diário que 32 panquecas de batata curavam casos graves de pneumonia.

O próximo paciente por acaso também tinha pneumonia. Ele era sapateiro. O médico disse: "Não se preocupe. Agora, a cura já foi descoberta. Vá imediatamente comer 32 panquecas de batata. Não menos do que isso, e você vai ficar bom; caso contrário, vai morrer dentro de uma semana."

Depois de uma semana, o médico bateu na porta do sapateiro. Ela estava trancada. O vizinho disse: "Ele morreu. Suas panquecas de batata o mataram." Imediatamente ele anotou em seu diário que 32 panquecas de batata curavam alfaiates e matavam sapateiros.

Essa é a mente abstrata. Ele não pode ser prático, o brâmane.

Você pode alterar superfícies, você pode pintar rostos, mas o tipo interior permanece o mesmo. Por isso, o Oriente não se preocupa com revoluções. O Oriente está esperando; e os do Oriente que são sábios olham para o Ocidente, e eles sabem que vocês estão brincando com brinquedos. Todas as suas revoluções são brinquedos. Mais cedo ou mais tarde vocês vão entender a lei das três pela manhã.

Agora, vamos ao sutra. Um discípulo deve ter perguntado a Chuang Tzu: "O que é esse três pela manhã?" Porque sempre que alguém mencionava revolução ou mudança, Chuang Tzu ria e dizia: "A lei das três pela manhã." Assim, um discípulo deve ter perguntado "O que é isso de três pela manhã que você está sempre falando?"

Disse Chuang Tzu:

Trata-se de um adestrador de macacos que se dirigiu aos seus macacos e disse-lhes:
"Quanto às suas castanhas: vocês vão ter três punhados pela manhã e quatro à tarde."
Ao ouvir isso, todos eles ficaram com raiva.

Porque no passado eles recebiam quatro punhados de manhã e três à tarde. Obviamente, eles ficaram irritados: "O que você quer dizer com isso? Sempre recebemos quatro punhados de castanhas de manhã e agora você diz três. Não podemos tolerar isso."

Então o adestrador disse: "Tudo bem, nesse caso, eu lhes darei quatro pela manhã e três à tarde." Desta vez eles ficaram satisfeitos.

O total continuou o mesmo — mas os macacos não sabem ver o total. Era de manhã, então eles podiam ver só a manhã. Era rotina receber todas as manhãs quatro punhados e eles estavam esperando quatro punhados, e agora esse homem diz: "Três punhados de manhã." Ele estava deixando de dar um punhado. Isso não podia ser tolerado. Eles ficaram com raiva, se revoltaram.

Esse adestrador de macacos deve ter sido um homem sábio, caso contrário seria difícil se tornar um adestrador de macacos. Eu sei por experiência própria. Eu sou um adestrador de macacos.

O adestrador de macacos disse: "OK, então não fiquem perturbados. Vou seguir o velho padrão. Eu lhes darei quatro pela manhã e três à tarde." Os macacos ficaram felizes. Pobres macacos — eles ficam felizes ou infelizes sem nenhuma razão. Mas esse homem tinha uma perspectiva maior. Ele podia ver, ele podia somar quatro mais três. O resultado ainda era o mesmo — sete punhados seriam oferecidos a eles. Como eles os ganhavam, o esquema, não importava. Os dois arranjos eram equivalentes, o número de castanhas não se alterava, mas, num caso, os macacos ficaram insatisfeitos e no outro caso ficaram satisfeitos.

É assim que sua mente funciona, você só muda o esquema das coisas. Com um esquema você se sente satisfeito, com outro você se sente insatisfeito — e o total permanece o mesmo. Mas você nunca olha o total. A mente não pode ver o total. Somente a meditação pode ver o total. A mente olha para o fragmento; ela é míope, muito míope. É por isso que, sempre que você sente prazer, você mergulha de cabeça imediatamente; nunca pensa na tarde. Esta tem sido a sua experiência, mas você não tem tomado conhecimento dela — sempre que há prazer existe a dor oculta nele. Mas a dor virá à tarde e o prazer está aqui pela manhã.

Você nunca olha para o que está oculto, para o que está invisível, para o que está latente. Você só olha para a superfície, e enlouquece. Você faz isso durante toda a sua vida. Um fragmento captura você. Muitas pessoas me procuram e dizem: "No início, quando me casei com essa mulher, tudo era lindo. Mas em poucos dias tudo estava perdido. Agora tudo ficou feio, agora é uma tristeza."

Uma vez isso aconteceu — houve um acidente de carro. O carro capotou e caiu numa vala ao lado da estrada. O homem estava deitado no chão, todo machucado, quase inconsciente. Um policial veio e começou a preencher uma ficha. Ele perguntou ao homem: "Você é casado?"

O homem disse: "Eu não sou casado. Esta aqui é a maior confusão em que eu já me meti."

Dizem que aqueles que sabem, nunca se casarão. Mas como você pode saber o que acontece no casamento sem se casar? Você olha para uma pessoa, para o fragmento, e no final, às vezes, quando pensa sobre isso, o fragmento parece muito tolo.

A cor dos olhos — que loucura! Como a sua vida pode depender da cor dos seus olhos ou da cor dos olhos de outra pessoa? Como a sua vida pode tornar-se bela apenas por causa da cor dos olhos? — um pequeno pigmento, do tamanho de uma moeda. Mas você fica romântico: Ah, os olhos, a cor dos olhos. Então você fica louco e pensa: "Se eu não me casar com esta mulher minha vida está perdida, vou me suicidar."

Mas você não vê o que está fazendo. Não se pode viver com base na cor dos olhos para sempre. Dentro de dois dias você vai se acostumar com os olhos e vai esquecê-los. Então vai existir toda a vida, a totalidade dela, e aí começa a infelicidade. Antes da lua de mel está tudo acabado, a tristeza começa; a pessoa total nunca é levada em conta — a mente não pode ver o total. Ela só olha para a superfície, a aparência, o rosto, o cabelo, a cor dos olhos, a forma como a mulher anda, o jeito como ela fala, o som de sua voz. Estas são as partes, mas onde está a pessoa total?

A mente não pode ver o total. A mente analisa fragmentos, e você fica fisgado pelos fragmentos. Depois que está fisgado, o total aparece — o total não está muito longe. Os olhos não são fenômenos separados, eles são uma parte de um todo. Se foi fisgado pelos olhos, você fica preso à pessoa como um todo. E quando esse todo emerge, tudo se torna feio.

Quem é responsável? Você deveria ter se dado conta do todo. Mas quando é de manhã, a mente olha para a manhã e se esquece completamente da tarde. Lembre-se bem — a tarde se esconde em cada manhã. A manhã está constantemente se transformando em tarde e nada pode ser feito quanto a isso, você não pode detê-la.

Diz Chuang Tzu:

Os dois arranjos eram iguais, pois o número de castanhas não se alterou. Mas, em um deles, os animais ficaram descontentes, e no outro, ficaram satisfeitos.

Os macacos são a sua mente, pois ela não pode penetrar o todo. Essa é a tristeza. Você sempre perde, sempre perde por causa do fragmento. Se você conseguir ver o todo e em seguida agir, sua vida nunca mais será um inferno. E então você não será incomodado com os arranjos superficiais, como esse da manhã e tarde, porque você saberá contar — o total é sempre sete. Se você recebe quatro pela manhã ou três não faz diferença — o total é sete.

Eu ouvi...

Um menino chegou em casa confuso. Sua mãe perguntou: “Por que você parece tão confuso?”

O menino disse: “Estou num dilema. Minha professora parece que ficou louca. Ontem ela disse que quatro mais um são cinco e hoje ela me disse que três mais dois são cinco. Acho que ficou louca, porque, se quatro mais um já são cinco, como três mais dois podem ser cinco?”

A criança não consegue ver que cinco pode ser o total de muitas combinações de números — não existe apenas uma combinação em que o total seja cinco. Pode haver milhões de combinações em que o total seja esse.

Seja como for que você esquematize a sua vida, o homem religioso sempre vai olhar para o total e o homem mundano sempre vai olhar para o fragmento. Essa é a diferença. O mundano vai olhar para o que está próximo, mas o que está distante está escondido ali. O distante não está muito longe; ele chegará, ele se tornará próximo. O distante não está muito distante, ele vai acontecer em breve. A tarde está chegando.

Você pode ter uma perspectiva em que veja a vida total? Acredita-se, e eu também acho que é verdade, que, quando um homem está se afogando, ele se lembra de repente de toda a sua vida. Mas, quando você está morrendo, se afogando num rio, nenhum tempo resta e de repente, no olho da sua mente, toda a sua vida se revela do começo ao fim. É como se todo o filme passasse através da tela da mente. Mas qual a utilidade disso, agora que você está morrendo?

Um homem religioso olha para o total a todo o momento. Toda a vida está lá, e então ele age com base nessa perspectiva do todo. Ele nunca vai se arrepender, como você sempre faz. Não há possibilidade de você *não* se arrepender. Faça o que fizer, você vai se arrepender.

Uma vez isso aconteceu. Um rei foi visitar um hospício. O superintendente do hospício o escoltou enquanto ele passava por todas as celas. O rei estava muito interessado no fenômeno da loucura, ele estava estudando isso. Todo mundo devia se interessar, porque o problema é de todos. E você não precisa ir a um hospício — vá a qualquer lugar estudar o rosto das pessoas. Você estará estudando num hospício!

Um homem estava chorando e gritando, batendo a cabeça contra as grades. Sua angústia era tão profunda, seu sofrimento era tão pungente, que o rei perguntou: "Conte-me toda a história, como esse homem ficou louco?"

O superintendente disse: "Este homem amava uma mulher e não pôde tê-la, então ele enlouqueceu."

Em seguida, eles passaram para outra cela. Havia outro homem com a foto de uma mulher, e ele cuspia nela. O rei perguntou: "E qual é a história deste homem? Ele também parece ter se envolvido com uma mulher."

O superintendente disse: "É a mesma mulher. Este homem se apaixonou por ela também, e a teve. É por isso que enlouqueceu."

Se você conseguir o que quer, vai ficar louco; se não conseguir, vai ficar louco também. O total permanece o mesmo. Seja o que for que você faça, vai se arrepender. Um fragmento nunca pode ser gratificante. O todo é tão grande e o fragmento é tão pequeno que você não pode deduzir a totalidade do fragmento. E se confiar no fragmento e decidir sua vida de acordo com ele, você vai se perder. Toda a sua vida será desperdiçada.

Então o que devemos fazer? O que Chuang Tzu quer que façamos? Ele quer que não sejamos fragmentários — ele quer que sejamos totais. Mas, lembre-se, você só consegue ver o todo quando você é total, porque só semelhante pode conhecer semelhante. Se você é fragmentário, não pode conhecer o total. Como você pode conhecer o total, se está fragmentado? Se você estiver dividido em partes, o total não pode se refletir em você. Quando falo de meditação, quero dizer uma mente que não está mais dividida, em que todos os fragmentos desapareceram. A mente é um todo indivisível.

Essa mente olha profundamente até o fim. Olha da morte ao nascimento, olha desde o nascimento até a morte. Ambas as polaridades estão diante dela. E a partir desse olhar, a partir dessa visão penetrante, a ação brota. Se você me perguntar o que é pecado, eu vou dizer: a ação a partir da mente fragmentada é pecado. Se você me perguntar o que é virtude, eu vou lhe dizer: a ação a partir da mente total é virtude. É por isso que um pecador sempre tem que se arrepender.

Lembre-se de sua própria vida, observe-a. Tudo o que você faz, tudo o que você escolhe, isto ou aquilo, tudo dá errado. Se você conquista a mulher ou se a perde, em ambos os casos você enlouquece. Seja o que for que você escolha, você escolhe a infelicidade. Por isso Krishnamurti sempre insistia na não escolha.

Tente entender isso. Você está aqui me ouvindo. Essa é uma escolha, porque você deve ter deixado algum trabalho por fazer, um trabalho incompleto. Você tinha que ir ao escritório, à loja, para a sua casa, ao mercado e você está aqui me ouvindo. Esta manhã, você deve ter decidido o que fazer — ou vir ouvir este homem ou ir ao trabalho, ao escritório, ao mercado. Então você decidiu, escolheu vir para cá.

Você vai se arrepender — porque, mesmo enquanto está aqui, você não consegue ficar totalmente aqui. Metade da mente está lá, e você está simplesmente esperando até que eu termine para que você possa ir. Mas você acha que, se tivesse feito outra escolha, ido para a loja ou o escritório, teria ficado totalmente lá? Não, porque também teria sido uma escolha. Então você estaria lá e sua mente estaria aqui. E você iria se arrepender: "Por que estou perdendo tempo, quem sabe o que está acontecendo lá, o que está sendo falado? Quem sabe qual lição está sendo transmitida esta manhã?"

Então, seja o que for que você escolher, se decidir vir ou se decidir não vir, se é uma escolha, isso significa que só metade do coração, ou um pouco mais, escolheu. É uma decisão democrática, parlamentar. Você decidiu com a maior parte da mente, mas a minoria ainda está lá. E nenhuma minoria é uma coisa fixa, nenhuma maioria é uma coisa fixa. Ninguém sabe — os políticos vivem mudando de partido.

Quando você chegou aqui, estava decidido. Cinquenta e um por cento de sua mente queria vir, quarenta e nove por centro queria ir para o escritório. Mas no momento em que você chegou, o esquema tinha mudado. Na própria decisão de vir e ouvir há uma perturbação.

A minoria pode ter se tornado a maioria no momento em que você chegou aqui. Se ainda não se tornou maioria, no momento em que você deixar este lugar, ela se tornará, porque até lá você vai pensar: "Duas horas perdidas — agora, como vou fazer? Teria sido melhor não vir — as questões espirituais podem ser adiadas, mas este mundo não pode ser adiado. A vida é longa, podemos meditar mais tarde."

Na Índia, as pessoas dizem que a meditação é apenas para os idosos, aqueles que estão à beira da morte. Eles podem meditar, não os jovens.

A meditação é a última coisa da lista, para quando você tiver feito todo o resto. Mas, lembre-se, esse ponto em que você já fez tudo nunca chega. Ou o ponto em que você não pode fazer nada, porque toda a sua energia foi desperdiçada — então sobra a meditação.

Mas, quando você não pode fazer nada, como pode meditar? A meditação precisa de energia, a mais pura, a mais vital — a meditação precisa de energia transbordante. Uma criança pode meditar, mas como um velho pode meditar? Uma criança é facilmente meditativa, um homem velho, não; ele está devastado. Não há nenhuma energia em movimento dentro dele, o seu rio não pode fluir, ele está congelado. Muitas partes da sua vida já estão mortas.

Se você optar por vir ao templo, você sofre, você se arrepende. Se você for para o escritório ou o mercado, você sofre, você se arrepende.

Aconteceu que uma vez um monge morreu. Era um monge muito famoso, era conhecido em todo o país. Muitas pessoas o reverenciavam, pois o consideravam um ser iluminado. No mesmo dia, uma prostituta morreu. Ela morava em frente à casa do monge, o templo do monge. Ela também era uma prostituta muito famosa, tão famosa quanto o monge. Eram duas polaridades que viveram ao mesmo tempo e morreram no mesmo dia.

O anjo da morte veio e levou o monge para o céu; outros anjos da morte vieram e levaram a prostituta para o inferno. Quando os anjos chegaram ao céu, as portas estavam fechadas e o responsável disse: "Vocês se confundiram. Este monge tem que ir para o inferno e a prostituta tem que vir para o céu."

Mas os anjos disseram: "Como assim? Este homem era um asceta muito famoso, estava sempre meditando e orando. É por isso que nem perguntamos, simplesmente o trouxemos para cá. E a prostituta deve ter ido para o inferno, porque o outro grupo a levou e nem pensamos em perguntar por quê. Era óbvio."

O homem que estava encarregado da porta de entrada disse: "Vocês estão confusos porque olharam apenas a superfície. Este monge estava sempre pensando que meditava para os outros. Para si mesmo, ele estava sempre pensando, 'eu não estou aproveitando a vida. Que mulher bonita, e disponível. A qualquer momento eu posso atravessar a rua, e ela está disponível. Que bobagem estou fazendo, apenas orando, sentado numa postura de Buda sem alcançar coisa alguma'. Mas por causa da sua fama, ele não se atrevia."

Muitas pessoas são virtuosas porque são covardes. Ele era virtuoso porque era covarde — ele não tinha coragem de atravessar a rua. Muitas pessoas o conheciam, como ele podia procurar uma prostituta? O que diriam as pessoas?

Os covardes estão sempre com medo da opinião dos outros. Por isso ele continuava sendo um asceta, fazendo jejum, mas sua mente estava sempre com a prostituta. Quando estavam cantando e dançando, ele ouvia. Ele sentava-se diante da estátua do Buda, mas o Buda não estava lá. Ele não estava reverenciando, ele estava ouvindo os sons vindos da casa da prostituta. Ele sonhava e em sua fantasia ia fazer amor com a prostituta.

E o que estava acontecendo com a prostituta? Ela estava sempre se arrependendo. Ela sabia que tinha desperdiçado sua vida, tinha desperdiçado uma oportunidade de ouro. E para quê? Só por dinheiro, vendendo o corpo e a alma. E ela sempre olhava para o templo do monge, com inveja da vida de silêncio que ele levava. "Que fenômeno de meditação está acontecendo ali? Quando Deus vai me dar a chance de entrar no templo?" Mas ela pensava: "Eu sou uma prostituta, uma mulher profana, não devo entrar no templo."

Ela não podia ir lá, então caminhava ao redor do templo do monge; por fora, ela ia apenas olhar da rua. Que beleza, que silêncio, que bênção deveria ser ali dentro. E quando havia *kirtan* e *bhajan*, cantos e danças, ela chorava e soluçava ao pensar no que estava perdendo.

Então, o responsável pelo portão disse: "Traga a prostituta para o céu e leve este monge para o inferno. Sua vida exterior era diferente, sua vida interior era diferente, mas como todo mundo, ambos estão arrependidos." A prostituta se arrependeu, o monge se arrependeu.

Nós, na Índia, inventamos uma palavra que não existe em nenhuma outra língua do mundo. Céu e inferno existem em toda parte; todas as línguas têm essas palavras. Nós temos palavras diferentes, *moksha* ou nirvana ou *kaivalya* — a liberdade absoluta que não é nem o inferno nem o céu.

Se sua vida exterior é o inferno e você se arrepende, você vai chegar ao céu. Se você é uma prostituta, mas sempre desejando o mundo da meditação e da oração, você vai chegar ao céu. E se sua vida exterior é o céu e sua vida interior é o inferno, como o monge que desejava a prostituta, você irá para o inferno. Mas, se você não fizer nenhuma escolha, não terá arrependimentos; se você optar pela não escolha, então vai alcançar o *moksha*.

Consciência sem escolha é *moksha*, liberdade absoluta. O inferno é uma escravidão; o céu também é uma escravidão. O céu pode ser uma prisão bonita, o inferno pode ser uma prisão feia — mas ambas são prisões. Nem os cristãos nem os muçulmanos conseguem entender isso, porque para eles o céu é o final. Se você perguntar a eles onde está Jesus, a sua resposta estará errada. Eles dizem: "No céu com Deus." Isto está absolutamente errado. Se Jesus está no céu, então ele não é iluminado. O céu pode ser dourado, mas ainda assim é uma prisão. Pode ser bom, pode ser agradável, mas ainda é uma escolha, a escolha contra o inferno. A virtude que foi escolhida contra o pecado é uma decisão da maioria, mas a minoria está esperando sua vez.

Jesus está no *moksha*, eis o que eu digo. Ele não está no céu, ele não está no inferno. Ele é totalmente livre de todas as prisões: bem/mal, pecado/virtude, moralidade/imoralidade. Ele não escolheu. Ele vive uma vida sem escolhas. E é isso o que eu continuo dizendo: viver uma vida sem escolha.

Mas como é possível uma vida sem escolhas? Isso só é possível se você consegue ver o total, o sete; caso contrário, você vai escolher. Você vai dizer que isso deve acontecer na parte da manhã, e aquilo à tarde, e você acha que apenas mudando o esquema você estará alterando o total. O número total não pode ser alterado. O total permanece o mesmo — o total de todos permanece o mesmo.

Por isso eu digo que não existe nem mendigo nem imperador. De manhã você é um imperador, à tarde você vai ser um mendigo; na parte da manhã você é um mendigo, à tarde você vai ser um imperador. E o total permanece o mesmo. Olhe para o total, *seja* total, e, então, toda a escolha cai por terra.

Esse adestrador de macacos simplesmente olhou para o total e disse: "OK, macacos tolos, se vocês estão felizes com isso, que seja esse o esquema." Mas, se ele também fosse um macaco, então teria havido briga. Então, ele teria insistido: "Este vai ser o esquema. Quem vocês acham que é o líder aqui, vocês ou eu? Quem vocês acham que é o mestre? Quem vocês acham que decide, vocês ou eu?"

O ego sempre escolhe, decide e força. Os macacos estavam se rebelando, e se esse homem fosse também um macaco, ele teria enlouquecido. Teria que colocá-los em seu lugar, onde eles pertenciam. Ele teria insistido: "Não receberão mais quatro punhados pela manhã. Está decidido."

Isso aconteceu uma vez. Era o aniversário de 60 anos de um homem — depois de uma longa vida de casado, aproximadamente 35, quarenta anos de brigas e conflitos. Mas ele ficou surpreso. Quando chegou em casa, a esposa o estava esperando com duas bonitas gravatas para lhe dar de presente. Ele não esperava isso da esposa. Era quase impossível pensar que ela o esperaria com duas gravatas de presente. Ele se sentiu muito feliz, e disse: "Não faça o jantar, vou me aprontar em um minuto e vamos para o hotel mais bonito."

Ele tomou um banho, se arrumou, colocou uma das gravatas e saiu. Sua esposa olhou e disse: "O quê? Quer dizer que você não gostou da outra gravata? A outra não era bonita?" Um homem pode usar apenas uma gravata, mas, fosse qual fosse a gravata escolhida, a reação seria a mesma: "O que você quer dizer com isso? A outra gravata não é bonita?"

É o velho hábito de brigar, discutir. Diziam da mesma mulher que todos os dias ela encontrava alguma coisa pela qual brigar. E ela sempre encontrava alguma coisa, porque, quem procura acha. Lembre-se: tudo o que você busca você vai encontrar. O mundo é tão vasto, e a existência é tão rica que, se você estiver realmente interessado em encontrar alguma coisa, vai encontrá-la.

Então um dia ela encontrou um fio de cabelo no paletó do marido, e houve uma briga, porque ela achou que ele estivera com outra mulher. Mas, depois aconteceu que durante sete dias ela não conseguiu encontrar nada. Ela tentou e tentou, mas não havia desculpa para brigar. Então, no sétimo dia, quando o marido chegou, ela começou a gritar e bater no peito. Ele disse: "Agora, o que você está fazendo? Qual é o problema, o que aconteceu?"

Então ela disse: "Seu patife, você terminou com a outra mulher e agora está andando por aí com mulheres carecas!"

A mente está sempre em busca de problemas. E não ria, porque se trata da *sua* mente. Ao rir você pode estar simplesmente enganando a si mesmo. Você pode pensar que se trata de outra pessoa — é sobre você. E tudo o que eu disser, é sempre sobre você.

A mente escolhe e sempre escolhe problemas, porque com a escolha vem o problema. Você não pode escolher Deus. Se você escolher, haverá problemas. Você não pode escolher *sannyas*. Se você escolher, haverá problemas. Você não pode escolher a liberdade. Se você escolher, não haverá liberdade.

Então, como isso acontece? Como é que a divindade acontece, o *sannyas* acontece, a liberdade acontece, o *moksha* acontece? Acontece quando você entende a loucura da escolha. Não é uma nova opção, é simplesmente o abandono de toda escolha. Basta olhar para a coisa toda que você começa a rir. Não há nada para escolher. O total permanece o mesmo. No final, à tarde, o total será o mesmo. Então você não se incomoda se na parte da manhã você será um imperador ou um mendigo. Está feliz, porque à tarde tudo será igual, tudo estará nivelado.

A morte iguala. Na morte ninguém é imperador e ninguém é mendigo. A morte traz o total; é sempre sete.

Os dois arranjos eram equivalentes. Lembre-se, a quantidade de castanhas não se alterou. Mas, num caso, os macacos ficaram descontentes e no outro caso, ficaram satisfeitos.

O adestrador estava disposto a mudar sua disposição pessoal, a fim de atender às condições objetivas. Ele nada perdeu com isso!

Um homem de entendimento sempre olha para as condições objetivas, nunca para seus sentimentos subjetivos. Quando os macacos disseram não, se você fosse o adestrador de macacos, teria se sentido ofendido. Esses macacos estavam tentando se rebelar, eles estavam tentando ser desobedientes. Isso não poderia ser tolerado; macacos são animais, e animais muito superiores. Você teria ficado magoado.

Você fica com raiva, mesmo quando se trata de coisas mortas. Se você está tentando abrir a porta e ela resiste, você fica com raiva. Se você está tentando escrever uma carta e a caneta não está funcionando bem, perfeitamente, você fica com raiva. Você se sente mal, como se a caneta estivesse fazendo isso intencionalmente, como se houvesse alguém no barco. Mesmo no barco da caneta você sente que alguém está ali, tentando perturbá-lo.

E essa não é apenas a lógica das crianças pequenas, essa é a sua lógica também. Se uma criança tromba com uma mesa, ela vai bater na mesa, apenas para colocá-la em seu lugar. E ela será sempre inimiga daquela mesa. Mas com você acontece o mesmo — com coisas mortas você também fica com raiva, você fica fulo da vida.

Isso é subjetivo, e um homem sábio nunca é subjetivo. Um homem sábio sempre olha as condições objetivas. Ele vai olhar para a porta e, se ela não estiver aberta, então ele vai tentar abri-la. Mas ele não pode ficar com raiva — porque o barco está vazio. Não há ninguém lá tentando fechar a porta, resistindo aos seus esforços.

... *A fim de satisfazer as condições objetivas*, ele mudou seu esquema pessoal. Ele olhou para os macacos e para a mente deles; ele não se sentiu ofendido — ele era um adestrador de macacos, não um macaco. Ele olhou e deve ter rido por dentro, porque ele sabia o total. E cedeu. Somente um sábio cede. Um tolo sempre resiste. As pessoas tolas dizem que é melhor morrer do que se dobrar, é melhor se quebrar do que se dobrar.

Lao Tsé e Chuang Tzu sempre diziam: Quando há um vento forte, as árvores egoístas e tolas resistem e morrem, e a sábia folha de grama se curva. A tempestade passa e novamente a grama está ereta, rindo e aproveitando o dia. A grama é objetiva, a grande árvore é subjetiva. A grande árvore pensa muito em si mesma: "Eu sou grande, quem pode me dobrar? Quem pode me forçar a ceder?" A grande árvore vai lutar contra a tempestade. É tolice lutar contra a tempestade, porque a tempestade não acontece por sua causa. Não é nada especial, a tempestade está simplesmente passando e você está lá, é coincidência.

Os macacos não estão ofendendo o adestrador. Os macacos são apenas macacos; e os macacos são assim. Eles não podem ver o total, eles não podem somar. Eles podem olhar apenas para o que está próximo, não podem olhar para o que está distante — o distante está muito longe. É impossível para eles conceberem a tarde, eles só conhecem a manhã.

Portanto, os macacos são macacos, as tempestades são tempestades. Por que ficar ofendido? Eles não estão lutando contra você. Eles estão apenas seguindo suas rotinas, seus próprios hábitos.

Por isso, o adestrador de macacos não ficou ofendido. Ele era um sábio, ele cedeu, ele era como a folha de grama. Lembre-se disso sempre que você começar a se sentir subjetivo. Alguém diz uma coisa e imediatamente você se sente mal, como se a pessoa tivesse dito a você. Você está muito no barco; ela pode não ter dito aquilo a você. O outro pode estar expressando sua subjetividade.

Quando alguém diz: "Você me insultou", o que realmente quer dizer é outra coisa. Se essa pessoa tivesse sido um pouco mais inteligente, teria dito o contrário. Estaria dizendo: "Eu me sinto insultado. Você pode não ter me insultado, mas, seja o que for que você tenha dito, eu me sinto insultado." Esse é um sentimento subjetivo.

Mas ninguém leva em conta a própria subjetividade e todo mundo continua projetando sua subjetividade em condições objetivas. O outro sempre diz: "Você me insultou." E quando você ouve, também é subjetivo. Ambos os barcos estão cheios, lotados. Está prestes a ocorrer o conflito, a inimizade, a violência.

Se você é sábio, quando o outro lhe diz: "Você me insultou", você olha com objetividade e pensa: "Por que essa pessoa está se sentindo insultada?" Você vai tentar entender os sentimentos do outro e, se puder endireitar as coisas, você vai ceder. Macacos são macacos. Por que ficar com raiva, por que se sentir ofendido?

Dizem que o Mulá Nasruddin, quando ficou mais velho, recebeu o título de juiz honorário. O primeiro caso que chegou às mãos dele foi o de um homem que tinha sido roubado, e ele lhe contou sua história. Nasruddin ouviu a história e disse: "Sim, você está no seu direito." Mas ele ainda não tinha ouvido a versão do ladrão.

O secretário do tribunal sussurrou em seu ouvido: "Você é novo, Nasruddin. Não sabe o que está fazendo. Você tem que ouvir o outro lado antes de julgar."

Então, Nasruddin disse: "Tudo bem."

Então o outro homem, o ladrão, contou sua história. Nasruddin ouviu e disse: "Você está certo."

O secretário do tribunal ficou confuso: "Este homem não é apenas inexperiente, ele diz absurdos!" Mais uma vez, ele sussurrou em seu ouvido: "O que está fazendo? Como ambos podem estar certos?"

Nasruddin disse: "Sim, você está certo."

Esse é o homem sábio, que olha as condições objetivas. Ele vai ceder. Ele está sempre cedendo, está sempre dizendo sim — porque, se você diz não, então o seu barco não está vazio. O "não" sempre vem do ego. Então, se um homem sábio tem que dizer não, ele ainda vai usar a terminologia do sim. Ele não vai dizer não de imediato, ele vai usar a terminologia do sim. Se um homem insensato quer dizer sim, mesmo assim ele sente dificuldade em dizer sim. Ele vai usar a terminologia do não e, mesmo se tiver que ceder, ele vai se render a contragosto. Ele vai se render ofendido, resistindo.

O adestrador de macacos cedeu.

O adestrador estava disposto a mudar sua disposição pessoal, a fim de atender às condições objetivas. Ele nada perdeu com isso!

Nenhum sábio jamais perdeu nada por dizer sim a pessoas tolas. Nenhum sábio pode jamais perder alguma coisa por ceder. Ele ganha tudo. Não existe ego, então não pode haver nenhuma perda. A perda é sempre sentida pelo ego: eu estou perdendo. Por que você sente que está perdendo? Porque você nunca quis perder. Por que você sente que é um fracasso? Porque você sempre quis ser um sucesso. Por que você sente que é um mendigo? Porque sempre desejou ser um imperador.

O sábio simplesmente aceita tudo o que é. Ele aceita o total. Ele sabe — mendigo na parte da manhã, imperador à tarde; imperador pela manhã, mendigo à tarde. Qual é o melhor esquema?

Se um sábio é obrigado a fazer um esquema, ele prefere ser mendigo na parte da manhã e imperador à tarde. Um sábio nunca escolhe, mas, se você insistir, ele dirá que é melhor ser mendigo na parte da manhã e imperador à tarde. Por quê? Porque, se for imperador pela manhã, ser mendigo à tarde vai ser muito difícil. Mas essa é a escolha.

O sábio escolhe a dor no início e o prazer no final, porque a dor no começo vai lhe dar um critério, um precedente, e, em seguida, o prazer será mais agradável do que nunca. O prazer no começo vai destruí-lo, e lhe dará um precedente que tornará a dor excessiva, insuportável.

O Oriente e o Ocidente adotaram esquemas diferentes. No Oriente, durante os primeiros 25 anos, toda criança tem que passar por dificuldades. Esse foi o princípio seguido durante milhares de anos até que o Ocidente começou a dominar o Oriente.

Esse era o princípio seguido. A criança tinha que ir para a casa do mestre, na selva, tinha que passar por todas as dificuldades possíveis. Como um mendigo, ela simplesmente se deitava sobre uma esteira no chão — não havia conforto. Ela tinha que comer como um mendigo; tinha que ir para a cidade e pedir esmolas para o mestre, tinha que cortar árvores para ter lenha, tinha que levar os animais ao rio para beber e à floresta para se alimentar.

Durante 25 anos, ela levava uma vida simples e austera, fosse ela um rei ou um mendigo — não havia diferença. Mesmo o filho do imperador tinha que seguir a mesma rotina, não se fazia distinção. E então a vida era sublime.

Se no Oriente havia tal contentamento é porque usavam esse truque, esse esquema, porque tudo o que a vida lhe dá é sempre mais do que você conhece no início. A criança passa a morar numa cabana, e aí então ela parece um palácio. Antes, ela se deitava no chão, sem nenhuma proteção, numa cabana apinhada de gente. Agora ela tem uma cama comum e ela é celestial. A alimentação normal — pão, manteiga e sal — é o paraíso, porque nem manteiga havia na casa do mestre. Então, qualquer coisa que a vida lhe der vai deixá-la feliz.

Ora, o modelo ocidental é exatamente o oposto. Os ocidentais têm coisas. Quando você é estudante, todo o conforto é dado a você. Albergues, universidades, quartos bonitos, salas de aula, professores — todo o esquema é organizado. Instalações médicas, alimentação, higiene, tudo é providenciado. E, depois de 25 anos, você é atirado na batalha da vida. Você se tornou uma planta de estufa — não sabe o que é uma batalha. Então você se torna funcionário de um escritório, professor primário, e a vida é um inferno. E você passa toda a sua vida resmungando, toda a sua vida será uma longa rabugice, só resmungando, reclamando, tudo parecerá errado. Vai ser assim.

O adestrador de macacos disse: "Três punhados de manhã e quatro à tarde."

Mas os macacos insistiram: "Quatro pela manhã e três à tarde."

Quatro pela manhã e três à tarde — então a tarde vai ser melancólica. Você vai compará-la com o passado, com a manhã. Imperador pela manhã e mendigo à tarde — então a tarde vai ser uma penúria. A tarde devia ser o clímax, e não uma penúria.

Os macacos não estão escolhendo um esquema inteligente. Em primeiro lugar, um homem sábio nunca escolhe, ele vive sem escolhas, porque sabe que o total vai ser o mesmo. Em segundo lugar, se ele tem que escolher por causa das condições objetivas, vai escolher três no período da manhã e quatro à tarde. Mas os macacos dizem: "*Não. Vamos escolher.*

Teremos quatro pela manhã." Esse adestrador estava disposto — *a fim de atender às condições objetivas*. Ele nada perdeu com isso! Mas o que aconteceu com os macacos? Eles perderam alguma coisa.

Então, sempre que você estiver perto de um sábio, deixe-o montar o esquema, não insista em fazer seus próprios arranjos. Porque, seja o que for que você escolher, primeiro, a escolha será errada; segundo, seja qual fora a escolha que os macacos façam, será errada. A mente de macaco só olhará para a felicidade imediata, instantânea, o agora. Ele não está preocupado com o que acontecerá mais tarde. Ele não sabe. Não tem perspectiva do conjunto. Então deixe o sábio escolher.

Mas todo o esquema mudou. No Oriente, os sábios decidiam. No Ocidente, existe a democracia — os macacos votam e escolhem. E agora eles converteram todo o Oriente numa democracia — a democracia significa que os macacos votam e escolhem.

Aristocracia significa que os sábios escolherão o esquema e os macacos se renderão a ele e o seguirão. Nada funciona tão bem quanto a aristocracia quando ela é executada da maneira apropriada. A democracia tende a ser um caos. Mas os macacos se sentem muito felizes, porque estão escolhendo o arranjo. O mundo era mais feliz quando a escolha era feita pelos sábios.

Lembre-se, os reis sempre consultavam os sábios quando iam tomar uma decisão final. Os sábios não eram reis, porque não gostavam disso, eles não podiam se incomodar com isso. Eles eram mendigos que viviam em suas cabanas na floresta. Mas sempre que havia um problema, o rei não recorria ao eleitorado para perguntar: "O que eu devo fazer?" Ele corria para a floresta e consultava aqueles que tinham renunciado a tudo — porque eles tinham uma perspectiva do todo, não tinham apego, obsessões. Por escolha própria, eles não tinham nada. Eles viviam sem escolher, pois podiam ver o todo e decidir.

O homem verdadeiramente sábio, considerando os dois lados da questão, sem parcialidade, vê ambos à luz do Tao.

A isso se chama seguir dois cursos de uma só vez.

Olhar o total significa seguir dois cursos de uma só vez. Então não é uma questão de quatro pela manhã, três à tarde. É uma questão de sete em toda a vida.

O esquema é imaterial. As coisas podem ser esquematizadas de acordo com as condições objetivas, mas são sete ao todo, dois cursos ao mesmo tempo. O homem sábio olha para o todo de todas as coisas. Sexo dá prazer, mas ele olha também para a dor que ele provoca. A riqueza dá prazer, mas ele olha para o pesadelo que vem com ela. O sucesso nos faz felizes, mas ele conhece o abismo que segue o ápice, o fracasso que tornará a dor intensa, insuportável.

Ele olha para o todo. E, quando você olha para o todo, você não tem escolha. Então você está tendo dois cursos ao mesmo tempo. A manhã e a tarde estão juntas agora — quatro mais três estão juntos agora. Agora, nada é fragmento, tudo se tornou um todo. E seguir esse todo é o Tao. Seguir esse todo é ser religioso. Seguir esse todo é o Yoga.

Basta por hoje.

Capítulo 6

A NECESSIDADE DE VENCER

Quando um arqueiro atira por diversão
Ele está de posse de toda a sua habilidade.
Se atira para ganhar uma fivela de bronze
Já fica nervoso.
Se atira por um prêmio em ouro
Fica cego
Ou vê dois alvos —
Ele fica louco!

Sua habilidade não mudou. Mas o prêmio
Deixa-o dividido. Ele se preocupa.
Pensa mais em ganhar
Do que em atirar —
E a necessidade de vencer
Exaure suas forças.

Se a mente está cheia de sonhos, você não pode ver com clareza. Se o coração está cheio de desejos, você não pode sentir direito. Desejos, sonhos e esperanças — o futuro perturba você e, seja qual for, ele está no presente. Quando você está dividido, o desejo leva você para o futuro, e a vida é aqui e agora. A realidade é aqui e agora, e o desejo leva você para o futuro. Então você não está mais aqui. Você vê, mas ainda assim não vê; você ouve, mas ainda assim não ouve; você sente, mas o sentimento é vago, não pode ser profundo, não pode ser penetrante. É assim que a verdade se perde.

As pessoas continuam perguntando onde encontrar o divino, onde encontrar a verdade. Não é uma questão de encontrar o divino ou a verdade. O divino sempre esteve aqui, nunca foi a outro lugar, não pode ir. Ele está onde você está, mas você não está presente, sua mente está em outro lugar. Seus olhos estão cheios de sonhos, seu coração está cheio de desejos. Você avança para o futuro, e o futuro é uma ilusão. Ou você volta para o passado, e o passado já está morto.

O passado não existe mais e o futuro ainda vai acontecer. Entre esses dois está o momento presente. Este momento é muito breve, tão breve quanto possível, é atômico, não é possível dividi-lo — ele é indivisível. Este momento passa num piscar de olhos. Se o desejo entra em cena, você perdeu o momento; se existe um sonho, você está perdendo o momento.

A religião como um todo não consiste em levar você a algum lugar, mas em trazê-lo de volta para o aqui e agora, trazê-lo de volta para o todo, de volta para onde você sempre esteve. Mas a cabeça já foi embora, para muito longe. Essa cabeça tem que ser trazida de volta. Portanto, não se deve procurar Deus em algum lugar — é por isso que você está sentindo falta dele, porque você o está procurando num lugar. Ele está aqui esperando você.

Uma vez aconteceu de o Mulá Nasruddin chegar em casa totalmente bêbado, cambaleando. Ele bateu à porta da sua própria casa, bateu uma, duas vezes. Já era meia-noite e meia. A esposa veio abrir e Nasruddin lhe perguntou: "Você pode me dizer, minha senhora, onde mora o Mulá Nasruddin?"

A esposa disse: "Isso já é demais! Você é o Mulá Nasruddin!"

O Mulá Nasruddin respondeu: "Tudo bem, eu sei disso, mas a senhora não respondeu à minha pergunta. Onde ele mora?"

A situação é essa. Embriagado de desejos, cambaleando, você bate à sua porta e pergunta onde é sua casa. Você está na verdade perguntando quem você é. Esse é o seu lar, e você nunca o deixou, é impossível deixá-lo. Não é algo fora de você que vai sair e ir embora. É o seu interior, é o seu próprio ser.

Perguntar onde Deus está é tolice, porque você não pode perder Deus. Ele é o seu interior, seu íntimo, sua essência. É a sua existência: você o respira, você vive nele e não pode ser de outra maneira. A única coisa que aconteceu é que você ficou tão embriagado que não consegue reconhecer o seu próprio rosto. E a menos que você volte a ficar sóbrio, vai continuar procurando e continuar não se reconhecendo.

Tao, Zen, Yoga, Sufismo, Hassidismo, estes são, todos eles, métodos para trazer você de volta, para torná-lo sóbrio de novo, para destruir a sua embriaguez. Por que você está tão bêbado? O que o leva a ficar tão bêbado? Por que os seus olhos estão tão sonolentos? Por que você não está alerta? Qual é a causa de tudo isso? A causa é que você deseja.

Tente entender a natureza do desejo. O desejo é alcoólico, o desejo é a maior droga que existe. A maconha não é nada, o LSD não é nada. O desejo é o maior de todos os LSD — o suprassumo das drogas.

Qual é a natureza do desejo? Quando você deseja, o que acontece? Quando você deseja, você cria uma ilusão na mente; quando você deseja, já se afastou do aqui e agora. Agora você não está mais aqui; você está ausente, porque a mente está criando um sonho. Essa ausência é a sua embriaguez.

Fique no presente. Neste exato momento, as portas do céu estão abertas. Não há necessidade nem mesmo de bater, porque você não está fora do céu, você está dentro. Basta ficar atento e olhar ao redor, sem ter os olhos cheios de desejo, e você dará uma sonora gargalhada. Você vai rir da piada toda, do que vem acontecendo. É como um homem sonhando à noite.

Isso aconteceu uma vez: um homem estava muito perturbado — as noites eram simplesmente pesadelos contínuos. Sua noite toda era uma luta. Era tão doloroso que ele estava sempre com medo de ir dormir e sempre ficava feliz em sair da cama. A noite toda era um pesadelo — ele tinha sonhos muito ruins, violentos. A natureza dos sonhos era tal, que no momento de adormecer, ele começava a ver milhões de leões, dragões, tigres, répteis, crocodilos, milhões deles debaixo de sua pequena cama. Assim, ele não conseguia dormir, porque a qualquer momento eles poderiam atacar.

Saber que eles estariam todos de volta à noite era uma longa perturbação, uma tortura, um inferno. Ele foi tratado pelos médicos, mas nada ajudou. Tudo fracassou. Foi analisado por psicólogos, psiquiatras, mas ninguém conseguiu ter sucesso. Então um dia ele saiu de sua casa rindo.

Ninguém o via rindo havia muitos anos. Seu rosto estava sempre horrível, sempre triste, com medo, assustado. Então, os vizinhos perguntaram: "O que aconteceu? Você está rindo? Nós não vemos você rir há anos. Tínhamos esquecido completamente de que você costumava rir antes. O que aconteceu com seus pesadelos?"

O homem disse: "Eu contei ao meu cunhado e ele me curou."

Os vizinhos perguntaram: "O seu cunhado é um grande psicanalista, psicólogo ou algo assim? Como ele conseguiu curá-lo?"

O homem disse: Ele é carpinteiro. Ele simplesmente cortou as pernas da minha cama. Agora não há mais espaço, então eu dormi pela primeira vez!"

Você cria um espaço — e o desejo é a maneira de criar esse espaço. Quanto maior for o desejo, maior é o espaço criado. Porque, se o desejo deve ser satisfeito em um ano, então você tem um espaço de um ano. Você pode se mover nele, mas vai encontrar muitos répteis, muitos dragões. Esse espaço que é criado pelo desejo, você chama de tempo. Se não há desejo, não há necessidade de tempo.

Só um único instante existe — nem mesmo dois instantes, porque o segundo instante é necessário apenas para o desejo, não é necessário para sua existência. A existência é completamente preenchida, totalmente, num só instante.

Lembre-se: se você acha que o tempo é algo exterior a você, está enganando a si mesmo. O tempo não é algo fora de você.

Se o homem desaparecer da face da Terra haverá tempo? As árvores vão crescer, os rios fluirão, as nuvens ainda flutuarão no céu, mas, eu pergunto, haverá tempo? Não haverá nenhum tempo. Haverá instantes, ou melhor, haverá um instante — e, quando um instante desaparece, outro passa a existir. Um desaparece, outro passa a existir. Mas não existe tempo como tal. Apenas o instante atômico existe.

As árvores não desejam nada, elas não desejam florescer; as flores virão naturalmente. Faz parte da natureza da árvore florescer. Mas a árvore não está sonhando, a árvore não está em movimento, ela não está pensando, não está desejando.

Se o homem não existir, não haverá tempo, apenas instantes eternos. Você cria o tempo com o desejo. Quanto maior o desejo, mais o tempo é necessário.

Para desejos materialistas não é necessário muito tempo. É por isso que no Ocidente dizem que só existe uma vida. No Oriente, desejamos o *moksha*. Esse é o maior desejo possível — nenhum outro desejo pode ser maior do que esse. Mas como você pode conseguir o *moksha* em uma vida? Uma vida não é suficiente. Você pode conseguir um palácio, você pode organizar um reino, você pode se tornar muito rico e poderoso, um Hitler, um Ford. Você pode se tornar alguém importante neste mundo, mas o *moksha* é um desejo tão grande que uma vida não é suficiente.

Assim, no Oriente acreditamos em muitas vidas, no renascimento, porque é preciso mais tempo, muitas vidas são necessárias. Só assim você pode esperar que o desejo pelo *moksha* se realize. Eu não estou dizendo que existem muitas vidas ou não. A questão não é essa. Mas, no Oriente, as pessoas acreditam em muitas vidas porque desejam o *moksha*. Se houver apenas uma vida, como poderão realizá-lo?

Se houver apenas uma vida, então só as coisas materiais podem ser conquistadas. Então a transformação espiritual não é possível. O desejo é tão grande que milhões de vidas são necessárias. É por isso que as pessoas do Oriente vivem com tanta indolência. Não há pressa, porque não existe falta de tempo. Você vai nascer milhões de vezes. Por que ter pressa? Você tem um tempo infinito.

Então, se o Oriente é preguiçoso e parece tão absolutamente inconsciente do tempo, se as coisas se movem num fluxo tão lento, é por causa do conceito de muitas vidas. Se o Ocidente é tão consciente do tempo, é porque existe apenas uma vida, e tudo tem que ser alcançado ao longo dessa vida. Se você desperdiçá-la, perde a chance para sempre — não haverá uma segunda oportunidade. Devido a essa escassez de tempo, o Ocidente se tornou tão tenso. Tantas coisas para se fazer e tão pouco tempo! Tantos desejos, e o tempo é sempre curto.

Todo mundo está sempre com pressa, correndo muito. Ninguém se move lentamente, ninguém anda lentamente. Todo mundo está correndo, e é preciso mais velocidade. Assim, o Ocidente continua inventando veículos mais rápidos e nunca ninguém está satisfeito. O Ocidente continua a prolongar a vida humana só para lhe dar um pouco mais de tempo para realizar os seus desejos.

Mas por que o tempo é necessário? Você não pode estar aqui e agora sem tempo? Este instante não é suficiente? Instante em que você está simplesmente sentado perto de mim, sem passado, sem futuro? Um instante que está entre o passado e o futuro, que é atômico, que é realmente como se fosse não existencial. Ele é tão pequeno que você não pode agarrá-lo; se fizer isso, já será passado. Se você pensar, estará no futuro. Você pode estar *nele*, mas não pode agarrá-lo. Quando você o agarra, ele já se foi; quando você pensa nele, ele não está presente.

Quando ele está presente, só uma coisa pode ser feita — você pode vivê-lo, isso é tudo. Ele é tão pequeno que você só pode viver nele, mas ele é tão vital que dá vida a você.

Lembre-se, ele é exatamente como o átomo, tão pequeno que não pode ser visto. Ninguém o viu ainda, nem mesmo os cientistas. Você só pode ver as consequências. Os cientistas foram capazes de explodi-lo — Hiroshima e Nagasaki foram as consequências. Vimos Hiroshima queimando, mais de cem mil pessoas mortas — essa é a consequência. Mas ninguém viu o que aconteceu na explosão atômica. Ninguém viu o átomo com seus próprios olhos. Ainda não existem instrumentos que possam vê-lo.

O tempo é atômico, este instante também é atômico. Ninguém pode vê-lo, porque, quando você o vê, ele já passou. No tempo necessário para vê-lo, ele já passou — o rio fluiu, a seta se moveu. Ninguém jamais viu o tempo. Você continua usando a palavra *tempo*, mas, se alguém insistir numa definição, você vai ficar perdido.

Alguém pediu a Santo Agostinho: "Defina Deus. O que quer dizer quando usa a palavra *Deus*?"

Agostinho disse: "É exatamente como o tempo. Eu posso falar sobre ele, mas, se você insistir numa definição, vou ficar perdido."

Você pode continuar perguntando às pessoas sobre o tempo. Elas vão olhar para o relógio e lhe dirão as horas. Mas se você realmente perguntar: "O que é o tempo?" Se você pedir uma definição, não vai adiantar consultar o relógio.

Você pode definir o tempo? Ninguém jamais o viu, não há como vê-lo. Quando você olhar, ele se foi; se você pensar, ele não está lá. Quando você não pensa, quando você não olha, quando você simplesmente é, ele está ali. Você o vive. E Santo Agostinho está certo: a divindade pode ser vivida, mas não pode ser vista. O tempo pode ser vivido, mas não pode ser visto. O tempo não é um problema filosófico, é existencial. A divindade também não é filosófica, é existencial. As pessoas a vivem, mas, se você insistir numa definição, elas vão permanecer em silêncio, não conseguem responder. E se você conseguir ficar neste momento, as portas para todos os mistérios estarão abertas.

Então jogue fora todos os desejos, retire toda a poeira dos olhos, mergulhe e fique à vontade dentro de si, sem desejar coisa alguma, nem mesmo a divindade. Todo desejo é igual, seja por um carro luxuoso, um deus, ou uma mansão, não faz diferença. Desejo é desejo. Não deseje — apenas seja! Nem mesmo olhe — apenas seja! Não pense! Deixe que este momento aconteça, e fique nele, e de repente você tem tudo — porque a vida está presente. De repente tudo começa a se derramar sobre você, e então este momento torna-se eterno e não há mais tempo. É sempre o agora. Ele nunca termina, nunca começa. Mas você está nele, não é um estranho. Você entrou no todo, reconheceu quem você é.

Agora tente entender o sutra de Chuang Tzu: a necessidade de vencer. De onde vem essa necessidade — a necessidade de vencer? Todo mundo está em busca da vitória, buscando vencer, mas por que surgiu essa necessidade de vencer?

Você não está, de forma alguma, consciente de que já é vitorioso, que a vida já aconteceu a você. Você já é um vencedor e nada mais é possível, tudo o que poderia acontecer já aconteceu com você. Você já é um imperador, e não há outro reino a ser conquistado. Mas você não reconheceu isso, você não conhece a beleza da vida que já lhe aconteceu. Você não conhece o silêncio, a paz, a felicidade, que já estão presentes.

Porque você não está ciente desse reino interior, você sempre sente que algo é necessário, alguma vitória, para provar que você não é um mendigo.

Aconteceu:

Alexandre, o Grande, estava indo para a Índia — para vencer, claro —, porque se você não precisa vencer, não vai a lugar nenhum. Por que se preocupar? Atenas era tão bonita, não havia necessidade de fazer uma viagem tão longa.

No caminho, ele ouviu que um místico, Diógenes, morava na beira de um rio. Ele tinha ouvido muitas histórias sobre esse místico. Naqueles dias, particularmente em Atenas, apenas dois nomes eram mencionados — um era o de Alexandre, o outro era o de Diógenes. Eles eram dois opostos, duas polaridades. Alexandre era imperador, e estava tentando criar um reino que se estendia de uma extremidade a outra da Terra: "O mundo inteiro precisa estar em minhas mãos." Ele era um conquistador, um homem em busca da vitória.

E ali estava Diógenes, o exato oposto. Ele vivia nu e não possuía absolutamente nada. No início tinha uma tigela para beber água ou às vezes para pedir comida. Então um dia ele viu um cão bebendo água do rio e imediatamente jogou fora a sua tigela. Ele disse: "Se os cães podem viver sem isso, por que não eu? Se os cães são tão inteligentes que podem viver sem uma tigela, devo ser um idiota por levar esta tigela comigo; é um fardo!"

Ele considerou o cachorro seu mestre, e convidou-o para ficar com ele, porque o animal era muito inteligente. Ele não tinha se dado conta de que levar a tigela era um fardo desnecessário. Então, o cão permaneceu com ele. Eles se acostumaram a dormir juntos, a comer juntos. O cão era a sua única companhia.

Alguém perguntou a Diógenes: "Por que você continua vivendo na companhia de um cão?"

Ele disse: "Ele é mais inteligente do que os chamados seres humanos. Eu não era tão inteligente antes. Olhando para ele, observando-o, fiquei mais alerta. Ele vive no aqui e agora, não se preocupa com nada, não possui nada. E ele está tão feliz! Sem ter nada, ele tem tudo. Eu ainda não vivo com tamanho contentamento, algum mal-estar permanece interiormente, dentro de mim. Quando eu me tornar como ele, então vou ter alcançado o objetivo."

Alexandre tinha ouvido falar de Diógenes, da sua felicidade extasiante, do seu silêncio, dos seus olhos como um espelho, assim como um céu azul sem nuvens. E esse homem vivia nu, nem mesmo roupas eram necessárias. Alguém disse: "Ele mora à beira do rio, e estamos passando, não fica muito longe." Alexandre queria vê-lo, então ele foi.

Era de manhã, uma manhã de inverno, e Diógenes estava tomando seu banho de sol, deitado na areia, nu, desfrutando da manhã, o sol se derramando sobre ele, tudo tão bonito, silencioso, o rio fluindo...

Alexandre pensou: *O que devo dizer?* Um homem como Alexandre não podia pensar em outra coisa, a não ser em coisas e bens. Então ele olhou para Diógenes, e disse: "Eu sou Alexandre, o Grande. Se precisar de algo, me diga. Eu posso ser de muita ajuda e gostaria de ajudá-lo."

Diógenes riu, e disse: "Eu não preciso de nada. Basta ficar um pouco mais para lá, porque você está bloqueando o sol. Isso é tudo o que você pode fazer por mim. E lembre-se, não bloqueie o sol de ninguém, isso é tudo o que alguém pode fazer. Não fique no meu caminho e nada mais é necessário."

Alexandre olhou para aquele homem. Ele deve ter se sentido como um mendigo diante dele: "Ele não precisa de nada, e eu preciso do mundo todo, e mesmo assim eu não vou ficar satisfeito, nem mesmo este mundo é suficiente." Alexandre disse: "Eu estou feliz em vê-lo, nunca vi um homem tão contente."

Diógenes disse: "Não há problema! Se você quer ser tão contente quanto eu, venha e se deite ao meu lado, tome um banho de sol. Esqueça o futuro e largue o passado. Ninguém está impedindo você."

Alexandre riu, um riso superficial, é claro, e disse: "Você está certo — mas ainda não é hora. Um dia eu também vou gostar de relaxar como você."

Diógenes disse: "Esse dia nunca chegará. O que você precisa para relaxar? Se eu, um mendigo, posso relaxar, o que mais é necessário? Por que essa luta, esse esforço, essas guerras, essas conquistas, por que essa necessidade de vencer?"

Alexandre disse: "Quando eu for vitorioso, quando tiver conquistado o mundo inteiro, gostaria de vir e aprender com você e me sentar ao seu lado e me deitar aqui neste banco de areia."

Diógenes disse: "Mas se eu posso me deitar sobre este banco e relaxar agora, por que esperar o futuro? E por que viajar o mundo inteiro criando sofrimento para si e para os outros — só para vir até mim no final e relaxar aqui? Eu já estou relaxando."

Qual é a necessidade de vencer? Você tem que provar a si mesmo. Você se sente tão inferior por dentro, você se sente tão ocioso e vazio, por dentro você se sente como se fosse um ninguém, por isso essa necessidade de provar. Você tem que provar que é alguém, e, a menos que você tenha provado isso, como pode ficar em paz?

Há duas maneiras, e tente entender que estas são as duas únicas maneiras. Uma delas é sair por aí e provar que você é alguém. A outra é se voltar para dentro e perceber que você é ninguém. Se você sair por aí, nunca será capaz de provar que é alguém. A necessidade permanecerá; na verdade, pode aumentar. Quanto mais você provar, mais vai se sentir como Alexandre se sentiu, como um mendigo diante de Diógenes. Você vai se sentir assim sempre. Porque o mero ato de provar aos outros que você é alguém não faz de você alguém. No fundo, o sentimento de ser ninguém permanece. Ele continua açoitando o seu coração — o sentimento de que você é ninguém.

Conquistar reinos não vai ajudar, porque os reinos não vão entrar dentro de você e preencher a lacuna. Nada pode entrar em você. O que está fora permanecerá fora; o que está dentro permanecerá dentro. Não há um encontro. Você pode ter toda a riqueza do mundo, mas como você pode trazê-la para dentro para preencher o seu vazio? Não, mesmo com toda riqueza do mundo você ainda vai se sentir vazio, mais até, porque agora o contraste vai estar diante de você. É por isso que Buda abandonou seu palácio: ver toda a riqueza e ainda sentir o vazio interior, perceber que tudo é inútil.

Outra maneira é se voltar para dentro — não para tentar se livrar deste sentimento de ser ninguém, mas para percebê-lo. Isso é o que Chuang Tzu está dizendo: torne-se um barco vazio, apenas se volte para dentro e perceba que você é ninguém. No momento em que você percebe que é ninguém, você explode numa nova dimensão, porque, quando alguém percebe que é ninguém, também percebe que é tudo.

Você não é alguém, porque você é tudo. Como pode o tudo ser alguém? Alguém sempre será uma parte. Deus não pode ser alguém porque ele é tudo, ele não pode possuir nada, porque ele é o todo. Apenas os mendigos possuem, porque as posses têm limitações. As posses não podem ser ilimitadas. "Ser alguém" tem um limite, o "ser alguém" não pode ser sem limites, não pode ser infinito. "Ser ninguém" é infinito, assim como *ser tudo*.

Na verdade, ambos são a mesma coisa. Se você está se movendo para fora, você vai sentir seu ser interior como um ninguém. Se você está se movendo para dentro, você vai sentir o mesmo ser ninguém como tudo. É por isso que Buda diz que *shunya*, o vazio absoluto, é *brahman*. Ser ninguém é perceber que você é tudo. Perceber que você é alguém é perceber que você não é tudo. E nada menos servirá.

Assim, a outra maneira é ir para dentro de si, não para lutar com esse sentimento de ser ninguém, não para tentar preencher esse vazio, mas para percebê-lo e tornar-se uno com ele. Seja o barco vazio e, então, todos os mares serão seus. Então você pode passar para o desconhecido, então não existirá qualquer impedimento para esse barco, ninguém pode bloquear seu caminho. Nenhum mapa é necessário. Esse barco avançará para o infinito. Agora todos os lugares são o objetivo, mas a pessoa tem que ir para dentro.

A necessidade de vencer é para provar que você é alguém, e a única maneira que conhecemos de provar isso é provar aos olhos dos outros, porque os olhos deles se tornam reflexos.

Olhando nos olhos dos outros, Alexandre podia ver que ele era alguém; em pé diante de Diógenes, ele sentiu que era ninguém. Diógenes não reconheceu que era Alexandre. Em vez disso, Alexandre deve ter se sentido um tolo. Dizem que ele falou a Diógenes que se Deus lhe concedesse outro nascimento, ele gostaria de ser Diógenes, em vez de Alexandre — da próxima vez!

A mente sempre vai para o futuro. Neste momento, em que ele poderia ter se tornado Diógenes, não havia nenhum empecilho, ninguém o estava impedindo. Havia milhões de barreiras para se tornar Alexandre, o Grande, porque todo mundo iria tentar impedi-lo. Quando você quer provar que você é alguém, você fere o ego de todos, e todos eles vão tentar provar que você não é nada. A menos que você os mate, a menos que consiga destruí-los, eles vão continuar dizendo que você não é nada. O que você pensa que é? Quem você pensa que é? Você tem que provar isso, e essa é uma maneira muito dura, muito violenta, destrutiva.

Não havia nenhuma barreira para ser um Diógenes. Alexandre sentiu a beleza, a graça desse homem. Ele disse: "Se Deus me der outra oportunidade para nascer, eu gostaria de ser Diógenes. Mas da próxima vez."

Diógenes riu e disse: "Se me perguntarem, só uma coisa é certa: eu não gostaria nunca de ser Alexandre, o Grande."

Alexandre deve ter visto nos olhos de Diógenes que não havia reconhecimento de suas vitórias. De repente, ele deve ter sentido a sensação de declínio, a sensação mortal de que ele era ninguém. Ele deve ter fugido, corrido de Diógenes, o mais rápido possível. Diógenes era um homem perigoso.

Dizem que Diógenes assombrou Alexandre durante sua vida inteira. Onde quer que fosse, Diógenes estava com ele como uma sombra. À noite, em seus sonhos, Diógenes estava lá rindo. E dizem, é uma bela história, que morreram no mesmo dia.

Diógenes devia ter esperado por esse homem para segui-lo. Eles morreram no mesmo dia e, durante a travessia do rio que divide os mundos, Alexandre encontrou Diógenes outra vez, e o segundo encontro foi mais perigoso do que o primeiro. Alexandre foi à frente porque tinha morrido alguns minutos antes — tinha de ser assim porque Diógenes tinha de segui-lo, ele deve ter esperado. Ao ouvir um ruído, de que havia alguém atrás no rio, ele olhou para trás, e viu Diógenes ali, rindo. Ele deve ter se sentido entorpecido, porque desta vez as coisas eram absolutamente diferentes. Ele também estava nu como Diógenes, porque você não pode levar as roupas para o outro mundo. Só que desta vez ele era absolutamente ninguém, e não um imperador.

Mas Diógenes era o mesmo. A tudo o que a morte podia tirar ele já havia renunciado, então a morte não podia tirar nada dele. Ele era exatamente o mesmo que era na margem do rio, e aqui estava ele nesse rio, da mesma maneira. Assim, para ficar indiferente, para reunir coragem e confiança, Alexandre também riu e disse: "Ótimo, maravilhoso! Mais uma vez o encontro do imperador e do mendigo, do maior dos imperadores e do maior dos mendigos."

Diógenes respondeu: "Você está absolutamente certo, só está um pouquinho confuso quanto a quem é o imperador e quem é o mendigo. Este é um encontro do maior dos imperadores e do maior dos mendigos, mas o imperador está atrás e o mendigo está na frente. E eu te digo, Alexandre, no primeiro encontro aconteceu o mesmo. Você era o mendigo, mas pensou que eu era. Agora, olhe para si mesmo. O que você ganhou por conquistar o mundo inteiro?"

Qual é a necessidade de vencer? O que você quer provar? Aos seus próprios olhos você sabe que você é um nada, coisa nenhuma, e esse nada dói no seu coração. Você sofre porque você não é nada — então você tem que provar a si mesmo aos olhos dos outros. Você tem que criar uma opinião na mente das outras pessoas de que você é alguém, de que não é um nada. E olhando nos olhos delas você vai reunir opiniões, a opinião pública, e por meio dela vai criar uma imagem. Essa imagem é o ego, não é o seu verdadeiro eu. É uma glória refletida, não é a sua própria — ela vem dos olhos dos outros.

Este tipo sempre vai ter medo dos outros, porque eles podem pegar de volta tudo o que deram. Um político está sempre com medo do público, porque eles podem pegar de volta tudo o que lhe deram. É só emprestado; seu eu é um eu emprestado. Se você tem medo dos outros, você é um escravo, você não é um mestre.

Diógenes não tem medo dos outros. Você não pode tirar nada dele porque ele não emprestou nada de ninguém. Ele tem a si mesmo, você só tem o ego. Essa é a diferença entre o eu e o ego — o ego é um eu emprestado, ele depende dos outros, da opinião pública. O eu é o seu ser autêntico, não é emprestado, ele é seu. Ninguém pode pegá-lo de volta.

Veja, Chuang Tzu disse palavras bonitas:

Quando um arqueiro atira por diversão
Ele está de posse de toda a sua habilidade.

Quando um arqueiro atira por diversão, ele está de posse de toda a sua habilidade. Quando você está brincando, não está tentando provar que você é alguém. Está à vontade, contente. Durante a brincadeira, apenas por diversão, você não está preocupado com o que os outros pensam de você.

Você já viu um pai numa luta simulada com o filho? Ele vai ser derrotado. Ele vai se deitar e a criança vai se sentar sobre o seu peito e rir, e dizer: "Eu sou o vencedor!" — E o pai vai ficar feliz. É só diversão. Na diversão você pode ser derrotado e ficar feliz. A diversão não é uma coisa séria, não está relacionada com o ego. O ego sempre é sério.

Então, lembre-se, se você é sério, você sempre está num tumulto interior. Um santo está sempre brincando, como se atirasse por diversão.

Ele não está interessado em atirar num alvo específico, ele está apenas se divertindo.

Um filósofo alemão, Eugene Herrigel, foi ao Japão para aprender a meditar. No Japão eles usam todos os tipos de artifício para ensinar meditação, incluindo o arco e a flecha. Herrigel era um arqueiro perfeito, acertava cem por cento. Nunca errava o alvo. Então ele procurou um mestre para aprender a meditar através do arco e flecha, porque ele já era hábil nisso.

Depois de três anos Herrigel começou a sentir que aquilo era um desperdício de tempo, porque o mestre continuava insistindo que *ele* não deveria atirar. Ele dizia a Herrigel: "Deixe a flecha se lançar por si só. Você não deve estar presente quando aponta a flecha, deixe-a fazer ela mesma a pontaria."

Era um absurdo. Para um ocidental em particular, era um completo absurdo: "O que quer dizer com isso, deixar que a flecha se lance por si só? Como uma flecha pode se atirar por si só? Eu tenho que fazer alguma coisa." E ele continuava. E nunca errava o alvo.

Mas o mestre dizia: "O alvo não é o alvo coisa nenhuma. *Você* é o alvo. Eu não estou vendo se você está atingindo o alvo ou não. Essa é uma habilidade mecânica. Eu estou olhando para você, para ver se você está presente ou não. Atire para se divertir! Divirta-se, não tente provar que nunca perde o alvo. Não tente provar o ego. Ele já está lá, você está lá, não há necessidade de prová-lo. Fique à vontade e permita que a flecha atire a si mesma."

Herrigel não conseguia entender. Ele tentou e tentou e disse repetidas vezes: "Se a minha pontaria é cem por cento correta, por que você não me dá o certificado?"

A mente ocidental está sempre interessada no resultado final e a oriental está sempre interessada no começo, não no final — no arqueiro, não no alvo. O resultado final não tem importância. Então o mestre dizia: "Não!"

Então, completamente decepcionado, Herrigel pediu para ir embora. Ele disse: "Então eu terei que ir. Três anos é muito e não ganhei nada com isso e você continua dizendo não, e continua dizendo que ainda sou o mesmo."

No dia em que estava para sair, ele tinha acabado de se despedir. O mestre estava ensinando outros discípulos. Naquela manhã, Herrigel não estava interessado em nada; ele estava partindo, tinha desistido de todo o projeto. Então, estava apenas esperando ali até que o mestre estivesse desocupado. Ele se despediria e iria embora.

Sentado em um banco, ele olhou para o mestre, pela primeira vez. Pela primeira vez em três anos ele olhou para o mestre. Na verdade, ele não estava fazendo nada; era como se a flecha estivesse atirando a si mesma. O mestre não estava sério, ele estava brincando, ele estava se divertindo. Não havia ninguém interessado no alvo.

O ego é sempre orientado para o alvo. A diversão não tem meta a alcançar, o divertimento está no início, quando a flecha deixa o arco. Se ela dispara, isso é acidental; se atinge o alvo, isso não é relevante; se atinge o alvo ou não, essa não é a questão. Mas, quando a flecha deixa o arco, o arqueiro deve estar brincando, se divertindo, sem se levar a sério. Quando está sério, você está tenso; quando não está sério, você está relaxado e, quando você está relaxado, você está presente. Quando você está tenso, o ego está presente, você está entorpecido.

Pela primeira vez Herrigel olhou — porque agora ele não estava interessado. Aquilo não era mais da conta dele, ele tinha desistido da coisa toda. Estava indo embora, então não havia mais por que levar tudo a sério. Ele tinha aceitado o seu fracasso, não havia nada para ser provado. Ele olhou, e pela primeira vez, seus olhos não estavam obcecados com o alvo.

Ele olhou para o mestre e era como se a flecha estivesse atirando a si mesma do arco. O mestre estava só dando energia a ela, ele não estava atirando. Não estava fazendo nada, a coisa toda era feita sem esforço. Herrigel olhou e pela primeira vez entendeu o que significava.

Como que enfeitiçado, ele se aproximou do mestre, tomou o arco da sua mão e recuou a flecha. O mestre disse: "Você compreendeu. Isso é o que eu tenho dito para você fazer há três anos." A seta ainda não tinha deixado o arco quando o mestre disse: "Concluído: O alvo foi atingido." Agora ele estava se divertindo, ele não estava sério, ele não estava preocupado com o objetivo.

Essa é a diferença. A diversão não visa um objetivo, ela não tem objetivo. A diversão é a própria meta, o valor intrínseco, nada mais. Você se divertiu, é o que basta. Não há nenhum propósito, você brincou, isso é tudo.

Quando um arqueiro está atirando por diversão, ele está de posse de toda a sua habilidade. Quando você está atirando para se divertir, você não está em conflito. Não há dois, não há tensão, sua mente não vai a lugar nenhum. Sua mente não está indo — então você está inteiro. Então a habilidade está lá.

Dizem de um pintor zen, um mestre zen... Ele estava fazendo um desenho, um projeto, para um pagode novo, um novo templo. Ele tinha o hábito de manter seu principal discípulo ao seu lado. Ele fazia o desenho, olhava para o discípulo e perguntava: "O que você acha?"

E o discípulo dizia: "Não é digno de você." Então ele o jogava fora.

Isso aconteceu 99 vezes. Três meses se passaram e o rei estava sempre perguntando quando o projeto seria concluído, quando o trabalho poderia começar. E um dia aconteceu: o mestre estava fazendo o projeto e a tinta secou, então ele disse ao discípulo para sair e preparar mais tinta.

O discípulo saiu, e quando voltou, ele disse: "O quê? Você fez isso! Mas por que durante três meses não conseguiu fazer?"

O mestre disse: "Por sua causa. Você estava sentado ao meu lado e eu estava dividido. Você estava olhando para mim e eu estava preocupado com o resultado, não era divertido. Quando você ficou ausente, eu relaxei. Senti que não havia ninguém ali, fiquei inteiro. Eu não fiz este projeto, ele veio por si só. Durante três meses, ele não veio porque era eu quem o fazia."

Quando um arqueiro está atirando por diversão, ele está de posse de toda a sua habilidade... porque todo o seu ser está disponível. E, quando todo o ser está disponível, você tem uma beleza, uma graça, uma qualidade totalmente diferente de ser. Quando você está dividido, sério, tenso, você é feio. Você pode ter sucesso, mas seu sucesso vai ser feio. Você pode provar para alguém que você é alguém, mas você não está provando nada, você está simplesmente criando uma imagem falsa. Mas, quando você é total, descontraído, inteiro, pode ser que ninguém conheça você, mas você é.

E essa totalidade é a bênção, a bem-aventurança, a beatitude, que acontece a uma mente meditativa, que acontece na meditação.

Meditação significa totalidade.

Então, lembre-se, a meditação deve ser divertida, não deve ser um trabalho. Você não deve fazê-la como um homem religioso, você deve fazê-lo como um jogador. Como quem joga para se divertir. Você deve ser como um esportista não como um empresário. Deve ser divertido, e então toda a habilidade estará disponível, então ela irá florescer por si só. Você não será necessário. Nenhum esforço será necessário. Simplesmente todo o seu ser tem de estar disponível, toda a sua energia tem de estar disponível. Então, o florescimento vem por si só.

Se atira para ganhar uma fivela de bronze
Já fica nervoso.

Se ele está numa competição apenas para ganhar uma fivela de bronze, se algo deve ser realizado, um resultado é necessário, ele já fica nervoso, com medo. O medo vem: "Será que vou ter sucesso ou não?" Ele fica dividido. Uma parte da mente diz: "Talvez você tenha sucesso"; a outra parte diz: "Talvez você falhe." Agora nem toda a sua habilidade está disponível, agora ele é meio a meio. E sempre que você está dividido todo o seu ser se torna feio e doente. Você fica desassossegado.

Se atira por um prêmio em ouro
Fica cego
Ou vê dois alvos —
Ele fica louco.

Vá ao mercado e observe as pessoas que estão atrás de ouro. Elas são cegas. O ouro cega mais os homens do que qualquer outra coisa, o ouro ofusca os olhos completamente. Quando você está muito preocupado em ter sucesso, em chegar a um resultado, está muito ambicioso, quando você está muito obcecado pela medalha de ouro, você fica cego e começa a ver dois alvos. Você fica tão embriagado que começa a ver dobrado.

Eu ouvi...

O Mulá Nasruddin estava ensinando seu filho num bar: "Lembre-se sempre de quando parar. O álcool é bom, mas é preciso saber quando parar. E eu estou dizendo a você por experiência própria. Olhe lá naquele canto — quando aquelas quatro pessoas sentadas na mesa começarem a parecer oito, pare."

O rapaz disse: "Mas, pai, eu vejo apenas duas pessoas sentadas lá."

Quando a mente está embriagada, a visão fica dupla. E o ouro faz você ficar inconsciente, embriagado. Agora, existem dois alvos e você está com tanta pressa em atingi-los que fica nervoso, tremendo por dentro.

Esse é o estado que Chuang Tzu chama de:

... Ele fica louco.

Todo mundo está louco, fora da própria mente. Não são apenas os loucos que estão fora da mente, você também está fora da sua mente. A diferença é apenas de grau, não de qualidade; um pouco mais e a qualquer momento você pode cruzar a linha divisória. É como se você estivesse a 99 graus. Cem graus e você entra em ebulição, atravessou a fronteira. A diferença entre aqueles que estão em manicômios e aqueles que estão fora é só de quantidade, não de qualidade. Todo mundo está fora da própria mente, porque todo mundo está atrás de resultados, metas, propósitos. Algo tem que ser alcançado. Então, vem o nervosismo, o tremor interior, então você não pode ter quietude interior. E, quando você treme por dentro, o alvo se torna dois, ou mesmo quatro ou oito — e então é impossível se tornar um arqueiro.

O arqueiro perfeito é sempre aquele que está se divertindo.

O homem perfeito vive a vida como se ela fosse uma diversão, uma brincadeira.

Veja a vida de Krishna. Se Chuang Tzu o tivesse conhecido, teria sido uma beleza. A vida de Krishna é divertida. Buda, Mahavira, Jesus, de um modo ou de outro parecem um pouco sérios, como se algo tivesse que ser alcançado — o *moksha*, o nirvana, a ausência de desejo. Mas Krishna é absolutamente sem propósito — o tocador de flauta que vive apenas para se divertir, para dançar com as garotas, divertindo-se, cantando. Nenhum lugar para ir, está tudo aqui, então por que se preocupar com o resultado? Tudo está disponível agora, por que não aproveitar isso?

Se divertir-se é indicação de um homem perfeito, Krishna é o homem perfeito. Na Índia, nunca chamamos a vida dele de *Krishna charitra*, seu caráter, nunca a chamamos assim. Nós a chamamos de *Krishna leela*, a sua diversão. Não é um caráter, não tem um propósito; é absolutamente despropositado.

É como uma criança pequena. Você não pode perguntar: "O que você está fazendo?" Você não pode perguntar: "Qual é o significado disso?" Ela está se divertindo apenas correndo atrás das borboletas. O que ela vai atingir apenas pulando ao sol? A que fim esse esforço a levará? A nenhum outro lugar! Ela não vai a lugar nenhum. Nós a chamamos de infantil e nos consideramos maduros, mas eu lhe digo que, quando você estiver realmente maduro, vai voltar a ser criança. Então, sua vida voltará a ser divertida. Você vai apreciá-la, cada pedacinho dela, você não vai ser tão sério. Um riso profundo vai se espalhar por toda sua vida. Será mais como uma dança e menos como um negócio; vai ser mais como cantar, cantarolar no banheiro, menos como fazer contas no escritório. Não vai ser matemática, vai ser apenas diversão.

A habilidade dele não mudou. Mas o prêmio
Deixa-o dividido. Ele se preocupa.
Pensa mais em ganhar
Do que em atirar —
E a necessidade de vencer
Exaure suas forças.

Se você parece tão impotente, tão sem forças, indefeso, a culpa é toda sua. Ninguém está exaurindo suas forças. Você tem infinitas fontes de poder, inesgotáveis, mas você parece esgotado, como se a qualquer momento fosse cair, sem que lhe reste nenhuma energia.

Para onde estão indo todas essas energias? Você está criando um conflito dentro de si mesmo — a sua habilidade é a mesma.

A habilidade dele não mudou. Mas o prêmio
Deixa-o dividido. Ele se preocupa.

Eu ouvi uma história. Aconteceu numa aldeia... Um homem pobre, filho de um mendigo, era jovem e saudável — tão jovem e tão saudável que, quando o elefante do rei passava pela aldeia, ele simplesmente agarrava o rabo do elefante e o animal não era capaz de se mover.

Às vezes era muito embaraçoso para o rei, porque ele ficava sentado sobre o elefante e todo o mercado se reunia e as pessoas riam. E tudo por causa do filho de um mendigo.

O rei pediu ao seu primeiro-ministro: "É preciso fazer alguma coisa. Isso é um insulto. Fiquei com receio de passar por aquela aldeia, e o menino às vezes visita outras aldeias também. Em qualquer lugar ele pode agarrar a cauda do elefante e ele não se moverá. Ele é tão forte, faça alguma coisa para esgotar sua energia."

O primeiro-ministro disse: "Vou ter de consultar um sábio, porque eu não sei como esgotar sua energia. Não há nada para esgotar sua energia, porque ele é um mendigo. Se ele tivesse uma loja, sua energia poderia ser exaurida. Se ele estivesse trabalhando como escriturário num escritório, a energia seria descarregada. Se ele fosse professor numa escola primária, sua energia poderia ser esgotada. Mas ele não tem nada para fazer. Ele vive para se divertir, e as pessoas o adoram e lhe dão comida e leite, por isso nunca lhe falta comida. Ele está feliz, ele come e dorme. Por isso é difícil, mas eu vou."

Então ele foi procurar um velho sábio. O sábio lhe disse: "Faça uma coisa. Vá e diga ao rapaz que você vai lhe dar uma rupia de ouro todos os dias se ele lhe prestar um pequeno serviço — e o serviço é muito simples. Ele tem que ir ao templo da aldeia e acender uma lamparina. Ele tem apenas de acender a lamparina, isso é tudo. E você vai lhe dar uma rupia de ouro todos os dias."

O primeiro-ministro disse: "Mas como isso vai ajudar? Isso pode torná-lo ainda mais entusiasmado. Ele vai ter uma rupia e vai se sentir cheio de energia. Ele nem mesmo se preocupará em pedir esmolas."

O sábio disse: "Não se preocupe, basta fazer o que eu digo."

Isso foi feito, e na semana seguinte, quando o rei passou, o menino tentou, mas não conseguiu, não conseguiu parar o elefante. Ele foi arrastado por ele.

O que aconteceu? Surgiu a preocupação, surgiu a ansiedade. Ele tinha que lembrar, durante 24 horas por dia ele tinha que lembrar que tinha de ir ao templo, todas as noites, e acender a lamparina. Isso se tornou uma preocupação, que dividiu todo o seu ser. Mesmo durante o sono, ele começou a sonhar que era noite: "O que você está fazendo? Vá e acenda a lamparina e pegue a sua rupia."

Então ele começou a guardar as rupias de ouro — agora são sete, agora oito. Então começou a calcular que, dali a certo tempo, ele teria cem rupias de ouro — e que essa quantia ia aumentar para duzentas. Entrou a matemática, acabou a diversão. E ele tinha apenas uma pequena coisa a fazer, acender uma lamparina. Apenas um único minuto, nem mesmo um minuto, apenas uma coisa momentânea — mas tornou-se uma preocupação. E isso exauriu toda a sua energia.

Se você está esgotado não é de admirar que a sua vida não seja divertida. Você tem tantos templos e tantas lamparinas para acender, tantos cálculos na sua vida, que ela não pode ser um divertimento.

A habilidade dele não mudou — a habilidade é a mesma, mas o arqueiro, quando está atirando para se divertir, tem toda a sua habilidade disponível. *A habilidade dele não mudou. Mas o prêmio o dividiu. Ele se preocupa.* Surgiu a ansiedade, surgiu o nervosismo. Ele pensa mais em ganhar, agora não está preocupado em disparar a flecha. Agora a questão é como ganhar, e não como disparar a flecha. Ele passou do início ao fim. Agora, o meio não é importante, o fim é importante, e sempre que o fim é importante a energia fica dividida, porque tudo o que pode ser feito é para ser feito com o meio, não com o fim. Os fins não estão em suas mãos.

Krishna diz a Arjuna no Gita: "Não se preocupe com o fim, com o resultado. Basta fazer tudo o que é para ser feito aqui e agora e deixe o resultado para mim, para a existência. Não pergunte o que vai acontecer, ninguém sabe. Você simplesmente deixa isso para a existência, para a fé. Aconteça o que acontecer, você simplesmente faz tudo o que é para ser feito. Fique preocupado com o meio e não pense no fim. Não seja orientado para os resultados."

Essa situação é bela e vale a pena considerar com as frases de Chuang Tzu, porque Arjuna era um arqueiro, o maior arqueiro que a Índia já produziu. Ele foi o arqueiro perfeito.

Mas o fim entrou em sua mente. Ele nunca tinha se preocupado, nunca tinha acontecido antes. Sua arte com o arco era perfeita, sua habilidade era total, absoluta, mas, vendo aquele grande cerco de *Kurukshetra*, dois exércitos se defrontando, ele ficou preocupado. Qual era a preocupação? Era que ele tinha amigos em ambos os lados. Era um assunto de família, uma guerra entre primos e irmãos, então todo mundo estava ligado. Aqueles que estavam do outro lado também tinham parentesco com os deste lado. Todas essas famílias e parentes estavam divididos — era uma guerra rara, uma guerra familiar.

Krishna estava lutando ao lado de Arjuna, mas seu exército estava lutando do outro lado. Krishna dissera: "Vocês me amam tanto assim que terão que dividir meio a meio. Um lado pode ter a mim, e o outro lado pode ter os meus exércitos."

Duryodhana, o líder do outro lado, era tolo. Ele pensou: *O que vou fazer com Krishna sozinho — e seu exército é tão grande.* Então ele disse: "Eu vou escolher o seu exército."

Então, Krishna estava com Arjuna e Arjuna estava feliz, porque um Krishna é mais do que o mundo inteiro. O que podem fazer os exércitos — pessoas inconscientes, adormecidas? Um homem desperto vale muito mais.

Krishna tornou-se de grande ajuda quando Arjuna ficou confuso e sua mente, dividida. No Gita dizem que, ao olhar para esses dois exércitos, ele ficou perplexo. E estas são as palavras que ele falou a Krishna: "Minha energia está esgotada. Sinto-me nervoso, impotente, não tenho mais forças" — e ele era um homem de habilidade perfeita, um arqueiro perfeito.

O seu arco é conhecido como um *gandiva*. Ele disse: "O *gandiva* parece muito pesado para mim. Fiquei impotente, meu corpo está dormente, e eu não consigo pensar e não consigo ver. Tudo ficou confuso, porque são todos meus parentes e vou ter que matá-los. Qual será o resultado? Carnificina, tantas pessoas mortas, e o que vou ganhar com isso? Um reino sem valor? Eu não estou interessado em lutar, o preço é alto demais. Eu gostaria de fugir e me tornar um *sannyasin*, para ir para a floresta e meditar. Isto não é para mim. Minha energia está esgotada."

Krishna disse a ele: "Não pense no resultado. Não está em suas mãos. E não pense que você é o realizador, porque, se você for o realizador, então o fim está em suas mãos. O realizador é sempre o divino, e você é apenas um instrumento. Preocupe-se com o aqui e o agora, com o meio, e deixe o fim para mim. Eu lhe digo, Arjuna, que essas pessoas já estão mortas, elas estão fadadas a morrer. Você não vai matá-las. Você é apenas o instrumento para revelar-lhes o fato de que elas foram assassinadas, elas já estão mortas. Até onde eu posso ver, vejo-as mortas. Elas chegaram ao ponto em que a morte acontece — você é apenas um instrumento."

O sânscrito tem uma palavra bonita, não há equivalente em inglês ou português: é *nimitta*. *Nimitta* significa que você não é o realizador, você não é a causa, nem mesmo uma das causas, você é apenas o *nimitta*. Isso significa que a causa está nas mãos do divino. O divino é o realizador, você é apenas um veículo dele. Você é só como um carteiro — o carteiro é o *nimitta*. Ele chega e entrega uma carta para você. Se a carta contém insultos, você não se zanga com ele. Você não diz: "Por que você me trouxe esta carta?" O carteiro não está preocupado, ele é o *nimitta*. Ele não escreveu a carta, ele não fez nada, não está preocupado com ela. Ele apenas cumpriu o seu dever. Você não vai ficar zangado com ele. Você não vai dizer: "Por que você trouxe esta carta para mim?"

Krishna disse a Arjuna: "Você é como um carteiro, você tem que entregar a morte para elas. Você não é o assassino; a morte vem do divino. Elas já a obtiveram, portanto, não se preocupe. Se você não for matá-las, outra pessoa fará isso." Se este carteiro não fizer isso, então alguém mais vai entregar a carta. Não é uma questão de saber se você vai estar lá ou não, ou se está de férias ou doente, e a carta não será entregue. Um carteiro substituto fará isso. Mas a carta tem de ser entregue. Portanto, não se incomode, não fique preocupado desnecessariamente; você é apenas um *nimitta*, nem a causa nem o agente disso, apenas um instrumento. Fique preocupado com o meio, não pense no fim, porque, se você pensar no fim, a sua habilidade está perdida, você fica dividido.

"É por isso que você está se sentindo tão esgotado, Arjuna. Sua energia não foi a lugar nenhum. Tornou-se uma consciência — então você está dividido. Você está lutando consigo mesmo. Uma parte diz vá em frente, outra parte diz que isso não é bom. Sua integridade se perdeu. E sempre que a totalidade se perde, você se sente impotente."

Um homem tão poderoso como Arjuna diz: "Eu não posso carregar este *gandiva*, este arco é muito pesado para mim. Fiquei nervoso. Eu sinto medo, um medo profundo, uma ansiedade cresceu em mim. Eu não posso lutar."

A habilidade é a mesma, nada mudou, mas a mente está dividida. Sempre que você está dividido você fica sem forças, quando você fica indiviso você é poderoso. Os desejos dividem você, a meditação não o divide. Os desejos o levam para o futuro, a meditação traz você para o presente.

Lembre-se disto como uma conclusão: não se mova para o futuro. Sempre que você sentir a sua mente indo para o futuro, volte para o presente imediatamente. Não tente completar o salto. Imediatamente, no momento em que você pensar, no momento em que se der conta de que a mente foi para o futuro, para o desejo, volte ao presente. Fique à vontade.

Você vai fracassar várias e várias vezes. Muitas e muitas vezes você não vai conseguir, porque se tornou um hábito arraigado, mas mais cedo ou mais tarde, cada vez mais, você vai ficar à vontade. Então a vida fica divertida, vira uma brincadeira. E então você fica tão cheio de energia que ela transborda de você — uma enxurrada de vitalidade. E essa enxurrada é felicidade.

Sem forças, esgotado, você não pode estar em êxtase. Como pode dançar? Para dançar, você vai precisar de uma energia infinita. Exaurido, como você pode cantar? Cantar é sempre um transbordamento. Morto como você está, como pode orar? Somente quando você está totalmente vivo um agradecimento brota do seu coração, uma gratidão. Essa gratidão é a oração.

Basta por hoje.

Capítulo 7

OS TRÊS AMIGOS

Havia três amigos
Discutindo sobre a vida.
Um deles disse:
"Os homens podem viver juntos
E não saber nada sobre a vida?
Trabalhar juntos
E não produzir nada?
Eles podem voar pelo espaço
E se esquecer de que existe
O mundo sem fim?"

Os três amigos olharam uns para os outros
E desataram a rir.
Eles não tinham explicação.
Assim, ficaram mais amigos do que antes.

Então, um dos amigos morreu.
Confúcio enviou um discípulo
Para ajudar os outros dois
A cantar em suas exéquias.

O discípulo descobriu que um amigo
Havia composto uma canção.
Enquanto o outro tocava um alaúde,
Eles cantaram:

"Ei, Sung Hu!
Aonde você foi?
Ei, Sung Hu!
Aonde você foi?
Você se foi
Para onde na verdade estava.
E nós estamos aqui —
Maldição! Estamos aqui!"

Então, o discípulo de Confúcio lançou-se sobre eles e
Exclamou: "Posso saber onde vocês encontraram isso
Nas rubricas das exéquias?
Essa algazarra frívola na presença do falecido?"

Os dois amigos entreolharam-se e riram:
"Pobre coitado", disseram, "ele não conhece a nova liturgia!"

A primeira coisa sobre a vida é que ela não tem explicação. Ela existe, em sua glória absoluta, mas não tem explicação. Ela existe como um mistério e, se você tentar explicá-la, vai perdê-la. Não vai explicá-la, mas vai ficar cego com suas explicações.

A filosofia é a inimiga da vida. A coisa mais prejudicial que pode acontecer a um homem é ficar fixado e obcecado com explicações filosóficas. No momento em que você acha que tem a explicação, a vida já o deixou, você já está morto.

Parece paradoxal. A morte pode ser explicada, a vida não pode ser explicada — porque a morte é algo acabado, completo. A vida é sempre um caso em curso, a vida está sempre em viagem, a morte chegou. Quando alguma coisa chegou e está acabada, você pode explicá-la, você pode defini-la. Quando alguma coisa está ainda em curso, significa que o desconhecido ainda precisa ser percorrido.

Você pode conhecer o passado, mas não pode conhecer o futuro. Você pode colocar o passado numa teoria; como você pode colocar o futuro numa teoria? O futuro é sempre uma abertura, uma abertura infinita, ele vive se abrindo. Então, quando você explica, a explicação sempre indica o que está morto.

A filosofia tem explicações, por isso ela não pode estar muito viva, e você não vai encontrar pessoas mais mortas do que os filósofos. A vida deles se foi, se esvaiu, se escoou, eles são cabeças encolhidas, como pedras mortas. Eles fazem muito barulho, mas não há nada da música da vida. Eles têm muitas explicações, mas se esqueceram completamente de que têm apenas explicações em suas mãos.

A explicação é como um punho fechado. A vida é como uma mão aberta. São totalmente diferentes. E, quando o punho está completamente fechado não há céu nele, não há ar, nem espaço para respirar. Você não pode pegar o céu em seu punho fechado; o punho não conseguirá. O céu está lá, a mão está aberta, ela está disponível. A explicação está agarrando, fechando, definindo — a vida escorre entre os dedos.

Até mesmo o riso é maior do que qualquer filosofia. Quando alguém ri da vida, ele entende. Assim, todos aqueles que realmente conheciam a vida, riam. E o riso pode ser ouvido mesmo depois de séculos. Mahakashyapa riu olhando para Buda — Buda estava segurando uma flor na mão — e Mahakashyapa riu. Seu riso pode ser ouvido até hoje. Aqueles que têm ouvidos para ouvir, vão ouvir o seu riso, como um rio fluindo continuamente, através dos séculos.

Nos mosteiros zens do Japão, eles ainda perguntam, os discípulos ainda perguntam ao mestre: "Diga-nos, Mestre, por que Mahakashyapa riu?" E aqueles que estão mais alertas perguntam: "Dize-nos, Mestre, por que é que Mahakashyapa ainda está rindo?" Aqueles que estão mais alertas usam o tempo presente, não o passado. E dizem que o mestre responde apenas quando ele sente que você consegue ouvir o riso de Mahakashyapa. Se você não consegue ouvi-lo, nada pode lhe ser dito a respeito.

Os budas vivem rindo. Você não pode ouvi-los porque as portas estão fechadas. Você pode ter olhado para um buda e sentido que ele é sério, mas essa seriedade é projetada. É a sua própria seriedade — você usou o buda como uma tela. Assim, os cristãos dizem que Jesus nunca riu. Isso é uma enorme tolice. Jesus deve ter rido e ele deve ter rido tanto que todo o seu ser deve ter se tornado riso —, mas os discípulos não puderam ouvi-lo, isso é verdade. Eles devem ter permanecido fechados, sua própria seriedade projetada.

Eles puderam ver Jesus na cruz — porque todos vivemos em tamanho sofrimento que você só pode ver o sofrimento. Mesmo se tivessem ouvido Jesus rindo, eles devem ter omitido. Isso era tão contraditório com a vida dele, não se encaixava. Jesus rindo não se encaixa com você, ele se torna um estranho.

Mas, no Oriente, tem sido diferente, e no Zen, no Tao, o riso atingiu o seu ápice. Tornou-se o oposto da filosofia.

Um filósofo é sério, porque ele acha que a vida é um enigma e é possível encontrar uma solução. Ele interpreta a vida com sua mente, e fica cada vez mais sério. Quanto mais ele deixa de aproveitar a vida, mais sério e morto se torna.

Taoistas, Lao Tsé e Chuang Tzu dizem que, se você consegue rir, se consegue dar uma gargalhada que venha do âmago do seu ser, não apenas da superfície, que não seja fingida — se ela vier do mais profundo centro do seu ser, se espalhar por você inteiro e transbordar para o universo —, esse riso vai lhe dar o primeiro vislumbre do que a vida é. É um mistério. Para Chuang Tzu, esse riso é como uma oração, porque agora você aceita a vida; você não anseia por uma explicação. Como se pode encontrar a explicação? Nós somos parte dela. Como pode a parte encontrar a explicação para o todo? Como pode a parte olhar para o todo? Como pode a parte dissecar, dividir o todo? Como pode a parte vir antes de o todo ter surgido?

Explicar significa que você tem de transcender o que está tentando explicar — você precisa estar lá antes que essa coisa exista, estar lá quando ela deixou de existir. Você precisa se mover em torno dela para que possa defini-la, e tem de dissecá-la para que possa chegar ao seu cerne. Um cirurgião pode encontrar uma explicação para um corpo morto, mas não para a vida. Todas as definições médicas de vida são tolas, porque o cirurgião disseca e, quando ele vê que a vida não está mais lá, está lidando apenas com um cadáver. Todas as explicações são autópsias, a vida não está mais presente.

Ora, até os cientistas já se deram conta do fenômeno de que, quando se examina o sangue, se ele for tirado do corpo, e, em seguida, examinado, já não será o mesmo. Os cientistas dizem isso agora, porque quando ele estava circulando pelas veias do corpo ele estava vivo, ele tinha uma qualidade diferente; mas quando está no tubo de ensaio, ele está morto. Não é o mesmo sangue, porque a qualidade básica — a vida — não existe mais nele. Todas as explicações são assim.

Uma flor na árvore é diferente, porque a vida, a forma de vida, está fluindo nela. Quando você a corta da árvore, leva-a ao laboratório, examina-a, é uma flor diferente. Não se deixe enganar pela aparência. Agora a vida já não está mais fluindo nela. Você pode vir a conhecer a composição química da flor, mas essa não é a explicação.

Um poeta tem uma abordagem diferente, que não é através da dissecação, mas sim do amor; não é arrancando a flor da árvore, mas fundindo-se com a flor, permanecendo em profundo amor com ela, numa participação mística. Ele participa, então, passa a saber alguma coisa, e isso não é uma explicação. A poesia não pode ser uma explicação, mas tem um vislumbre da verdade. É mais verdadeira do que qualquer ciência.

Observe: quando você está apaixonado por uma pessoa, o seu coração bate de modo diferente. Sua amante, sua amada, vai ouvir o seu coração — ele bate de modo diferente. Se ela pegar sua mão — o calor será diferente. O sangue se move numa dança diferente, que pulsa de modo diferente.

Quando o médico toma a sua mão na dele, a pulsação não é a mesma. Ele pode ouvir o coração batendo, mas o ritmo é diferente. Quando o coração está batendo pela pessoa amada, ele tem uma música própria, mas somente um amante pode reconhecer a batida, apenas um amante pode reconhecer a pulsação, o sangue, o calor da vida. O médico não pode.

O que mudou? O médico tornou-se o observador e você é o observado — você não é uno. O médico trata-o como um objeto. Ele olha para você como se estivesse olhando para uma coisa — isso faz a diferença. Uma amante não olha para você como um objeto — ela se torna una com você, ela se funde e se derrete. Ela passa a conhecer o âmago mais profundo do seu ser, mas não tem uma explicação. Ela sente, mas o sentimento é diferente. Ela não pode pensar a respeito.

Qualquer coisa que pode ser pensada não está viva. O pensamento lida com a morte, sempre lida com objetos mortos. É por isso que na ciência não há lugar para o sentimento, porque o sentimento dá uma dimensão diferente à existência, a dimensão da vida.

Esta bela história tem muitas coisas a dizer a você. Avance passo a passo e, se chegar a uma conclusão, então entenda que não atingiu o x da questão. Se você chegar ao riso, então você entendeu.

Havia três amigos
discutindo sobre a vida.

Chuang Tzu é muito telegráfico. Como sempre, quem sabe não profere uma única palavra desnecessariamente. Vive com o essencial.

Havia três amigos discutindo a vida. A primeira coisa a ser entendida é que só amigos podem discutir a vida. Sempre que uma discussão se torna antagônica, quando uma discussão torna-se um debate, o diálogo está rompido. A vida não pode ser discutida dessa maneira. Apenas os amigos podem discutir, porque, nesse caso, a discussão não é um debate, é um diálogo.

Qual é a diferença entre um debate e um diálogo? No debate você não está pronto para ouvir o outro; mesmo que esteja ouvindo, sua audição é falsa. Você não está ouvindo, você está simplesmente preparando o seu argumento. Enquanto o outro está falando, você está se preparando para contradizer. Enquanto o outro está falando, você está simplesmente à espera de sua oportunidade para discutir. Você já tem um preconceito em si, você tem uma teoria. Você não está em busca, você não é ignorante, você não é inocente; você já está preenchido, o barco não está vazio. Você carrega certas teorias e está tentando provar que são verdadeiras.

Um buscador da verdade não traz teorias consigo. Ele está sempre aberto, vulnerável. Ele pode ouvir. Um hindu não pode ouvir, um muçulmano não pode ouvir. Como pode um hindu ouvir? Ele já sabe a verdade, não há necessidade de ouvir. Ele vai tentar fazer você escutá-lo, mas ele não pode ouvir. Você tenta fazê-lo ouvir, mas ele não pode; sua mente já está tão cheia que nada pode penetrar. Um cristão não pode ouvir, ele já sabe a verdade. Ele fechou suas portas para que novas brisas não o alcancem, ele fechou os olhos para não ver o novo Sol se levantar; ele já chegou, ele já atingiu o destino.

Todos aqueles que sentem que chegaram podem debater, mas não podem travar um diálogo. Eles podem colidir, então surge um conflito, eles se opõem um ao outro. Numa discussão assim você pode provar alguma coisa, mas nada está provado. Você pode silenciar o outro, mas o outro nunca é convertido. Você não pode convencer, porque este é um tipo de guerra, uma guerra civilizada. Você não está lutando com as armas, você está lutando com palavras.

Chuang Tzu diz: Três amigos estavam discutindo a vida — é por isso que podiam rir; caso contrário, teriam chegado a uma conclusão. Uma teoria poderia ter sido derrotada por outras teorias, uma filosofia poderia ter silenciado outras filosofias, então teria havido uma conclusão — e a conclusão é morta.

A vida não tem conclusão. A vida não tem um pensamento tolo que a defina. Ela continua indefinidamente; ela é sempre, eternamente, um caso em curso. Como você pode concluir alguma coisa sobre ela? No momento em que conclui, você se afasta dela. A vida continua e você se desviou do caminho. Você pode se agarrar à sua conclusão, mas a vida não vai esperar por você.

Amigos podem discutir. Por quê? Porque você pode amar uma pessoa, não pode amar uma filosofia. Os filósofos não podem ser amigos. Você pode ou ter um discípulo ou um inimigo, mas não pode ser amigo deles. Ou você é convencido por eles ou não é, ou você os segue ou não, mas não podem ser amigos. A amizade só é possível entre dois barcos vazios. Aí você está aberto para o outro, está convidando o outro, então você é um convite constante: "Venha a mim, entre em mim, esteja comigo."

Você pode jogar fora as teorias e filosofias, mas não pode jogar fora a amizade. Quando você tem uma amizade, um diálogo se torna possível. No diálogo você ouve e, se tiver que falar, você fala, não para contradizer o outro, você fala apenas para buscar, para investigar. Você fala, não com uma conclusão à qual já chegou, mas com um pergunta, uma indagação em curso. Você não está tentando provar alguma coisa, você fala a partir da sua inocência, não da sua filosofia. A filosofia nunca é inocente, é sempre astuta, é um dispositivo da mente.

Três amigos estavam discutindo a vida — porque entre amigos é possível um diálogo. Assim, no Oriente, tem sido uma tradição que, a menos que você encontre amizade, amor, reverência, confiança, nenhuma pergunta é possível. Se você for a um mestre e seu barco estiver cheio com as suas ideias, não pode haver nenhum contato, não pode haver diálogo. Primeiro você tem que estar vazio para que a amizade se torne possível, de modo que você possa ver sem ideias flutuando diante dos seus olhos, para que você possa olhar sem tirar conclusões. E sempre que você pode olhar sem tirar conclusões, sua perspectiva é vasta, ela não está confinada.

Um hindu pode ler a Bíblia, mas ele nunca entende. Na verdade, ele nunca lê a Bíblia, ele não pode ouvi-la. Um cristão pode ler o Gita, mas ele continua sendo um *outsider*. Ele nunca penetra em seu íntimo, ele nunca atinge o reino interior, ele se move em círculos. Ele na verdade não pode ler os livros, é impossível, por causa das conclusões na mente. Ele já sabe que somente Cristo é verdadeiro, ele já sabe que somente através de Cristo vem a salvação, ele já sabe que Cristo é o único filho de Deus. Como ele pode ouvir Krishna? Somente Cristo é a verdade. Então Krishna é fatalmente visto como algo falso, no máximo, uma inverdade bonita, mas nunca a verdade. Ou, se admite um pouco mais do que isso, ele vai dizer que é quase verdade.

Mas o que você quer dizer quando diz "quase verdade"? Não é verdade. A verdade ou é ou não é. Nada pode ser quase verdade. Verdade é verdade ou não. É sempre total. Você não pode dividi-la. Você não pode dizer que é verdade até certo ponto. Não, a verdade não conhece graus. Ou ela é ou não é.

Então, quando a mente conclui que Cristo é a única verdade, é impossível ouvir Krishna. Mesmo que ele cruze o seu caminho, você não será capaz de ouvi-lo. Mesmo se você encontrar Buda, você não vai encontrá-lo.

O mundo inteiro está cheio de conclusões. Uma pessoa é cristã, outra é hindu, outra é jainista, outra é budista — é por isso que falta verdade. Uma pessoa religiosa não pode ser cristã, hindu ou budista; uma pessoa religiosa pode ser apenas um inquiridor sincero. Ele pergunta e permanece aberto, sem tirar nenhuma conclusão. Seu barco está vazio.

Três amigos discutem a vida... Apenas amigos podem discutir porque então a discussão torna-se um diálogo, o relacionamento é entre mim e ti. Quando você está debatendo, a relação é entre ele e mim. O outro é uma coisa a ser convertida, convencida; o outro não é um tu, o outro não tem significado, o outro é apenas um número.

Na amizade o outro é significativo, o outro tem um valor intrínseco, o outro é um fim em si mesmo; você não está tentando convertê-lo. Como você pode converter uma pessoa? Que loucura! O próprio esforço para converter uma pessoa é tolice. Uma pessoa não é uma coisa. Uma pessoa é tão grande e tão vasta que nenhuma teoria pode ser mais importante que uma pessoa. Nenhuma Bíblia é mais importante do que uma pessoa, nenhum Gita é mais importante que uma pessoa. Uma pessoa significa a própria glória da vida. Você pode amar uma pessoa, mas você nunca pode converter uma pessoa. Se você está tentando converter, está tentando manipular. Então, a pessoa torna-se um meio e você está explorando.

O diálogo é possível quando o eu diz tu; quando o outro é amado, quando não há ideologias por trás dele. O outro é simplesmente amado, e se ele é um cristão ou hindu não importa. Isso é o que a amizade significa — e os amigos podem discutir a vida porque o diálogo é possível.

Um deles disse:
"Os homens podem viver juntos
E não saber nada sobre a vida?
Trabalhar juntos
E não produzir nada?
Eles podem voar pelo espaço
E se esquecer de que existe
O mundo sem fim?"

Ele não propõe uma teoria, ele simplesmente levanta uma questão. E lembre-se, você pode levantar uma questão de duas maneiras. Às vezes você faz uma pergunta só porque tem que fornecer uma resposta e a resposta já está lá — você levanta a questão apenas para respondê-la. Então a questão não é real, ela é falsa. A resposta já está lá. A questão é apenas um truque retórico, mas não é real, autêntica.

A questão é autêntica quando não há resposta em você, quando você pergunta, mas não faz questão de uma resposta, quando você questiona simplesmente para olhar; a questão deixa você vazio, aberto, convidativo, indagativo.

Um deles disse:
"Os homens podem viver juntos
E não saber nada sobre a vida?..."

Nós vivemos juntos e nunca sabemos o que é união. Você pode conviver durante anos sem saber o que é união. Veja o mundo todo — as pessoas estão vivendo juntas, ninguém vive sozinho: maridos com esposas, esposas com maridos, filhos com pais, pais com filhos, professores com alunos, amigos com amigos, todo mundo está vivendo junto. A vida existe numa união, mas você sabe o que é união?

Mesmo vivendo com uma mulher durante quarenta anos, você pode não ter vivido com ela um único momento. Mesmo ao fazer amor com ela você pode estar pensando em outras coisas. Então você não estava lá, o ato de fazer amor era só mecânico.

Eu ouvi...

Uma vez aconteceu: o Mulá Nasruddin foi ver um filme com sua esposa. Eles estavam casados há pelo menos vinte anos. O filme era um daqueles tórridos filmes estrangeiros. Quando eles estavam saindo da sala de cinema, a esposa disse a Nasruddin: "Nasruddin, você nunca me amou como os atores se amavam no filme. Por quê?"

Nasruddin disse: "Você está louca? Você sabe quanto dinheiro eles ganham para fazer aquelas coisas?"

As pessoas continuam a viver umas com as outras sem amor, porque você ama só quando vale a pena. E como você pode amar, se ama só quando vale a pena? Então, o amor também se tornou uma mercadoria no mercado; não é mais uma relação, não é mais uma união, não é mais uma celebração. Você não está feliz de estar com o outro, no máximo você apenas tolera o outro.

A esposa do Mulá Nasruddin estava em seu leito de morte e o médico disse: "Nasruddin, preciso ser franco com você, porque nesses momentos é melhor ser sincero. Sua esposa não pode ser salva. A doença não pode ser tratada, e você deve estar pronto. Você não deve sofrer. Aceite como sendo o destino. Sua esposa vai morrer."

Nasruddin disse: "Não se preocupe com isso. Se eu consegui aguentá-la por tantos anos, posso aguentar mais algumas horas."

No máximo, nós toleramos. E sempre que você pensa em termos de tolerância, você está sofrendo, sua união é um sofrimento. É por isso que Jean-Paul Sartre diz: "O inferno são os outros", porque com o outro você simplesmente sofre, o outro se torna a escravidão, o outro se torna a dominação. O outro começa criando encrenca, você perde sua liberdade, perde sua felicidade. Então o relacionamento torna-se tolerância, uma rotina. Se você está tolerando o outro, como você pode conhecer a beleza da união? Na verdade, essa união nunca aconteceu.

O casamento quase nunca acontece de fato, porque casamento significa a celebração da união. Não é uma certidão. Nenhum cartório pode dar a você um casamento, nenhum sacerdote pode dá-lo a você como um presente. É uma tremenda revolução no ser, é uma grande transformação em seu próprio estilo de vida, e isso só pode acontecer quando você celebra a união, quando o outro já não é sentido como o outro, quando você já não se sente como um eu. Quando os dois não são realmente dois, mas uma ponte, eles se tornam unos num certo sentido. Continua havendo dois corpos, mas, no recôndito do seu ser, eles se tornaram uno. Eles podem ser dois polos de uma existência, mas não são dois. Uma ponte existe. Essa ponte dá a você vislumbres do que significa uma união.

O casamento é uma das coisas mais raras deste mundo. As pessoas vivem juntas porque não conseguem viver sozinhas. Lembre-se: não conseguem viver sozinhas, é por isso que vivem juntas. Viver sozinho é desconfortável, viver sozinho é antieconômico, viver sozinho é difícil, é por isso que vivem juntas. As razões são negativas.

Um homem ia se casar e alguém lhe perguntou: "Você sempre foi contra o casamento, por que de repente mudou de ideia?"

Ele disse: "O inverno está chegando e dizem que este inverno vai ser muito frio, e não tenho condições de providenciar um aquecimento central, e uma esposa é mais barata."

Esta é a lógica. Você mora com alguém porque é confortável, prático, econômico, mais barato. Viver sozinho é muito difícil. A esposa é tantas coisas, a governanta, a cozinheira, a empregada, a enfermeira, tantas coisas — é o trabalho mais barato do mundo, pois ela faz muitas coisas sem receber nenhum pagamento. É uma exploração.

O casamento é uma instituição para a exploração, não é uma união. É por isso que nenhuma felicidade surge a partir dele, como um florescer. Não pode. Como o êxtase pode nascer das raízes da exploração?

Então, há os chamados santos, que continuam dizendo que você é infeliz, porque você vive numa família, porque você vive no mundo. Eles dizem: "Abandone tudo, renuncie!" E a lógica deles parece ser a certa para você também, não porque *está* certa, mas porque você não sabe o que é união. Caso contrário, todos esses santos estariam absolutamente errados. Aquele que conheceu a união conheceu o divino; aquele que é de fato casado conheceu o divino, porque o amor é a maior porta.

Mas a união não existe e vocês vivem juntos sem saber o que é união. Vocês vivem por setenta, oitenta anos sem saber o que é a vida. Vocês andam a esmo, sem ter raízes na vida. Vocês só vivem momento a momento, sem saborear o que a vida lhes dá. E isso não é algo que se ganha no nascimento. Conhecer a vida não é hereditário.

A vida vem através do nascimento, mas a sabedoria, a experiência, o êxtase têm de ser aprendidos — daí o significado da meditação. Você tem que conquistá-los, você tem que crescer para atingi-los, tem que atingir certa maturidade, só então será capaz de conhecê-los.

A vida pode se abrir para você apenas num certo momento da maturidade. Mas as pessoas vivem e morrem sendo infantis. Elas nunca crescem de fato, nunca atingem a maturidade.

O que é a maturidade? Basta tornar-se sexualmente maduro? Então você não está maduro. Pergunte aos psicólogos: eles dizem que a idade mental continua a ser de 13 ou 14 anos. Seu corpo físico vai crescendo, mas sua mente para aproximadamente aos 13. É por isso que não surpreende que você se comporte de maneira tão estúpida, porque a sua vida se torna uma loucura contínua. Uma mente que não cresceu está propensa a fazer algo errado a todo o momento.

E a mente imatura sempre joga a responsabilidade no outro. Você está infeliz porque todo mundo está criando um inferno para você: "O inferno são os outros." Eu digo que essa afirmação de Sartre é muito imatura. Se você é maduro, o outro também pode se tornar o céu. O outro é tudo o que você é, porque o outro é apenas um espelho, ele reflete você.

Quando digo maturidade, quero dizer integridade interior. E essa integridade interior só vem quando você para de jogar a responsabilidade sobre os outros, quando você para de dizer que o outro é a causa do seu sofrimento, quando você começa a perceber que você é o causador do seu sofrimento. Esse é o primeiro passo para a maturidade: Eu sou o responsável. Tudo o que está acontecendo, é responsabilidade minha.

Você se sente triste. É você o causador da tristeza? Você vai se sentir muito incomodado, mas se você continuar com esse sentimento, mais cedo ou mais tarde você será capaz de parar de fazer muitas coisas. Isso é que é a teoria do karma. Você é responsável. Não diga que a sociedade é responsável, não diga que os pais são responsáveis, não diga que as condições econômicas são responsáveis. Não jogue a responsabilidade em ninguém. *Você* é responsável.

Depois de aceitar esse fardo... No começo parece um fardo, pois agora você não pode jogar a responsabilidade em ninguém.

Foi o que aconteceu... O Mulá Nasruddin estava sentado, muito triste. Alguém lhe perguntou: "Nasruddin, por que você está tão triste?"

Ele disse: "Minha esposa insiste para que eu pare de apostar, beber, fumar e jogar baralho. Eu parei de fazer tudo isso."

O homem disse: "Então sua esposa deve estar muito feliz."

Nasruddin disse: "Esse é o problema. Agora ela não consegue encontrar nada do que reclamar, então está muito infeliz. Ela começa a falar, mas não encontra nada do que falar. Agora ela não pode me responsabilizar por tudo e isso a deixa infeliz, eu nunca a vi tão infeliz. Eu também pensei que, quando parasse de fazer todas essas coisas, ela não seria mais infeliz. Mas ela está mais infeliz do que nunca."

Se você continuar jogando a responsabilidade nos outros e eles fizerem tudo o que você diz que eles fazem, você vai cometer suicídio. Porque não haverá mais onde jogar suas responsabilidades.

Por isso, é bom ter algumas falhas; isso ajuda os outros a serem felizes. Uma esposa vai abandonar um marido que seja realmente perfeito, porque como você pode dominar um homem perfeito? Assim, mesmo se você não quiser, continue fazendo algo errado para que a mulher possa dominar você e se sentir feliz.

Um marido perfeito — fatalmente haverá divórcio. Você será contra qualquer homem perfeito, porque você não poderá condená-lo, não poderá culpá-lo de fazer algo errado. Nossa mente gosta de jogar a responsabilidade em outra pessoa, ela quer se queixar. Faz-nos sentir bem, porque então nós não somos responsáveis, ficamos aliviados. Mas esse alívio tem um preço muito alto. Você não fica realmente aliviado, você fica cada vez mais sobrecarregado. Você só não fica alerta.

As pessoas vivem durante setenta anos. Na verdade, elas viveram muitas e muitas vidas sem saber o que é a vida. Elas não estavam maduras, não estavam integradas, não estavam centradas. Eles viveram na periferia.

Quando a sua periferia encontra a periferia de outra pessoa ocorre um choque, e se você continua insistindo em dizer que o outro está errado, você continua na periferia. Quando você percebe: "Eu sou responsável pela minha existência; tudo que aconteceu, eu fui a causa, eu fui o responsável", de repente a sua consciência se desloca da periferia para o centro. Agora você se torna, pela primeira vez, o centro do seu mundo.

Agora há muito a ser feito — porque tudo o que você não gosta, você pode deixar de lado; tudo o que você gosta, você pode adotar; tudo o que você sente que é verdadeiro, você pode seguir, e tudo o que você sente que é falso, não há necessidade de seguir, porque você está agora centrado e enraizado em si mesmo.

Um amigo perguntou:

Um deles disse:
"Os homens podem viver juntos
E não saber nada sobre a vida?
Trabalhar juntos
E não produzir nada?
Eles podem voar pelo espaço
E se esquecer de que existe
O mundo sem fim?"
Os três amigos olharam uns para os outros...

Apenas os amigos se entreolham. Quando existe alguém de quem você se sente antagônico, você nunca olha para essa pessoa. Você evita os olhos dela. Mesmo que você tivesse que olhar, seu olhar seria vazio, você não permitiria que os seus olhos a absorvessem; ela é algo estranho, rejeitado.

Os olhos são portas. Você olha para uma pessoa só quando você quer absorver, para deixá-la se derreter em você.

Os três amigos olharam uns para os outros... Um amigo perguntou, os outros dois não estavam com nenhuma pressa para responder. Eles esperaram, foram pacientes. Se tivesse qualquer conclusão em suas mentes, eles se oporiam imediatamente. Mas eles se entreolharam. Eles sentiram a situação, a pergunta, o coração do indagador, o significado da pergunta, a profundidade da questão. Lembre-se, se você pode sentir a profundidade de uma pergunta, a resposta está quase encontrada. Mas ninguém é paciente assim, ninguém está pronto para ir ao fundo da questão. Você pergunta, mas nunca para fazer uma investigação. Você pergunta para ter a resposta imediatamente.

Os três amigos olharam uns para os outros
e desataram a rir.

O fato, a questão, a sua penetração, a profundidade, a realidade, o fato — nenhuma resposta foi necessária. Qualquer resposta teria sido insensata, qualquer resposta teria sido superficial.

Dizem sobre Buda que milhões de vezes as pessoas faziam perguntas e ele não respondia. Se a questão era tal que qualquer resposta seria superficial, ele não respondia. Se alguém perguntava: "Existe um Deus?", ele permanecia em silêncio. Mas as pessoas são tolas. Elas começaram a pensar que ou ele era ateu e não acreditava em Deus, ou era ignorante e não sabia. Do contrário, por que ele não dizia sim ou não?

Você não sabe. Quando você faz uma pergunta como esta, se existe um Deus — "Deus existe?" —, você não sabe o que está perguntando. Será essa uma pergunta a ser respondida? Então você é muito tolo. Questões vitais podem ser respondidas? Então você não sabe a profundidade da pergunta; trata-se de uma curiosidade, não de uma investigação.

Se o homem que estava perguntando a Buda era realmente um inquiridor, um autêntico buscador, então ele teria ficado com o silêncio de Buda — porque o silêncio era a resposta. Naquele silêncio, ele teria sentido a pergunta, naquele silêncio a pergunta teria se afirmado. Contra o pano de fundo do silêncio, ela teria se tornado mais clara. A clareza teria chegado a ele.

Sempre que você faz uma pergunta profunda, nenhuma resposta é necessária. Tudo o que é necessário é ficar com a pergunta. Não se mova para lá e para cá, fique com a pergunta e espere. A própria pergunta se tornará a resposta. Se você realmente for fundo na questão, ela vai levar você para a própria fonte onde a resposta também vai florescer. Ela está em você.

Buda não respondeu nenhuma pergunta real — e lembre-se de que eu também não. Eu vou continuar a responder suas perguntas, mas também não posso responder às suas questões reais — e você não perguntou ainda. Sempre que você fizer uma pergunta real, eu não vou responder, porque nenhuma pergunta verdadeira pode ser respondida, não é uma coisa intelectual. Só de coração para coração a transmissão acontece, não de cabeça para cabeça.

Os três amigos olharam uns para os outros... O que aconteceu naquele olhar? Eles não eram cabeças naquele olhar, eles se tornaram corações. Olharam uns para os outros, eles sentiram, eles saborearam a pergunta — que era tão real que não havia resposta para ela.

Sim, vivemos sem saber o que é a vida. Sim, vivemos juntos sem saber o que é união. Sim, vivemos, esquecendo completamente que existimos. Ficamos voando em círculos no céu sem saber para onde vamos nem por quê.

A questão era tão real que, se alguma resposta tivesse sido dada, a resposta seria insensata. Somente um tolo pode responder a essa pergunta. Olharam uns para os outros, pois eles realmente olharam uns para os outros — *e desataram a rir.* Por que desataram a rir? A situação toda é tão absurda. Na realidade, vivemos sem saber o que é vida; nós existimos sem nos dar conta da existência, nós empreendemos a jornada sem saber de onde viemos ou para onde vamos ou por que viajamos.

A vida é um mistério. Sempre que você enfrentar um mistério, a risada irá surgir. Como você pode responder a um mistério?

Qual é a coisa mais misteriosa em você? O riso é a coisa mais misteriosa em você. Nenhum animal pode rir, apenas o homem. Essa é a suprema glória do homem. Nenhum animal ri, as árvores não riem — só o homem ri. O riso é o elemento mais misterioso do homem.

Aristóteles definiu o homem como o ser racional. Não é verdade, porque a razão existe em outros animais também. A diferença é apenas de grau, e não é muita. O homem só pode ser definido como o animal que ri e chora, nenhuma outra definição vai servir, porque nenhum outro animal pode chorar, nenhum outro animal pode rir. Essa polaridade só existe na humanidade. Isso é algo misterioso no homem, muito misterioso.

A raiva existe em todo lugar, não é nada. O sexo existe em todo lugar, não é nada, não é tão misterioso. Se você quiser entender o sexo, você pode entender o sexo animal, e tudo o que é aplicável ao sexo animal será aplicável ao homem. Nesse sentido o homem não é nada de mais.

A raiva, a violência, a agressividade, a possessividade, o ciúme, tudo existe, e existe de maneira mais pura e mais simples nos animais do que em você. Tudo é confuso em você. É por isso que os psicólogos têm de estudar ratos apenas para estudar o homem. Eles são simples, claros, menos confusos, e tudo o que se concluir sobre os ratos vale para o homem. Todos os laboratórios de psicologia são cheios de ratos. O rato se tornou o animal mais importante para os psicólogos porque é muito semelhante ao ser humano. Em muitos aspectos, é como o ser humano.

O rato é o único animal que acompanha a humanidade onde quer que ela vá. É universal. Se você encontrar um homem na Sibéria, haverá um rato lá em algum lugar. Por onde o homem passa, o rato o segue. Eu suspeito que os ratos devam ter chegado à Lua. Nenhum outro animal pode existir em todos os lugares como o rato. E seu comportamento é absolutamente humano. Entenda o comportamento do rato e você vai ter entendido a humanidade.

Mas o rato não pode rir, o rato não pode chorar. Riso e choro são dois aspectos de algo que só existe no homem. Se precisa entender o riso e o choro, você tem que estudar a humanidade; em nenhum outro lugar isso pode ser estudado. É por isso que eu considero a qualidade mais marcante da mente humana.

Sempre que você sente um mistério, existem apenas duas maneiras, ou você chora ou você ri. Depende da sua personalidade, do seu tipo. É possível, se tivessem tipos de personalidade diferentes, que os três amigos tivessem chorado. Quando um mistério como esse o rodeia, se você encontra um mistério tão incognoscível que nenhuma explicação é possível, o que você pode fazer? Como você pode responder?

Mas rir é melhor do que chorar, porque o choro vem quando o mistério da morte rodeia você. Então você chora. E a pergunta era sobre a vida, por isso foi relevante rir. Sempre que você encontra o mistério da morte, você chora, você sente a relevância de chorar sempre que a morte está presente.

A pergunta era sobre a vida, não sobre a morte. Assim, parece pertinente que eles olhassem uns para os outros, para a vida que havia em cada um — a vida que pulsa, a vida dançando ao redor deles e sem nenhuma explicação, sem nenhum livro secreto para revelar as chaves: a vida em seu mistério total, em seu incognoscível total.

O que havia para se fazer? Eles não eram filósofos, eram verdadeiros homens, místicos. Eles riram, não tinham explicação.

Assim, ficaram mais amigos do que antes.

Isso é lindo. Sempre que existe uma explicação, surge a inimizade, sempre que você acredita em algo você fica dividido. A crença cria o conflito. O mundo inteiro está dividido por causa da crença. Você é um hindu e alguém é muçulmano, e vocês são inimigos. Por que vocês são inimigos? Por causa da crença. A crença cria o conflito; explicações tolas, ideologias criam conflitos, guerras.

Veja só: se não existir uma explicação, quem é hindu e quem é muçulmano? E como vocês podem lutar? Para quê? Os homens sempre brigaram por causa de filosofias, derramando sangue, matando uns aos outros, apenas por crenças tolas. E se você olhar as crenças, você pode ver a loucura — não das suas crenças, mas das crenças dos outros. Sua crença é algo sagrado, mas as de todas as outras pessoas parecem tolas.

Todas as crenças são tolas. Você não pode ver a sua própria porque está muito próxima. Na verdade, as explicações são tolas, estúpidas.

Eu ouvi...

Um bando de pássaros voava para o sul na época do inverno. Um pássaro na traseira perguntou a outro: "Por que é que nós sempre seguimos esse líder idiota?"

O outro disse: "Em primeiro lugar, todos os líderes são idiotas." Caso contrário, quem iria querer liderar? Só os tolos estão sempre prontos para liderar. Um sábio hesita. A vida é tão misteriosa — não é um caminho pronto. Como você pode liderar? Um sábio hesita e um idiota está sempre pronto para liderar.

Então o pássaro disse: "Em primeiro lugar, todos os líderes são idiotas, porque ninguém está interessado em liderar a não ser os idiotas e, em segundo lugar, ele tem o mapa, então todos os anos temos que segui-lo."

A vida não tem mapa e não existe a possibilidade de se fazer um mapa. É um caminho intransitável. Sem explicações, como você pode ficar dividido? Se não houver nenhuma explicação, o mundo será um só. Mas existem milhões de explicações, milhões de fragmentos.

Chuang Tzu diz uma coisa realmente muito perspicaz:

Eles não tinham explicação.
Assim, ficaram mais amigos do que antes.

Agora não havia nada contra o que se opor, pelo que lutar.

Eles riram, e o riso fez deles um. Eles riram, e o riso levou à união. Explique e você está dividido, torne-se filosófico e você se separa dos outros, se torna um hindu, um muçulmano, um budista, então todos os outros são inimigos.

Olhe para o mistério e ria, e a humanidade é uma só. E então não há necessidade de dizer que os cristãos são irmãos dos hindus, que os hindus são irmãos dos muçulmanos. Em primeiro lugar, divida-os por crenças, deixe-os doentes, e, em seguida, forneça remédios — todos vocês são irmãos. Você já viu irmãos? Eles brigam mais do que inimigos! Então, para que torná-los irmãos?

O homem briga por causa das suas explicações. Todas as brigas são tolas. O homem briga por suas bandeiras, e olhe para as bandeiras. Que tipo de loucura, que tipo de maluquice existe no mundo? Brigam pelas bandeiras, por símbolos, por crenças, ideologias?

Chuang Tzu diz: *Eles não tinham explicação — desataram a rir*. Nesse momento misterioso eles se tornaram um, ficaram mais amigos do que antes.

Se você realmente quer ser um amigo, não tenha explicações e nem conclusões, não acredite em nada. E então você não fica dividido, então a humanidade é uma só, então não há nenhuma barreira.

E o amor existe não através da mente, ele existe através do sentimento.

Eles riram. O riso vem do coração, o riso vem da barriga, o riso vem do ser total. Quando três pessoas riem, elas se tornam amigas. Quando três pessoas choram, elas se tornam amigas. Quando três pessoas debatem, tornam-se inimigas.

Então, um dos amigos morreu.
Confúcio enviou um discípulo
Para ajudar os outros dois
A cantar em suas exéquias.

Confúcio é, por excelência, o homem mais perfeito em matéria de boas maneiras. Ninguém pode transcendê-lo. Assim, ele é sempre o alvo de Chuang Tzu e Lao Tsé. Eles incluem Confúcio em suas histórias só para rir de sua insensatez.

Qual era a sua insensatez? Ele viveu de acordo com um sistema, ele viveu de acordo com uma fórmula, com teorias e crenças. Ele era o homem perfeitamente civilizado, o cavalheiro mais perfeito que o mundo já conheceu. Ele vive, e vive de acordo com a regra. Ele olha, e olha de acordo com a regra. Ele ri, e ri de acordo com a regra. Ele nunca vai além do limite, ele vive em um cativeiro constante criado por ele mesmo. Então ele é o alvo de seu riso, e Chuang Tzu e Lao Tsé gostavam muito de incluí-lo em suas histórias.

Então, um dos amigos morreu.
Confúcio enviou um discípulo
Para ajudar os outros dois
A cantar em suas exéquias.

Nem a vida nem a morte é um mistério para ele. Tudo é de acordo com um sistema. Alguns protocolos têm de ser seguidos. Então ele enviou seu discípulo para ver se o morto tinha sido preparado de acordo com as regras, com a oração certa, os cânticos certos, tal como consta nos livros. O morto tinha que ser respeitado.

Esta é a diferença. Um homem que vive de acordo com os costumes está sempre pensando no respeito, nunca no amor. E o que é o respeito em relação ao amor? O amor é algo vivo, o respeito é absolutamente morto.

O discípulo descobriu que um amigo
Havia composto uma canção.
Enquanto o outro tocava alaúde,

Isso era inacreditável! Era desrespeitoso com uma pessoa que está morta. O cadáver estava deitado lá, e um amigo havia composto uma canção. Eles amavam o outro homem e, quando ama uma pessoa, você quer lhe dar o último adeus através de seu amor, e não através de livros, não através de uma música pronta, emprestada, que tantos têm entoado, muitos têm utilizado, que já é lixo, algo podre.

Eles fizeram uma música própria, fresca, jovem. É claro que era caseira, não era produzida numa fábrica, não era produzida em massa. Era caseira, não muito refinada, é claro, porque eles não eram poetas, eles eram amigos, e não sabiam como a poesia era feita. A métrica podia estar errada e a gramática incorreta, mas o amor não se preocupa com a gramática, o amor não se preocupa com a métrica, o amor não se preocupa com ritmo, porque o amor tem seu próprio ritmo vital, não precisa dessa preocupação. Quando não existe amor, então tudo tem que ser tratado com cuidado, porque você tem que ter um substituto.

Um tocava o alaúde — e eu sei que ele não era um tocador de alaúde. Mas como você diz adeus a um amigo? Deve ser algo que vem do seu coração, que é espontâneo, não pode ser algo pronto. Esse é o ponto.

Eles cantaram:
"Ei, Sung Hu!
Aonde você foi?

O mistério! Eles não estavam dizendo: "Você está indo para o céu." Eles não sabiam. De outro modo, quando alguém morre, você diz que essa pessoa foi para o céu. Mas, e quem está indo para o inferno? Ninguém parece ir para o inferno.

Na Índia, eles usam a palavra *swargiya* ao se referir a uma pessoa morta. Isso significa que a pessoa foi para o céu. Então, quem está indo para o inferno?

Eles não sabiam, então para que dizer uma coisa falsa? Quem sabe para onde esse homem tinha ido, esse Sung Hu — para o inferno ou o céu? Quem sabe se o céu e o inferno existem? Ninguém sabe, é um mistério, e não se deve contaminar um mistério, não se deve fazê-lo profano, não se devem afirmar falsidades. É uma coisa tão sagrada, não se deve dizer nada que não se conhece diretamente.

"Ei, Sung Hu!
Aonde você foi?

Era um ponto de interrogação.

"Ei, Sung Hu!
Aonde você foi?
Você se foi
Para onde na verdade estava.
E nós estamos aqui —
Maldição! Estamos aqui!"

Eles dizem: "Você se foi para o lugar de onde você veio." Esta é uma lei secreta: a conclusão só pode ser o começo. O círculo faz a volta completa e torna-se perfeito, completo. Atinge o mesmo ponto a partir de onde começou. O fim não pode ser outra coisa senão o início, a morte não pode ser outra coisa senão o nascimento. O final deve ser a fonte, a origem. A pessoa nasce do nada e, em seguida, morre e vai para o nada. O barco estava vazio quando você nasceu e, quando você morrer, o barco estará vazio novamente. Apenas um clarão — por alguns momentos, você está no corpo e depois você desaparece. Ninguém sabe de onde você veio ou para onde vai.

Ninguém sabe, e eles não alardeiam nenhum conhecimento. Eles dizem: "Sentimos muito, Sung Hu: Você foi para o lugar de onde você veio e, maldição, ainda estamos aqui." Portanto, eles não lamentam por Hu, eles lamentam por si mesmos: "Nós estamos presos no meio, o seu círculo é perfeito."

Sempre que alguém morre, você sente isso? Você lamenta pela pessoa que está morta ou por si mesmo? Na verdade, quando alguém morre, você fica triste por ele, ou por si mesmo? Todo mundo lamenta por si mesmo, porque cada morte traz a notícia de que você vai morrer. Mas uma pessoa que pode rir do mistério da vida sabe o que ela é, porque somente o conhecimento, a sabedoria verdadeira pode rir.

Para onde realmente estava, você se foi...

"E nós estamos aqui —
Maldição! Estamos aqui!"

E ainda estamos no meio. Nossa jornada está incompleta; seu círculo tornou-se perfeito. Então eles lamentam por si mesmos e, se eles choram, estão chorando por eles mesmos. Para o amigo que partiu eles não têm nada a não ser uma canção, a não ser uma celebração do coração. Se eles lamentam, lamentam por si mesmos.

Isso é algo a ser entendido muito profundamente. Se você entende a vida, se você consegue rir dela, então a morte é a conclusão, então ela não é o fim. Lembre-se, a morte não é o fim da vida, é a conclusão, é o clímax, o auge, o ápice de onde a onda retorna novamente para a fonte original.

Eles lamentam por si mesmos, pelo fato de a sua onda ainda estar no meio do caminho. Eles não atingiram o auge, o ápice, e o amigo chegou onde ele estava antes. Ele chegou em casa. Aqueles que compreendem a vida, só eles podem compreender a morte, porque a vida e a morte não são duas coisas diferentes. A morte é o auge, o final, o florescimento final, a fragrância da vida.

A morte parece feia para você, porque você nunca conheceu a vida e a morte causa medo em você, porque você tem medo da vida. Lembre-se, qualquer que seja a sua atitude diante da vida, será essa a sua atitude em relação à morte. Se você está com medo da morte você está com medo da vida; se você ama a vida, você vai amar a morte, porque a morte nada mais é que o pico mais alto, a conclusão. A música chega ao fim, o rio deságua no oceano. O rio veio do oceano. Agora o círculo está completo, o rio atingiu o todo.

Então, o discípulo de Confúcio lançou-se sobre eles e
exclamou: "Posso saber onde vocês encontraram isso
nas rubricas das exéquias?
Essa algazarra frívola na presença do falecido?"

O discípulo de Confúcio não pode entendê-los. Eles parecem frívolos, desrespeitosos. Que tipo de música era aquela? De onde vocês tiraram isso? Essa música não está autorizada, não é dos Vedas. *Então, o discípulo de Confúcio lançou-se sobre eles e exclamou: "Posso saber onde vocês encontraram isso?"*

Tudo deve estar de acordo com os livros, de acordo com a Bíblia, com os Vedas. Mas a vida não pode estar de acordo com os livros — a vida sempre transcende os livros, ela sempre vai além, a vida sempre lança os livros fora e segue em frente.

"Onde vocês encontram isso, *essa algazarra frívola na presença do falecido*? Vocês deviam ser respeitosos. Alguém morreu, alguém está morto, e o que vocês estão fazendo? Isso é profano!"

Os dois amigos entreolharam-se e riram:
"Pobre coitado", disseram, "ele não conhece a nova liturgia!"

Ele não conhece a nova escritura, ele não sabe a nova religião. Isso é o que está acontecendo aqui todos os dias — a nova liturgia.

Havia um homem aqui apenas alguns dias atrás, um professor de história, e ele me perguntou: "A que tradição você pertence?"

Eu disse: "A nenhuma tradição."

Ele veio dos Estados Unidos para fazer um filme sobre as técnicas de meditação, sobre o acampamento, sobre o que eu digo, sobre o que está acontecendo aqui. No momento em que soube que eu não pertenço a nenhuma tradição, ele simplesmente desapareceu. Portanto eu não pertenço à história, é óbvio.

Pobre coitado, ele não conhece a nova liturgia!

Basta por hoje.

Capítulo 8

O INÚTIL

Hui Tzu disse a Chuang Tzu:
"Todo o seu ensinamento se baseia no que não tem utilidade."

Chuang respondeu:
"Se você não aprecia o que não tem utilidade,
Não pode começar a falar do que pode ser útil.
A terra, por exemplo, é ampla e vasta
Mas, de toda a sua extensão, o homem utiliza apenas alguns centímetros
Sobre os quais ele se mantém de pé.

Suponhamos agora que você tire
Tudo o que ele na verdade não está usando
De modo que, em torno de seus pés, um abismo se abra,
E ele fique de pé no Vazio
Sem nada sólido, a não ser o que se encontra sob cada pé:
Por quanto tempo ele vai ser capaz de utilizar o que está usando?

Hui Tzu disse: "Deixaria de servir a qualquer propósito."

Chuang Tzu concluiu:
"Isto mostra
A necessidade absoluta
do que não tem 'nenhuma utilidade'."

A vida é dialética, é por isso que não é lógica. Lógica significa que o oposto é de fato oposto, e a vida implica o oposto em si mesma. Na vida o oposto não é realmente oposto, é o complementar. Sem ele nada é possível.

Por exemplo, a vida existe por causa da morte. Se não houver morte não pode haver vida. A morte não é o fim e a morte não é o inimigo — em vez disso, pelo contrário, por causa da morte a vida torna-se possível. Então a morte não está em algum lugar no final; ela está envolvida no aqui e agora. Cada momento tem sua vida e sua morte; caso contrário, a existência é impossível.

Existe a luz, existem as trevas. Para a lógica eles são opostos, e a lógica vai dizer: Se há luz, não pode haver escuridão; se estiver escuro, então não pode haver luz. Mas a vida diz exatamente o contrário. A vida diz: Se há trevas é por causa da luz, se há luz é por causa das trevas. Podemos não ser capazes de ver o outro, mas ele está escondido ao virar da esquina.

Há silêncio por causa do som. Se não houver som, você pode ficar em silêncio? Como você pode ficar em silêncio? O oposto é necessário como um pano de fundo. Aqueles que seguem a lógica sempre erram, porque a sua vida torna-se desequilibrada. Eles pensam na luz, então começam a negar a escuridão; eles pensam na vida, então começam a brigar com a morte.

É por isso que não existe nenhuma tradição no mundo que diz que Deus é luz e escuridão. Há uma tradição que diz que Deus é luz, não é a escuridão. Não existe escuridão em Deus para essas pessoas que acreditam que Deus é luz. Há outra tradição que diz que Deus é escuridão — mas para eles não existe luz. Ambas estão erradas, porque ambas são lógicas, negam o oposto. E a vida é tão vasta, ela carrega o oposto em si mesma. Ele não pode ser negado, tem que ser abraçado.

Uma vez alguém disse a Walt Whitman, um dos maiores poetas já nascidos: "Whitman, você continua se contradizendo. Um dia você diz uma coisa, outro dia você diz exatamente o oposto."

Walt Whitman riu e disse: "Eu sou vasto. Contenho todas as contradições."

Só as mentes pequenas são coerentes; quanto mais estreita a mente, mais coerente ela é. Quando a mente é muito vasta, ela envolve tudo —

a luz está lá, a escuridão está lá, Deus existe e o diabo também, em toda a sua glória.

Se você entender esse processo misterioso da vida que se move através dos opostos, que é dialético, em que o oposto ajuda, dá equilíbrio, dá o tom, serve de pano de fundo, então você pode entender Chuang Tzu — porque toda a visão taoista é baseada na complementaridade dos opostos.

Eles usam duas palavras, *yin* e *yang*. Eles são opostos, masculino e feminino. Basta pensar num mundo totalmente masculino ou num mundo totalmente feminino. Ele vai estar morto. No momento em que nasce, estará morto. Não pode haver qualquer forma de vida. Se um mundo é feminino, apenas mulheres e nada mais, nenhum homem — elas vão cometer suicídio. O oposto é necessário, porque o oposto é atraente. O oposto se torna o ímã, ele puxa você; o oposto o traz para fora de si mesmo, o oposto quebra sua prisão, o oposto faz com que você seja vasto. Sempre que o contrário é negado, é um problema. E é isso o que temos feito, por isso há tantos problemas no mundo.

O homem tentou criar uma sociedade que é basicamente masculina, é por isso que há tantos problemas — a mulher tem sido negada, ela foi jogada fora. Nos séculos passados, a mulher nunca podia ser vista em lugar nenhum. Ela ficava escondida nos cômodos de trás da casa, ela nem sequer podia visitar os salões. Você não poderia encontrá-la nas ruas, você não poderia vê-la nas lojas. Ela não fazia parte da vida. O mundo ficou feio, porque como você pode negar o oposto? Ele ficou torto, todo o equilíbrio se perdeu. O mundo enlouqueceu.

A mulher ainda não é permitida, ela ainda não faz parte, parte vital da vida. Os homens circulam em grupos voltados para homens — o clube exclusivamente masculino onde os rapazes se encontram, no mercado, na política, no meio científico. Está tudo fora de equilíbrio. O homem domina, é por isso que há tanta infelicidade. Quando um dos polos opostos domina, haverá infelicidade, porque o outro se sente magoado e há vingança.

Toda mulher está se vingando em casa. Claro, ela não pode sair e andar pelo mundo e vinga-se da humanidade, da espécie humana. Ela se vinga do marido. Há um conflito constante.

Eu ouvi...

O Mulá Nasruddin estava dizendo ao filho: "Não é da sua conta, não pergunte essas coisas. Quem é você para me perguntar como eu conheci sua mãe? Mas vou dizer a você uma coisa: com certeza ela me curou do hábito de assobiar."

Então ele disse: "E esta é a moral da história: se você não quer ser infeliz como eu, nunca assobie para uma garota!"

Por que é que a mulher está sempre em conflito? Não é a pessoa, não é uma coisa pessoal. É a vingança da mulher, do feminino, do oposto negado. E este homem na casa, o marido, é o representante de todo o mundo masculino, o mundo machista. Ela está lutando.

A vida familiar é tão infeliz porque não ouvimos o que Chuang Tzu diz. Há tantas guerras, porque não damos ouvidos a ele — o oposto deve ser incorporado. Negando isso, convidamos os problemas e, em cada caminho, em todos os níveis, em todas as dimensões, é a mesma coisa.

Chuang Tzu diz que, se você negar o inútil, então não haverá nada de útil no mundo. Se você negar o inútil, o lúdico, a diversão, não pode existir nenhum trabalho, nenhum dever. Isso é muito difícil, e toda a ênfase está no útil.

Se você olhar para uma porta, você verá as paredes. Se alguém lhe perguntar de que uma casa é constituída, você vai dizer: de paredes. Mas Chuang Tzu diria, assim como seu mestre Lao Tsé, que uma casa não consiste em paredes, mas em portas e janelas. Sua ênfase está em outra parte. Eles dizem que as paredes são úteis, mas seu uso depende do espaço inútil por trás.

Um quarto é espaço, não paredes. Claro que o espaço é de graça e as paredes têm que ser compradas. Quando você compra uma casa, o que você compra? As paredes, o material, o visível. Mas você pode viver no material? Você pode viver nas paredes? Você tem que viver no quarto, no espaço vago. Você compra o barco, mas você tem que viver no vazio.

Então, na verdade, o que é uma casa? O vazio cercado por paredes. E o que é uma porta? Não há nada. *Porta* significa que não há nada, nenhuma parede, vazio. Mas você não pode entrar na casa se não houver porta. Se não houver nenhuma janela, então o sol não vai entrar, nenhuma brisa vai soprar. Você vai estar morto, e sua casa se tornará um túmulo.

Chuang Tzu diz: Lembre-se de que a casa é constituída de duas coisas: das paredes, o material — que vem do mercado, o utilitário — e do vazio rodeado pelas paredes, o não utilitário, que não pode ser comprado, que não pode ser vendido, que não tem nenhum valor econômico.

Como você pode vender o vazio? Mas você tem que viver no vazio — se um homem vive só nas paredes, ele vai enlouquecer. É impossível fazer isso — mas nós tentamos fazer o impossível. Na vida, escolhemos o utilitário.

Por exemplo, se uma criança está brincando você diz: "Pare! O que você está fazendo? Isso é inútil. Faça algo útil. Aprenda, leia, pelo menos faça sua lição de casa, algo de útil. Não fique por aí, como um vagabundo." Se você continuar insistindo como essa criança, aos poucos você vai matar o inútil. Então a criança vai se tornar apenas útil, e quando uma pessoa é simplesmente útil, ela está morta. Você pode usá-la, ela é uma coisa mecânica agora, um meio e não um fim em si mesmo.

Você é realmente você mesmo quando está fazendo algo inútil — pintura, não para vender, apenas por prazer; jardinagem, apenas por prazer; deitado na praia, sem fazer nada, apenas para desfrutar, diversão inútil; sentado em silêncio ao lado de um amigo.

Muito poderia ser feito nesses momentos. Você poderia ir até a loja, ao mercado, você poderia ganhar alguma coisa. Você pode transformar tempo em dinheiro. Você poderia organizar seus extratos bancários, porque esses momentos não vão voltar. E as pessoas loucas dizem que tempo é dinheiro — porque só conhecem uma maneira de usar o tempo — como convertê-lo em mais e mais dinheiro. No final, você morre com um belo saldo bancário, mas por dentro totalmente pobre, porque a riqueza interior só surge quando você sabe apreciar o inútil.

O que é meditação? As pessoas vêm até mim e dizem: "Qual é a utilidade dela? O que vamos ganhar meditando? Qual é a vantagem disso?"

Meditação... e você pergunta sobre a vantagem? Você não pode entendê-la porque a meditação é simplesmente inútil. No momento em que digo inútil, você se sente desconfortável, porque toda a sua mente tornou-se tão utilitária, tão orientada para a mercadoria, que você precisa de um resultado. Você não pode admitir que algo possa ser um prazer por si só.

Inútil significa que você aprecia, mas não ganha nada com isso; você se deixa absorver profundamente, isso lhe dá felicidade. Mas, quando você está profundamente absorto, você não pode acumular essa bem-aventurança, você não pode fazer dela um tesouro.

No mundo existem dois tipos de pessoas: as utilitaristas — elas se tornam cientistas, engenheiros, médicos. Então, há o outro caminho, complementar — os poetas, os vagabundos, os *sannyasins* — inúteis, não fazem nada de útil.

Mas eles dão o equilíbrio, dão graça ao mundo. Pense num mundo cheio de cientistas e sem um único poeta — seria absolutamente feio, não valeria a pena viver nele. Pense num mundo com todos nas lojas, nos escritórios, e nem um único vagabundo. Seria o inferno. O vagabundo dá beleza.

Uma vez dois vagabundos foram presos... Os magistrados e os policiais são os guardiões dos utilitaristas. Eles os protegem, porque os inúteis são perigosos — eles podem se disseminar. Então, em nenhum lugar os vagabundos, as pessoas inúteis, são permitidos. Se você está na rua e alguém pergunta: "O que você está fazendo?" e você diz: "Nada", um policial vai imediatamente levá-lo para a delegacia — porque não fazer nada não é permitido. Você precisa fazer alguma coisa. "O que você está fazendo aí?" Se você simplesmente disser: "Eu estou de pé apreciando a vista", você é um homem perigoso, um *hippie*. Você pode ser preso.

Então, dois vagabundos foram presos. O magistrado perguntou ao primeiro: "Onde você mora?"

O homem disse: "O mundo inteiro é minha casa, o céu é o meu abrigo; eu ando por todos os lugares, não há nenhuma barreira. Sou um homem livre."

Então ele perguntou ao outro: "E onde você mora?"

Ele disse: "Sou vizinho dele."

Essas pessoas dão beleza ao mundo, são um perfume. Um Buda é um vagabundo, um Mahavira é um vagabundo. Esse homem, esse vagabundo, respondeu que o céu era o seu único abrigo. Isso é o que se entende pela palavra *digambar*. Mahavira, o último dos *tirthankara* jainistas, é conhecido como um *digambar*. *Digambar* significa nu, apenas o céu como roupa, nada mais. O céu é o abrigo, o lar.

Sempre que o mundo fica utilitarista demais, você cria muitas coisas, você possui muitas coisas, você se torna obcecado pelas coisas —, mas o mundo interior está perdido, porque o interior pode florescer somente quando não há nenhuma tensão externa, quando você não está indo a lugar algum, apenas descansando. Então o interior desabrocha.

A religião é absolutamente inútil. Qual a utilidade do templo? Qual a utilidade da mesquita? Qual a utilidade da igreja? Na Rússia soviética eles transformaram todos os templos, mesquitas e igrejas em hospitais e escolas, em algo útil. Por que este templo está em pé, sem qualquer uso? Os comunistas são utilitaristas. É por isso que eles são contra a religião. Eles têm de ser, porque a religião dá espaço ao inútil, ao que não pode ser explorado de modo algum, ao que não pode servir como meio para atingir qualquer outra coisa. Você pode tê-lo, você pode ser feliz nele, você pode sentir o maior êxtase possível, mas você não pode manipulá-lo. É um acontecimento. Quando você não está fazendo nada, isso acontece. E o grandioso sempre acontece quando você não está fazendo nada. Apenas o trivial acontece quando você está fazendo alguma coisa.

Soren Kierkegaard, um filósofo dinamarquês, escreveu algo muito significativo. Ele disse: "Quando eu comecei a orar, eu ia à igreja e falava com Deus." Isso é o que os cristãos estão fazendo no mundo todo. Falando muito alto com Deus, como se Deus fosse surdo. Eles o aconselham sobre o que fazer e o que não fazer, como se Deus fosse apenas uma entidade tola. Ou, como se Deus fosse apenas um monarca tolo — convencê-lo, suborná-lo para satisfazer os desejos que eles acalentam.

Mas Kierkegaard disse: "Eu comecei a falar, então de repente eu percebi que isso era inútil." Como você pode falar? É preciso ficar em silêncio diante de Deus. O que há para se dizer? E o que posso dizer que vai ajudar Deus a saber mais? Ele é onipotente, é onisciente, ele sabe tudo, então qual é o propósito de eu falar com ele?

"Então, a princípio eu falei com ele por muitos anos. Então, de repente percebi que isso era bobagem, por isso parei de falar, fiquei em silêncio. Então, depois de muitos anos, percebi que nem o silêncio adiantaria. Em seguida, o terceiro passo foi dado, e esse passo era ouvir. Primeiro eu falava, depois eu parei de falar, e então eu comecei a ouvir."

Ouvir é diferente de ficar apenas em silêncio, porque só ficar em silêncio é uma coisa negativa — ouvir é uma coisa positiva. Ficar apenas em silêncio é passivo, ouvir é uma passividade alerta, que está à espera de algo, sem dizer nada, mas esperando com todo o ser. Tem uma intensidade. E Kierkegaard disse: "Quando esse ouvir aconteceu, então, pela primeira vez a oração aconteceu."

Mas ouvir é absolutamente inútil; e ouvir o desconhecido? Você não sabe onde ele está. O silêncio é inútil, falar parece útil. Algo pode ser feito por meio de conversas, se você estiver fazendo muitas coisas no mundo. E então você pensa que se quiser se tornar religioso, você tem que fazer alguma coisa, mas você vai ter que *fazer*!

Chuang Tzu diz: A religião só começa quando você compreende a futilidade de fazer, então você passa para o extremo oposto do não fazer, da inatividade, do tornar-se passivo, de se tornar inútil.

Agora vamos entrar no sutra, *O Inútil*.

Hui Tzu disse a Chuang Tzu:
"Todo o seu ensinamento se baseia no que não tem utilidade."

Este ensinamento não parece valer muito, mas Chuang Tzu e seu mestre estavam sempre falando do inútil, eles até elogiavam os homens que eram inúteis.

Chuang Tzu fala sobre um homem, um corcunda. Todos os jovens da aldeia eram obrigados a entrar para o serviço militar, para o exército, porque eram úteis. Apenas um homem, um corcunda, que era inútil, foi deixado para trás. Chuang Tzu disse: "Seja como o corcunda, tão inútil que não é morto na guerra."

Eles vivem elogiando o inútil, porque dizem que o útil sempre estará em dificuldade. O mundo vai usar você, todo mundo está pronto para usar você, para manipular você, para controlá-lo. Se você é inútil, ninguém vai olhar para você, as pessoas vão se esquecer de você, elas vão deixar você em silêncio, não vão se preocupar com você. Elas simplesmente não vão se dar conta de que você existe.

Foi o que aconteceu comigo. Eu sou um homem inútil. Na minha infância, eu ficava sentado e minha mãe ficava simplesmente na minha frente, olhava em volta e dizia: "Eu não estou vendo ninguém. Queria mandar alguém comprar hortaliças no mercado." Eu ficava sentado bem na frente dela. Ela dizia: "Eu não estou vendo ninguém aqui!" E eu ria por dentro — ela não podia me mandar ao mercado, eu era tão inútil que ela não se dava conta de que eu estava lá.

Uma vez, minha tia foi nos visitar, e ela não sabia da minha inutilidade. Minha mãe disse: "Ninguém está em casa para ir ao mercado. Todas as crianças saíram e o empregado está doente, então o que fazer? Alguém tem que ir."

Então, minha tia disse: "Por que não enviar Rajneesh? Ele está sentado ali, sem fazer nada."

Então ela me mandou ao mercado. Pedi ao vendedor: "Me dê os melhores legumes que você tiver, as melhores bananas, as melhores mangas." Olhando para mim e pelo jeito que eu estava falando, ele deve ter pensado: "Ele é um tolo", porque ninguém pede o melhor. Então, ele me cobrou duas vezes mais e me deu todas as coisas podres que tinha, e eu voltei para casa muito feliz.

Minha mãe jogou tudo fora e disse: "Veja! É por isso que eu digo que não há ninguém aqui."

Chuang Tzu insiste muito nisso: Fique atento e não se torne muito útil, caso contrário as pessoas vão explorá-lo. Então elas vão começar a manipular você e você estará em apuros. E, se você pode produzir coisas, irão forçá-lo a produzir durante toda a sua vida. Se você puder fazer uma determinada coisa, se você for habilidoso, então você não pode ser desperdiçado.

Ele diz que a inutilidade tem sua utilidade intrínseca. Se você pode ser útil para os outros, então você tem que viver para os outros. Inútil, ninguém olha para você, ninguém presta atenção em você, ninguém se incomoda com o seu ser. Você é deixado em paz. No mercado você vive como se vivesse no Himalaia. Nessa solidão você cresce. Toda a sua energia se volta para dentro.

Hui Tzu disse a Chuang Tzu:
"Todo o seu ensinamento se baseia no que não tem utilidade."

Chuang replicou:
"Se você não aprecia o que não tem utilidade,
Não pode começar a falar do que pode ser útil."

Ele disse que o inútil é o outro aspecto do útil. Você só pode falar sobre o útil por causa do inútil. É uma parte vital. Se você ignorá-lo completamente, então nada será útil. As coisas são úteis porque existem coisas que são inúteis.

Mas isso aconteceu com o mundo. Eliminamos todas as atividades lúdicas, pensando que, assim, toda a energia estará se movendo para o trabalho. Mas agora o trabalho tornou-se um aborrecimento. A pessoa tem que se deslocar para o polo oposto — somente então se sente rejuvenescida.

O dia inteiro você fica acordado, à noite você dorme — perdendo tempo — e não é pouco tempo. Se você vive noventa anos, você dorme durante trinta anos, um terço, oito horas por dia. Qual é a utilidade disso?

Cientistas na Rússia acham que isso é desperdício de trabalho, de energia. É muito pouco econômico. Portanto, algo deve ser feito. Algumas mudanças químicas ou algumas alterações hormonais são necessárias, ou nem que alguma coisa tenha que ser alterada nos próprios genes, na própria célula, temos que fazer isso. Temos que produzir um ser humano que seja consciente, alerta, e fique acordado 24 horas por dia.

Pense só... se eles tiverem sucesso, eles vão arrasar! Então eles vão fazer de você um autômato, apenas um dispositivo mecânico, que continua trabalhando e trabalhando, sem dia, sem noite, sem descanso, sem trabalho. Não há oposto para onde ir e esquecer.

E eles começaram muitas coisas. Começaram a ensinar crianças pequenas durante o sono. Agora, quando as crianças estão dormindo, milhares de crianças na Rússia Soviética estão dormindo com gravadores conectados aos ouvidos. Enquanto estão dormindo, o gravador os ensina. A noite inteira o gravador fica repetindo alguma coisa. Elas vão ouvir a gravação e ela vai se tornar parte de sua memória — ensino durante o sono, hipnopedia. E dizem que, mais cedo ou mais tarde, tudo o que fazemos nas escolas pode ser feito enquanto a criança está dormindo, e então o dia pode ser usado de alguma outra forma.

Até o sono tem que ser explorado. Você não pode ser você mesmo, nem enquanto está dormindo. Você não pode sequer ter a liberdade de sonhar. Então, o que você é? Então você se torna um dente na engrenagem. Então, você é apenas uma parte eficiente da roda, do mecanismo.

Se você for eficiente, tudo bem, caso contrário pode ser descartado, jogado no ferro-velho, e alguém que for mais eficiente irá substituí-lo.

O que acontece depois de trabalhar o dia inteiro? Você dorme. O que acontece? Você vai do útil ao inútil. E é por isso que de manhã você se sente tão revitalizado, tão vivo, tão leve. Suas pernas parecem dançar, sua mente pode cantar, seu coração pode voltar a sentir — toda a poeira do trabalho é espanada, o espelho está novamente cristalino. Você tem uma clareza pela manhã. Como ela vem? Ele vem por meio do inútil.

É por isso que a meditação pode lhe dar os maiores vislumbres, porque é a coisa mais inútil do mundo. Você simplesmente não faz nada, você simplesmente fica em silêncio. É maior do que o sono porque no sono você está inconsciente; por isso tudo o que acontece, acontece inconscientemente. Você pode estar no paraíso, mas não sabe disso.

Na meditação, você se move conscientemente. Então você se torna consciente do caminho: como passar do mundo útil de fora para o mundo inútil interior. E se você sabe o caminho, você pode simplesmente se voltar para dentro a qualquer momento. Sentado num ônibus você não precisa ficar fazendo nada, você está simplesmente sentado; viajando num carro ou trem ou avião, você não está fazendo nada, tudo está sendo feito por outros, você pode fechar os olhos e ir para o inútil, o interior. E de repente tudo se torna silencioso, e de repente tudo ganha um frescor, e de repente você está na fonte de toda a vida.

Mas ela não tem valor no mercado. Você não pode vendê-la, não pode dizer: "Eu tenho uma ótima meditação. Alguém está disposto a comprá-la?" Ninguém vai estar disposto a comprá-la. Não é uma mercadoria, é inútil.

Chuang Tzu respondeu:
"Se você não aprecia o que não tem utilidade,
Não pode começar a falar do que pode ser útil.
A terra, por exemplo, é ampla e vasta,
Mas de toda a sua extensão, o homem utiliza apenas alguns centímetros
Sobre os quais ele se mantém de pé.

Suponhamos agora que você tire
Tudo o que ele na verdade não está usando,

De modo que, em torno de seus pés, um abismo se abra,
E ele fique de pé no vazio
Sem nada sólido, a não ser o que se encontra sob cada pé:
Por quanto tempo ele vai ser capaz de utilizar o que está usando?"

Essa é uma bela metáfora. Ele foi ao x da questão. Você está sentado aqui, está usando apenas um espacinho, de dois por dois. Você não está usando toda a terra, toda a terra é inútil, você está usando apenas uma pequena porção, dois por dois. Chuang Tzu diz: Suponhamos que toda a terra seja levada embora, só esse espaço de dois por dois seja deixado para você; você está de pé, com cada pé sobre alguns centímetros de terra. Suponhamos que apenas isso lhe reste e toda a terra tenha sido retirada — quanto tempo você vai ser capaz de usar essa pequena parte?

Um abismo, um abismo infinito, se abrirá em torno de você — você vai ficar tonto imediatamente, você vai cair no abismo. A terra inútil suporta o útil e o inútil é vasto, o útil é muito pequeno. E isso é verdade em todos os níveis do ser: o inútil é vasto, o útil é muito pequeno. Se você tentar salvar o útil e esquecer o inútil, mais cedo ou mais tarde vai ficar tonto. E isso aconteceu, você já está tonto e caindo no abismo.

No mundo todo as pessoas que pensam têm um problema: acham que a vida não tem significado, que parece sem sentido. Pergunte a Sartre, Marcel, Jaspers, Heidegger — eles dizem que a vida não tem sentido. Por que a vida fica tão sem sentido? Nunca foi assim antes. Buda nunca disse isso; Krishna podia dançar, cantar, se divertir, Maomé podia orar e agradecer a Deus pela bênção da vida que ele derramou sobre si. Chuang Tzu é feliz, tão feliz quanto possível, tão feliz quanto um homem pode ser. Eles nunca disseram que a vida é sem sentido. O que aconteceu com a mente moderna? Por que a vida parece tão sem sentido?

A terra inteira foi tirada e você foi deixado apenas com a parte onde está sentado ou em pé. Você está ficando tonto. A toda a sua volta, você vê o abismo e o perigo; e você não pode usar a terra em que está de pé agora, porque só poderá usá-la quando o inútil se juntar a ela. O inútil deve estar lá. O que isso significa? Sua vida tornou-se só trabalho e nenhuma brincadeira. A brincadeira é o inútil, o grande; o trabalho é o útil, o trivial, o pequeno. Você tornou a sua vida completamente cheia de trabalho. Sempre que você começa a fazer algo, a primeira coisa que vem à mente é: qual é a utilidade disso? Se houver alguma utilidade, você faz.

Sartre tem um personagem numa de suas histórias: na vinda do século XXI, um homem muito rico, diz: "O amor não é para mim, é apenas para as pessoas pobres. No que me diz respeito, meus empregados podem amar."

Claro, por que um Ford vai perder tempo amando uma mulher? Um empregado qualquer pode fazer isso. O tempo de Ford é mais valioso. Ele deve usá-lo em algo mais útil.

É possível! Olhando para a mente humana como ela é, é possível que no futuro apenas os empregados vão fazer amor. Quando você pode mandar um empregado fazer, para que vai fazer você mesmo? Quando tudo é pensado em termos de economia, se um Ford, um Rockefeller, pode fazer muito mais uso de seu tempo, por que deveriam desperdiçar seu tempo com uma mulher? Eles podem enviar um empregado, o que causará menos aborrecimento.

Parece absurdo para nós ouvirmos isso, mas isso já aconteceu em muitas dimensões da vida. Você nunca brinca, seus empregados estão fazendo isso. Você nunca é um participante ativo em qualquer diversão, outros estão fazendo isso por você. Você vai ver um jogo de futebol: outros estão jogando e você está apenas assistindo — você é um espectador passivo, não envolvido. Você vai ao cinema para ver um filme e outras pessoas estão fazendo amor, violência, guerra — tudo —, você é apenas um espectador na cadeira. É tão inútil que você não precisa se preocupar em fazer aquilo. Qualquer um pode fazer, você pode apenas assistir.

O trabalho você faz, os outros estão se dedicando à diversão para você. Então por que não o amor? — A mesma lógica se aplica, alguém vai fazer isso por você.

A vida parece sem sentido, porque o significado consiste num equilíbrio entre o útil e o inútil. Você negou o completamente inútil. Você fechou a porta. Agora, apenas o útil está presente. O útil se tornou um fardo, você está sobrecarregado demais por ele.

É um sinal de sucesso se, por volta dos 40 anos de idade, você tiver úlceras; isso mostra que você é bem-sucedido. Se você já passou dos 40 ou dos 50 anos e as úlceras ainda não apareceram, você é um fracasso.

O que você fez durante toda a sua vida? Você deve ter desperdiçado seu tempo.

Aos 50, você já deve ter tido o seu primeiro ataque cardíaco. Ora, os cientistas calcularam que aos 40 um homem bem-sucedido já deve sofrer de úlceras; aos 50 já deve ter sofrido o primeiro ataque cardíaco. Aos 60, ele morre — sem nunca ter vivido. Não houve tempo para viver. Ele tinha tantas coisas mais importantes para fazer, não havia tempo para viver.

Olhe ao redor, olhe para as pessoas bem-sucedidas; políticos, homens ricos, grandes industriais — o que está acontecendo com eles? Não olhe para as coisas que possuem, olhe-os diretamente, porque, se você olhar para as coisas, você vai se deixar enganar. As coisas não têm úlceras, os carros não têm ataques cardíacos, as casas não são hospitalizadas. Não olhe para as coisas, senão você vai ser enganado. Olhe para a pessoa privada de todos os seus bens, olhe diretamente para ela e então você vai sentir a pobreza. Então, mesmo um mendigo pode ser um homem rico. Então, até mesmo um homem pobre pode ser mais rico, no que diz respeito à vida.

O sucesso fracassa, e nada fracassa como o sucesso, porque o homem que consegue ter sucesso está perdendo o controle sobre a vida — em todos os aspectos. O homem que tem sucesso está na verdade barganhando, jogando fora o real para obter o irreal, jogando fora diamantes interiores para obter pedras coloridas na praia; acumulando pedregulhos, perdendo diamantes.

Um homem rico é um perdedor, um homem de sucesso é um fracasso. Mas como você olha com os olhos da ambição, você olha para as posses. Você nunca olha para o político, você olha para o cargo, de líder do ministério. Você olha para o poder. Você nunca olha para a pessoa que está sentada lá, absolutamente impotente, perdendo tudo, sem sequer um vislumbre do que seja felicidade. Ela comprou o poder, mas ao comprá-lo, ela se perdeu. E é tudo uma barganha.

Eu ouvi...

Depois de um comício, um líder estava gritando com seu assessor. O assessor não conseguia entender. O líder disse: "Eu fui enganado!"

O assessor disse: "Eu não consigo entender, o comício foi tão bem-sucedido. Tantos milhares de pessoas vieram, e olhe para as suas coroas de flores. As pessoas o cobriram de flores."

"Conte-as", disse o dirigente. "Apenas onze coroas e eu paguei doze."

No final, cada homem bem-sucedido vai sentir que foi enganado. Isso tem que acontecer, está prestes a acontecer, é inevitável, porque o que você está dando? E o que está recebendo? O eu interior está sendo perdido em troca de bens fúteis. Você pode enganar os outros, mas como vai ser capaz de enganar a si mesmo? No final, você vai olhar para sua vida e vai ver que você a perdeu por causa do que é útil.

O inútil deve estar presente. O útil é como um jardim, bem arrumado, limpo; o inútil é como uma vasta floresta, natural, não pode ser tão limpo e arrumado. A natureza tem sua própria beleza, quando tudo está arrumado e limpo, ele já está morto. Um jardim não pode ser muito vivo, porque você vai podá-lo, cortá-lo, administrá-lo. Uma vasta floresta tem uma vitalidade, uma alma muito poderosa. Entre numa floresta e você vai sentir o impacto; perca-se numa floresta e você vai ver o poder que ela tem. Num jardim você não pode sentir o poder; ele não está lá, o jardim é feito pelo homem. Você pode olhar para ele — ele é cultivado, ele é administrado, manipulado.

Na verdade, o jardim é uma coisa falsa — a floresta é a coisa verdadeira. O inútil é como uma vasta floresta e o útil é como um jardim que você cultivou em torno da sua casa. Mas não vá cortar a floresta. Não há problema, o seu jardim é bom, mas deixe que exista uma parte da vasta floresta que não é o seu jardim, mas um jardim de Deus.

E você pode pensar em algo mais inútil do que Deus? Você pode usá-lo de alguma forma? Esse é o problema; é por isso que não podemos encontrar nenhum sentido em Deus. E aqueles que buscam muito o significado das coisas tornam-se ateus. Eles dizem que Deus não existe, não pode existir. Como pode existir um Deus, se Deus parece tão inútil? É melhor deixá-lo de lado, e então o mundo é deixado por nossa conta, para nós o gerirmos e controlarmos. Então podemos fazer do mundo todo um mercado, podemos transformar templos em hospitais, em escolas primárias. Mas a inutilidade de Deus é a base de toda a utilidade que existe.

Se você puder brincar, o seu trabalho vai se tornar um prazer. Se você puder se entregar a uma simples diversão, se você puder se tornar como crianças brincando, seu trabalho não será um fardo para você. Mas é difícil. Sua mente continua pensando em termos de dinheiro.

Eu ouvi...

Uma vez o Mulá Nasruddin chegou em casa e encontrou seu melhor amigo na cama com sua esposa. O amigo ficou muito envergonhado e com medo. Ele disse: "Escute, eu não posso fazer nada, eu estou apaixonado pela sua esposa e ela está apaixonada por mim. E você, sendo um homem racional, nós devemos chegar a algum acordo. Não adianta brigar por isso."

Nasruddin disse: "Que acordo você sugere?"

O homem disse: "Devemos jogar um jogo de cartas, e deixar a esposa ser o prêmio. Se eu ganhar, você simplesmente vai embora; se você ganhar, eu nunca verei sua esposa novamente."

Nasruddin disse: "Certo, está resolvido." Mas então ele disse: "Aposte algum dinheiro, uma rupia para cada ponto, porque senão a coisa toda vai ser inútil. Apenas por uma mulher a coisa toda é inútil demais. Não me faça perder tempo, aposte também algum dinheiro no jogo."

Então a coisa torna-se útil. O dinheiro parece ser a única coisa útil. Todos aqueles que são utilitaristas são loucos por dinheiro, porque o dinheiro pode comprar. O dinheiro é a essência de toda a utilidade. Então, se Buda e as pessoas como Buda renunciaram, não foi porque eram contra o dinheiro, foi porque eram contra a utilidade, contra o útil. Então elas disseram: "Fiquem com todo o seu dinheiro. Estou indo para a floresta. Este jardim não é mais para mim. Vou explorar o vasto, o desconhecido, onde podemos nos perder. Este caminho arrumado e limpo de seixos, onde tudo é conhecido, mapeado, não é para mim."

Quando você entra na vastidão da inutilidade, sua alma se torna grande. Quando você vai para o mar, sem mapa, você se torna como o oceano. Então o próprio desafio do desconhecido cria a sua alma.

Quando você está seguro, quando não há problema, quando tudo está matematicamente planejado, estabelecido, a sua alma se encolhe. Não há desafio para ela. O inútil confere o desafio.

"Suponhamos agora que você tire
Tudo o que ele na verdade não está usando,
De modo que, em torno de seus pés, um abismo se abra,
E ele fique de pé no vazio
Sem nada sólido, a não ser o que se encontra sob cada pé:
Por quanto tempo ele vai ser capaz de utilizar o que está usando?"

Sem Deus, o mundo não pode continuar mais. Nietzsche declarou há uma centena de anos atrás que Deus está morto. Naquele mesmo dia ele também declarou que não podemos mais viver. Ele nunca pensou sobre isso, ele pensou exatamente o contrário. Ele disse: "Deus está morto e o homem agora está livre para viver." Mas eu digo a você, se Deus está morto, é porque o homem já está morto. A notícia pode não ter chegado ainda, mas ele está morto — porque Deus é que é a vasta inutilidade.

O mundo do homem é o mundo utilitário, o útil; sem o inútil, o útil não pode existir. Deus é a brincadeira e o homem é o trabalho; sem Deus, o trabalho fica sem sentido, um fardo a ser transportado de alguma forma. Deus é a diversão, o homem é sério; sem a diversão a seriedade vai ser demais, será como uma doença. Não destrua os templos, não destrua as mesquitas, não as transforme em hospitais. Você pode fazer outros hospitais, pode criar outros edifícios para fazer escolas, mas deixe o inútil ficar ali, no centro da própria vida. É por isso que costumamos colocar o templo no próprio mercado, no centro da cidade, só para mostrar que o inútil deve permanecer bem no centro, caso contrário, toda a utilidade estará perdida. O oposto deve ser levado em conta, e o oposto é maior.

Qual é o propósito da vida? As pessoas continuam vindo e me perguntando. Não há nenhum propósito, não pode haver. Ela é divertida, sem propósito. Você tem que se divertir, você pode apenas se divertir, não pode fazer mais nada a respeito. A vida não é comercializável. E se você perder um momento, perdeu para sempre, não pode voltar.

A religião é apenas um símbolo. Um homem veio até mim e perguntou: "Na Índia, há quinhentos *sannyasins lakh*. Isso é muito pouco econômico. E o que essas pessoas estão fazendo? Elas vivem do trabalho dos outros. Elas não deviam ter autorização para existir."

Na Rússia, eles não estão autorizados a existir, não existe um único *sannyasin*. Toda a terra tornou-se como uma prisão. Você não tem permissão para ser inútil. Na China, eles estão matando monges budistas e *bhikkus*, mataram milhares de pessoas, e estão destruindo todos os mosteiros. Eles estão transformando o país inteiro numa fábrica, como se o homem fosse apenas estômago, como se o homem pudesse viver só de pão.

Mas o homem também tem um coração, e o homem também tem um ser que não é de forma alguma orientado para um propósito. O homem quer desfrutar sem causa e sem razão. O homem quer ser feliz, simplesmente por nada.

Aquele homem perguntou: "Quando você vai deter estes *sannyasins* na Índia?" E ele era muito contra mim. Ele disse: "O número deles está aumentando. Pare com isso. Para que servem esses *sannyasins*?"

E a pergunta dele parece relevante. Se ele tivesse ido a outro lugar, se tivesse perguntado a algum líder religioso, ele teria dito que eles têm uma utilidade. Mas ele ficou muito perturbado quando eu disse que eles não tinham nenhuma utilidade.

Mas a vida em si não tem utilidade. Qual é o propósito dela? Aonde você vai? Qual é o resultado? Nenhum propósito, nenhum resultado, nenhum objetivo — a vida é um constante êxtase, a cada momento. Você pode apreciá-la, mas, se começar a pensar em resultados, você para de apreciá-la, suas raízes são arrancadas, você não está mais nela, você se tornou um estranho. E então você vai perguntar sobre o significado, sobre o propósito.

Você já observou que sempre que está feliz você nunca pergunta: "Qual é o propósito da felicidade?" Quando você está apaixonado, você já perguntou: "Qual é o propósito de tudo isso?" Quando, de manhã, ao ver o sol nascente e um bando de pássaros, como uma flecha no céu, você já se perguntou: "Qual é o propósito disso?" Ao ver uma flor que floresce sozinha à noite, enchendo a noite inteira com sua fragrância, você já se perguntou: "Qual é o propósito disso?"

Não há nenhum propósito. O propósito faz parte da mente, e a vida existe sem mente, por isso a insistência no inútil. Porque, se você é ligado demais no útil, não consegue soltar a mente. Como você pode soltar a mente se está procurando algum uso, algum resultado? Você só pode soltar a mente quando percebe que não há um propósito e a mente não é necessária. Você pode colocá-la de lado. É uma coisa desnecessária. Claro, se você for ao mercado, leve-a com você. Se você se sentar na loja, use-a; é um dispositivo mecânico, tal como um computador.

Agora os cientistas dizem que, mais cedo ou mais tarde, forneceremos a cada criança um computador que ela pode carregar no bolso. Ela não precisa carregar muita matemática em sua mente, pode apenas apertar o botão e o computador fará os cálculos. Sua mente é um computador natural. Por que sobrecarregá-la o tempo todo? Quando não é necessária, coloque-a de lado. Mas você acha que ela é necessária, porque você tem que fazer algo útil. Quem vai dizer o que é útil e o que é inútil? A mente está constantemente classificando: Isto é útil, faça isso; isso é inútil, não faça isso. A mente é o seu gerente. A mente representa o útil. A meditação representa o inútil.

Passe do útil para o inútil, e faça esse movimento de modo tão espontâneo e natural que não haja luta, conflito. Torne-o tão natural quanto entrar e sair de casa. Quando a mente for necessária, use-a como um dispositivo mecânico; quando ela não estiver em uso, quando não houver nenhuma utilidade para ela, coloque-a de lado e esqueça-a. Então, seja inútil e faça algo inútil e sua vida será enriquecida, e sua vida se tornará um equilíbrio entre uso e não uso. E esse equilíbrio transcende a ambos. Isso é transcendental — não é nem uso, nem não uso.

"Por quanto tempo ele vai ser capaz de utilizar o que está usando?"

Hui Tzu disse: "Deixaria de servir a qualquer propósito."

Chuang Tzu concluiu:
"Isto mostra
A necessidade absoluta
do que não tem nenhuma utilidade."

Mesmo o útil não pode existir sem o inútil. O inútil é a base. Eu digo a você, sua mente não pode existir sem a meditação e, se você tentar fazer o impossível, vai ficar louco. Isso é o que está acontecendo com muitas pessoas. Elas ficam loucas. O que é a loucura? A loucura é um esforço para viver sem meditação, de viver apenas com a mente, sem nenhuma meditação. A meditação é a base, nem mesmo a mente pode existir sem ela. E se você tentar, então a mente enlouquece, perde o juízo. É demais para ela. É insuportável. Um louco é um homem que é um utilitário perfeito. Ele tentou o impossível, tentou viver sem meditação, e é por isso que ele enlouquece.

Os psicólogos dizem que, se você não puder dormir durante três semanas, você fica louco. Por quê? O sono é inútil. Por que você vai enlouquecer se não puder dormir durante três semanas? Um homem pode viver sem comida por três meses, mas não pode viver sem dormir durante três semanas. E três semanas é o limite máximo, não é para você. Você vai ficar louco dentro de três dias, se não puder dormir. Se o inútil é retirado, você fica louco.

A loucura está crescendo a cada dia, porque a meditação não é considerada algo valioso. Você acha que só aquilo em que se pode fixar um preço é valioso? Só o que pode ser comprado e vendido é valioso? Só o que é um bem de mercado é valioso? Então você está errado. Aquilo que não tem preço também é valioso. Aquilo que não pode ser vendido e comprado é muito mais valioso do que tudo o que pode ser comprado e vendido.

O amor é a base do sexo. Se você for completamente privado de amor, o sexo se torna pervertido. A meditação é a base da mente. Se você negar a meditação, a mente enlouquece. A diversão, a brincadeira, é a base do trabalho. Se você negar o divertimento e o lazer, o trabalho se torna um fardo, um peso morto.

Olhe para o céu inútil. Sua casa pode ser útil, mas ela existe sob este vasto céu de inutilidade. Se você puder sentir ambos e for capaz de se mover de um para o outro sem nenhum problema, então, pela primeira vez o ser humano perfeito nasceu em você.

O ser humano perfeito não sabe o que está dentro e o que está fora — ambos são parte dele. O ser humano perfeito não se preocupa com o que é útil e o que é inútil — ambos são suas asas. O ser humano perfeito usa o que não tem uso. O ser humano perfeito voa no céu com as asas da mente e da meditação, da matéria e da consciência, deste mundo e do outro, de Deus, de nenhum Deus. Ele é uma harmonia maior dos opostos.

Chuang Tzu enfatizou muito o que não tem uso, o que não tem inutilidade, porque você enfatizou demais o útil. Caso contrário, a ênfase não seria necessária. É só para lhe dar equilíbrio. Você tem pendido muito para a esquerda, agora tem que ser puxado para a direita.

Lembre-se, por causa dessa ênfase excessiva, você pode voltar a passar para o outro extremo. E isso aconteceu com muitos seguidores de

Chuang Tzu. Eles se tornaram viciados no inútil, eles ficaram loucos com o inútil. Eles se deslocaram demais para o inútil e esse não era o objetivo — eles o perderam.

Chuang Tzu enfatizava isso só porque você se tornou extremamente viciado no útil. É por isso que ele enfatizou o inútil. Mas devo lembrá-lo — porque a mente pode se mover para o oposto e continuará na mesma — que a única coisa real é a transcendência. Você tem que chegar a um ponto em que pode usar o útil e o inútil, o propositado e o não propositado. Então você estará além de ambos, ambos vão servi-lo.

Há pessoas que não conseguem se livrar da mente e há pessoas que não conseguem se livrar da meditação. E lembre-se de que a doença é a mesma, você não consegue se livrar de alguma coisa. Primeiro você não conseguia se livrar da mente, de alguma forma você conseguiu. Agora você não consegue se livrar da meditação. Mais uma vez você passa de uma prisão para outra.

Um homem perfeito, de verdade, um homem do Tao, não tem vícios. Ele pode passar facilmente de um extremo ao outro, porque ele permanece no meio. Ele usa as duas asas.

Chuang Tzu não deve ser mal interpretado, é por isso que eu digo isso. Ele pode ser incompreendido. Pessoas como Chuang Tzu são perigosas, você pode entendê-las mal. E há mais possibilidade de mal-entendidos do que de compreensão. A mente diz: "OK, vou dar um basta nesta loja, nesta família, agora vou me tornar um vagabundo." Isso é um mal-entendido. Você vai levar a mesma mente, você vai se tornar viciado em sua condição de vagabundo. Então você não será capaz de voltar à loja, ao mercado, à família. Então você vai ter medo.

Assim, a meditação, como um remédio, pode tornar-se uma nova doença, se você ficar viciado nela. Então, o médico tem que ver se você ficou curado da doença, mas não ficou viciado no remédio — caso contrário, ele não é um bom médico. Primeiro você tem que se livrar da doença, e então você tem que se livrar do medicamento, caso contrário, o remédio tomará o lugar da doença e você sempre vai se apegar a ele.

O Mulá Nasruddin estava ensinando seu filho de 7 anos de idade como abordar uma garota, como convidá-la para dançar, o que dizer e o que não dizer, como convencê-la.

Depois de meia hora, o menino chegou e disse: "Agora me ensine como me livrar dela."

Isso também tem que ser aprendido, e é a parte mais difícil. Convidar é muito fácil, mas livrar-se é muito mais difícil. E você sabe bem disso por experiência própria: convidar uma menina sempre é fácil, persuadir uma garota sempre é fácil, mas como se livrar dela? Isso se torna um problema. Você não pode mais ir a qualquer lugar, então você se esquece completamente de assobiar.

Lembre-se, o inútil tem sua própria atração. Se você está muito preocupado com o útil, você pode ir demais para o outro extremo. Você pode perder o equilíbrio.

Para mim, um *sannyasin* está num equilíbrio profundo, ele está no meio, livre de todos os opostos. Ele pode usar o útil e pode usar o inútil, ele pode usar o que tem propósito e o que não tem propósito, e ainda permanece além de ambos. Ele não é usado por eles. Ele se tornou o mestre.

Basta por hoje.

Capítulo 9

MEIOS E FINS

O propósito de uma armadilha para peixes é pegar peixes,
E, quando os peixes são capturados,
A armadilha é esquecida.

O propósito das palavras
É transmitir ideias.
Quando as ideias são compreendidas,
As palavras são esquecidas.

Onde posso encontrar um homem
Que se esqueceu das palavras?
É com ele que
Eu gostaria de conversar.

É difícil esquecer as palavras. Elas se agarram à mente. É difícil jogar fora a rede, porque não só os peixes são capturados, mas o pescador também. Esse é um dos maiores problemas. Trabalhar com palavras é brincar com fogo, porque as palavras tornam-se tão importantes que o significado perde significado. O símbolo se torna tão pesado que o conteúdo é completamente perdido; a superfície hipnotiza e você esquece o centro.

Isso aconteceu em todo o mundo. Cristo é o conteúdo, o cristianismo é apenas uma palavra; Buda é o conteúdo, o *Dhammapada* é apenas uma palavra; Krishna é o conteúdo, o Gita não é nada além de uma armadilha. Mas o Gita é lembrado e Krishna é esquecido — ou, se você se lembrar de Krishna, você se lembra dele só por causa do Gita. Se você falar de Cristo, é por causa das igrejas, da teologia, da Bíblia, das palavras. As pessoas carregam a rede por muitas vidas, sem perceber que é apenas uma rede, uma armadilha, como se a pessoa vivesse carregando uma escada.

Buda costumava contar:

Alguns homens estavam atravessando um rio. O rio era perigoso, ele estava na cheia — devia ser a estação das chuvas — e o barco salvou suas vidas. Então eles pensaram — eles deviam ser muito, muito inteligentes — eles pensaram: "Este barco nos salvou, como podemos deixá-lo agora? Este é o nosso salvador e será ingratidão deixá-lo!" Então, eles levaram o barco na cabeça para a cidade.

Alguém lhes perguntou: "O que vocês estão fazendo? Nunca vimos ninguém carregando um barco."

Eles disseram: "Agora vamos ter de levar este barco por toda a nossa vida, porque ele nos salvou, e não podemos ser ingratos."

Essas pessoas de aparência inteligente deviam ser estúpidas. Agradeça ao barco, mas deixe-o lá. Não o carregue. Você vem carregando vários tipos de barcos na cabeça — talvez não sobre a cabeça, mas dentro dela. Olhe para dentro. As escadas, barcos, caminhos, palavras — este é o conteúdo da sua cabeça, da sua mente.

O recipiente se torna importante demais, o veículo torna-se importante demais, o corpo se torna importante demais — e então você fica cego. O veículo era só para lhe transmitir a mensagem — receba a mensagem e esqueça o veículo. O mensageiro era só para lhe transmitir a mensagem — receba a mensagem e esqueça o mensageiro. Agradeça-lhe, mas não o leve em sua cabeça.

Maomé insistiu muito, quase todos os dias de sua vida: "Eu sou apenas um mensageiro, um *paigamber*. Não me adorem, eu apenas trago uma mensagem do divino. Não olhem para mim, olhem para o divino, que enviou a mensagem a vocês." Mas os maometanos tinham esquecido a fonte. Maomé se tornou importante, o veículo.

Diz Chuang Tzu:

Onde posso encontrar um homem
Que se esqueceu das palavras?
É com ele que
Eu gostaria de conversar.

Um homem que se esqueceu das palavras, com ele vale a pena conversar, porque ele tem a realidade mais íntima, o centro do ser dentro dele. Ele tem a mensagem. Seu silêncio é fecundo. A conversa é impotente. O que você está fazendo quando está falando? Você não está dizendo nada especial. Você não tem nenhuma mensagem, não há nada para ser transmitido. Suas palavras são vazias, elas não contêm nada, eles não carregam nada. Elas são apenas símbolos. E, quando você está falando, está simplesmente jogando fora o seu lixo. Pode ser uma boa catarse para você, mas, para o outro, pode ser perigoso. Como você pode conversar com uma pessoa que está repleta de palavras? Impossível. As palavras não dão espaço, as palavras não dão qualquer abertura. As palavras são excessivas, você não consegue penetrar.

Falar com um homem que está repleto de palavras é quase impossível. Ele não pode ouvir, porque, para ouvir, uma pessoa precisa ficar em silêncio, para ouvir, uma pessoa precisa estar receptiva. As palavras não permitem isso — as palavras são agressivas, elas nunca são receptivas. Você pode falar, mas não pode ouvir, e, se você não pode ouvir, sua conversa é a conversa de um louco. Você está falando e não sabe por que, você está falando e não sabe o quê. Você continua falando porque isso lhe dá uma espécie de libertação.

Você se sente bem depois de um bom mexerico. Você se sente bem porque fica aliviado, o seu falar é parte das suas tensões. Ele não está vindo de você, é apenas uma perturbação; não é uma canção, não tem beleza própria. É por isso que, sempre que você fala, você simplesmente aborrece o outro. Mas por que ele está ouvindo? Ele não está ouvindo, ele está apenas esperando para aborrecer você, esperando apenas o momento certo, quando ele pode tomar as rédeas em suas mãos.

Eu ouvi...

Aconteceu uma vez de um grande líder, um grande político, estar falando; e ele falava e falava e foi chegando perto da meia-noite. Aos poucos, o público foi indo embora até que apenas uma pessoa ficou na plateia. O líder agradeceu e disse: "Você parece ser o meu único seguidor autêntico, o único que me aprecia. Sinto-me grato a você. Todo mundo me deixou, e você ainda está aqui."

O homem disse: "Não se engane, eu sou o próximo orador."

Quando escuta, você só faz isso porque é o próximo orador. Você consegue tolerar o homem — é uma barganha. Se você quiser aborrecer os outros, tem que permitir que eles aborreçam você. Então, na verdade, quando você diz que certa pessoa é uma chata, é porque essa pessoa não vai lhe dar a chance de ser o próximo orador. Ele não para de falar e você não consegue encontrar uma brecha por onde entrar e começar a aborrecer o outro. Essa pessoa parece um aborrecimento, mas toda mente cheia de palavras é um aborrecimento.

Quando você vai perceber isso? Por que uma pessoa é um aborrecimento? Porque o que ela diz são apenas palavras, não há nenhum peixe nelas, apenas armadilhas — inúteis, sem sentido, não há nenhum conteúdo. É como o ruído de alguma coisa, um barulho; sem nenhum significado. Sempre que há um significado existe beleza; sempre que há um significado você cresce com ele; sempre que há um sentido, quando você encontrar um homem que tem significado, ele lhe dá um novo surto de energia. Não é um desperdício, é uma aprendizagem, é uma experiência. É raro e difícil encontrar um homem que esteja em silêncio.

Se você puder encontrar um homem que esteja em silêncio e persuadi-lo a falar com você, você vai ganhar muito — porque, quando a mente não é preenchida com palavras, o coração fala ao coração. Quando tudo vem do silêncio, quando uma palavra nasce do silêncio, ela é linda, ela é viva, ela compartilha algo com você. Quando uma palavra só vem de uma multidão de palavras, ela é louca, pode enlouquecer você.

Um menino de cinco anos foi questionado por seu professor: "A sua irmã mais nova já aprendeu a falar?"

O menino disse: "Sim, ela aprendeu a falar. E agora estamos ensinando-a a ficar quieta."

Essa é a tristeza. Você tem de ensinar palavras, faz parte da vida, e então a pessoa tem que aprender a ficar em silêncio, como viver sem palavras. Universidades, pais, professores, eles ensinam palavras, e então você tem que encontrar um mestre que possa lhe ensinar como ficar em silêncio.

Um estudioso alemão procurou Ramana Maharshi e disse: "Eu vim de muito longe para aprender alguma coisa com você."

Ramana riu e disse: "Então você veio ao lugar errado. Vá para alguma universidade, procure algum estudioso, algum grande sábio, então você poderá aprender. Se você vier a mim, então fique ciente de que a aprendizagem não é possível aqui, ensinamos apenas a desaprender. Eu posso ensiná-lo como desaprender, como jogar palavras fora, para criar espaço dentro de você. E esse espaço é divino, esse espaço tem religiosidade."

Onde você empreende a sua busca — nas palavras, nas escrituras? Então, um dia desses você vai se tornar ateu. Um erudito, um estudioso, não pode continuar a ser um teísta por muito tempo. Lembre-se, por mais que ele saiba, o que quer que ele saiba sobre a Bíblia e o Alcorão e o Gita, o estudioso tende a se tornar um ateu, porque essa é a consequência lógica de se reunir palavras. Mais cedo ou mais tarde ele vai perguntar: "Onde está Deus?" Nenhuma Bíblia pode responder, nenhum Gita pode fornecer a resposta. Ao contrário, quando Bíblias e Gitas e Alcorões são demais em sua mente, você perde o divino — porque todo o espaço em você está atulhado de móveis. Deus não pode se mexer ali, não consegue fazer contato com você se a mente está atulhada de palavras. Então, é impossível escutar, e se você não pode ouvir, como pode orar? É impossível esperar, as palavras são muito impacientes, elas estão batendo lá dentro, ansiosas para sair.

Eu ouvi...

Uma vez aconteceu... Às três horas da manhã o Mulá Nasruddin telefonou para o barman e disse: "A que horas o bar vai abrir?"

O barman disse: "Não é hora de perguntar uma coisa dessas. Você é um cliente habitual, Nasruddin, e sabe muito bem que não abrimos antes das nove da manhã. Vá dormir e espere até as nove."

Mas depois de dez minutos ele telefonou novamente e disse: "É urgente. Diga-me quando o bar vai abrir."

Agora, o barman ficou irritado. Ele disse: "Qual é o problema? Eu lhe disse, nem um minuto antes das nove. E pare de me telefonar!"

Mas depois de dez minutos ele telefonou novamente. O barman disse: "Agora você realmente extrapolou. Você ficou louco? Vai ter que esperar até as nove."

Nasruddin disse: "Você não entendeu. Estou trancado no bar e quero sair!"

Se sua mente está muito sobrecarregada com palavras, teorias, escrituras, elas não vão parar de bater: "Abra! Queremos sair!" E quando você quer sair, Deus não pode entrar. Se a mente quer sair, não está aberta para nada que esteja entrando. Ela está fechada, é uma via de mão única — o tráfego nos dois sentidos não é possível.

Quando você é agressivo por meio das palavras que saem, nada pode penetrar em você, nem o amor, nem a meditação, nem a existência. E tudo que é belo acontece como um processo de interiorização. Quando você está em silêncio, sem palavras querendo sair, quando você está esperando... Nesse momento de espera, a beleza acontece, o amor acontece, a devoção acontece, a divindade acontece. Mas, se um homem é muito viciado em palavras, ele vai perder tudo. No final, ele terá uma longa coleção de palavras e teorias, lógica, tudo — mas nada vale a pena porque está faltando conteúdo.

Você tem a rede, a armadilha, mas não há nenhum peixe lá. Se você tivesse realmente capturado o peixe, você teria jogado fora a rede imediatamente. Quem se importa com a rede? Se você já usou a escada, pode esquecê-la. Quem pensa na escada? Você transcendeu, ela foi usada.

Assim, sempre que um homem realmente passa a saber, o conhecimento é esquecido. Isso é o que chamamos de sabedoria. Um homem sábio é aquele que foi capaz de desaprender o conhecimento. Ele simplesmente abandona tudo o que não é essencial.

Diz Chuang Tzu:

Onde posso encontrar um homem
Que se esqueceu das palavras?
É com ele que
Eu gostaria de conversar.

Com ele vale a pena conversar. Pode não ser tão fácil convencê-lo a falar, mas só de estar perto dele, só se sentar ao seu lado, já será uma comunhão, será uma comunicação, a mais profunda possível. Dois corações se fundem um no outro.

Mas por que esse vício pelas palavras? Porque o símbolo parece ser o real. E, se ele se repete muito, a repetição faz com que você se auto-hipnotize. Repita uma coisa, e aos poucos você vai esquecer que você não sabe. A repetição vai lhe dar a sensação de que você sabe.

Se você vai ao templo pela primeira vez, vai na ignorância. É hipotético. Você não sabe se esse templo realmente contém alguma coisa, se Deus está lá ou não. Mas vá todos os dias e viva repetindo o ritual, as orações; e faça tudo o que o sacerdote diz, dia após dia, ano após ano. Você vai esquecer o estado de espírito hipotético que havia no começo. Com repetições contínuas a coisa vai para dentro da mente e você começa a sentir que esse é o templo, que Deus vive aqui, que essa é a morada de Deus. Agora você se foi para o mundo da aparência.

É por isso que cada religião insiste em ensinar as crianças o mais cedo possível, porque depois da infância é muito difícil converter as pessoas para que passem a fazer coisas tolas, é muito difícil. Os psicólogos dizem que todo mundo deve ser pego antes da idade de sete anos. A criança deve ser convertida para ser hindu, muçulmana, cristã ou qualquer outra coisa, comunista, teísta ou ateia, não faz nenhuma diferença, mas agarre a criança antes dos sete anos. Até os sete anos de idade a criança aprende quase cinquenta por cento de tudo o que ela vai aprender em toda a sua vida. Restam apenas os outros cinquenta por cento.

E esses cinquenta por cento são muito significativos, porque se tornam a base. Ela vai aprender muitas coisas, vai criar uma grande estrutura de conhecimento, mas toda a estrutura será baseada no conhecimento que recebeu quando era criança. E, nesse momento, antes dos 7 anos, a criança não tem lógica, não é argumentativa. Ela está confiando, explorando, acreditando. Ela não pode deixar de acreditar, porque não sabe o que é crença, nem o que é a descrença.

Quando a criança nasce, ela não tem mente para discutir. Ela não sabe o que é argumento. Tudo o que você diz é verdade, parece verdadeiro, e, se você repetir, a criança fica hipnotizada. É assim que todas as religiões têm explorado a humanidade. A criança tem que ser forçada a obedecer a um padrão e, quando o padrão está profundamente enraizado, nada pode ser feito. Mesmo se mais tarde a criança mudar de religião, nada vai mudar muito. Veja um hindu que se tornou um cristão — nada mudou. Pelo contrário, seu cristianismo será exatamente como o hinduísmo, por causa da base.

Aconteceu: certa vez havia uma tribo de canibais, perto da Amazônia. Aos poucos, eles foram se matando e quase todos desapareceram; restaram apenas duzentos ou coisa assim. Eles se mataram e comeram uns aos outros. Um missionário foi para lá, trabalhar. O chefe da tribo falou com ele num Inglês perfeito. O missionário ficou surpreso e disse: "O quê!? Você fala um inglês perfeito, e não só fala um inglês perfeito, como tem um sotaque de Oxford perfeito. E você ainda é canibal?"

O homem disse: "Sim, eu fui para Oxford, e aprendi muito. Sim, ainda somos canibais, mas agora eu uso garfo e faca. Eu aprendi em Oxford."

Até aí a mudança acontece — nada mais pode acontecer. Converta um hindu ao cristianismo e seu cristianismo será como o hinduísmo. Converta um cristão ao hinduísmo e lá no fundo ele continuará a ser um cristão, porque você não pode mudar a base. Você não pode fazer dele uma criança novamente, você não pode fazê-lo inocente. Esse momento já se foi.

Se a Terra um dia for realmente religiosa, então não vamos ensinar mais o cristianismo, o hinduísmo, o islamismo ou o budismo. Esse é um dos maiores crimes cometidos. Nós vamos ensinar religiosidade, vamos ensinar meditação, mas não seitas. Não vamos ensinar palavras e crenças, vamos ensinar um modo de vida, vamos ensinar felicidade, vamos ensinar êxtase.

Nós vamos ensinar como olhar as árvores, como dançar com as árvores, como sermos mais sensíveis, como sermos mais vivos e desfrutarmos das bênçãos que a existência nos deu — mas não palavras, nem crenças, nem filosofias, nem teologias. Não, não vamos levá-las a uma igreja ou um templo ou uma mesquita, porque esses lugares são as fontes de corrupção. Eles corromperam a mente. Vamos deixar as crianças na natureza; esse é o templo, a igreja de verdade.

Vamos ensinar as crianças a olhar para as nuvens flutuantes, para o nascer do Sol, para a Lua à noite. Vamos ensiná-las a amar, e vamos ensiná-las a não criar barreiras para o amor, para a meditação, para a religiosidade. Vamos ensiná-las a ser abertas e vulneráveis, não vamos fechar as suas mentes. E vamos, claro, ensinar palavras, mas ao mesmo tempo também iremos ensinar o silêncio, porque depois que as palavras passam a fazer parte da base, o silêncio torna-se difícil.

Você me procura, o problema é o seguinte: na base há palavras e agora você está tentando meditar e ficar em silêncio — e a base está sempre lá. Sempre que você está em silêncio a base começa a funcionar. Então, você se torna consciente de que pensa demais quando medita — ainda mais do que normalmente. Por quê? O que está acontecendo? Quando você está em silêncio você vai para dentro de si e se torna mais sensível ao absurdo interior que existe ali. Quando você não está em meditação você fica voltado para fora, fica extrovertido, envolvido com o mundo e você não pode ouvir o barulho interior que ocorre dentro de você. Sua mente não está lá.

O ruído é contínuo dentro de você, mas você não pode ouvi-lo, você está ocupado. Mas sempre que fecha os olhos e olha para dentro, o hospício se abre. Você pode ver e sentir e ouvir, e então fica com medo e assustado. O que está acontecendo? E você estava pensando que a meditação ia deixá-lo mais silencioso. E está acontecendo isso, exatamente o oposto.

No começo é inevitável que isso aconteça, porque uma base errada foi dada a você. Toda a sociedade, seus pais, seus professores, suas universidades, sua cultura, deram-lhe uma base errada. Você já foi corrompido, sua fonte está envenenada. Esse é o problema — como desintoxicar você. Leva tempo, e uma das coisas mais difíceis é se livrar de tudo o que você conheceu, desaprender.

Diz Chuang Tzu:

Onde posso encontrar um homem
Que se esqueceu das palavras?
É com ele que
Eu gostaria de conversar.

Somente com um sábio vale a pena conversar. Somente um sábio vale a pena escutar. Somente com um sábio vale a pena viver.

O que é um sábio? Um barco vazio — não há palavras dentro dele, um céu vazio, sem nuvens, sem som, sem barulho, sem nenhum louco, sem caos interior, uma harmonia e equilíbrio contínuos. Ele vive como se não existisse. Ele é como se estivesse ausente. Ele se move, mas nada se move dentro dele. Ele fala, mas o silêncio interior está ali. Ele nunca está perturbado; ele usa as palavras, mas essas palavras são apenas veículos — através dessas palavras ele está enviando algo que está além das palavras. E se você quiser se agarrar às palavras, você vai perder seu significado.

Quando você ouvir um sábio, não ouça suas palavras; elas são secundárias, são superficiais, elas são apenas periféricas. Ouça-o, não ouça suas palavras. Quando as palavras chegarem até você, basta colocá-las de lado, como faz o viajante depois que atravessa o mar — ele deixa o barco ali e continua. Deixa o barco ali e segue em frente. Se você carrega o barco, você está louco. Então, toda a sua vida vai se tornar um fardo, você ficará sobrecarregado com o barco. Um barco não é para ser levado na cabeça. Sinta-se grato, até aí tudo bem, mas levar o barco na cabeça é demais.

Quantos barcos você está carregando na cabeça? Toda a sua vida tornou-se estática por causa do peso. Você não pode voar, não pode flutuar, porque está carregando um fardo morto, não só de uma vida, desta vida, mas de muitas vidas. Você vive recolhendo tudo o que é inútil, fútil. Por quê? Deve haver alguma razão profunda, caso contrário, ninguém estaria fazendo isso.

Por que isso acontece? Em primeiro lugar, você acha que a palavra é a realidade — a palavra *Deus* é Deus, a palavra *amor* é o amor — a palavra é o real. A palavra *não* é o real. Você tem que fazer uma distinção, uma distinção clara, de que a palavra *não* é o real. A palavra só simboliza, indica, mas não é real. Depois que você entra nessa armadilha — acredita que a palavra é o real, alguém diz "eu te amo" e você sente que essa pessoa ama você porque diz que ama. Então, você vai ficar frustrado.

Se você não consegue ver a realidade sem palavras, ficará frustrado em todos os seus caminhos da vida, em todos os lugares você ficará frustrado, porque você vai tomar a palavra como a coisa real.

Muitas pessoas me procuram e dizem: "Essa garota me amava, ela mesma disse isso." "Esse homem me amava e agora o amor desapareceu." Ambos foram enganados pelas palavras.

Dale Carnegie sugere que, mesmo que você esteja casado há vinte anos, não se esqueça de usar as mesmas palavras que usou quando estava cortejando sua esposa — continue usando. Todas as manhãs diga o mesmo que você dizia quando estavam namorando. Não deixe de usar essas palavras. Todos os dias diga: "Não existe ninguém como você. Você é a pessoa mais bonita do mundo, e eu morrerei sem você." Dale Carnegie diz que, mesmo que você não sinta isso, continue dizendo, porque as palavras são realidades. E a mulher vai se deixar enganar, o marido vai se deixar enganar, porque vivemos só de palavras.

Você não sabe nada, você não sabe nada do real. Como você pode estar em contato com a realidade? Quando alguém diz: "Eu te amo" — acabou! Quando alguém diz: "Eu te odeio" — acabou! Ponha de lado as palavras e olhe para a pessoa.

Quando alguém diz: "Eu te amo", não se deixe envolver pelas palavras, coloque-as de lado. Olhe para a pessoa, na sua totalidade. Então ninguém pode enganá-lo. O amor é um fogo que você será capaz de ver, você será capaz de tocar, você será capaz de saber se ele existe ou não.

O amor não pode ser escondido. Se ele realmente existe, as palavras não são necessárias. Se alguém realmente ama você, ele não vai dizer "eu te amo". Não é necessário. O amor é suficiente em si mesmo, não precisa da lábia de um vendedor. Ele não precisa de ninguém para persuadir, convencer; ele é suficiente, é um incêndio. Nada é mais ardente do que o amor; ele é uma chama. Quando há uma chama na escuridão, você não precisa dizer nada, ela está lá. Nenhum anúncio é necessário, nenhuma propaganda é necessária.

Tente separar as palavras da realidade. No seu dia a dia, quando alguém disser: "Eu te odeio", não acredite nas palavras. Pode ser apenas uma coisa momentânea, pode ser apenas uma fase. Não vá pelas palavras, caso contrário você vai fazer um inimigo para a vida inteira. Como você fez amigos por causa das palavras, você já fez inimigos por causa das palavras. Não olhe para as palavras, olhe para a pessoa, olhe nos olhos, sinta o todo — pode ser apenas uma reação momentânea. Em noventa e nove por cento das vezes será apenas uma coisa momentânea. A pessoa se sente magoada com alguma coisa, ela reage e diz: "Eu te odeio." Espere, não decida, não diga: "Este é um inimigo." Se você disser isso, você não vai só estar sendo enganado pelas palavras dos outros, mas também vai estar sendo enganado pelas suas próprias. Se você disser: "Este é um inimigo", aí essa palavra vai se agarrar a você. E mesmo se ele mudar amanhã, você não vai estar tão pronto ou disposto a mudar; você vai carregá-la dentro de você. E, então, pela sua insistência, você vai criar um inimigo. Seus inimigos são falsos, seus amigos são falsos, porque as palavras não são a realidade.

As palavras podem fazer apenas uma coisa: se você continua repetindo-as, elas lhe dão a aparência de realidade. Adolf Hitler diz em sua autobiografia, *Mein Kampf*: "Eu conheço apenas uma diferença entre a verdade e a mentira — uma mentira repetida muitas vezes torna-se uma verdade." E ele sabe, por experiência própria, pois ele diz que fazia isso — ele repetia continuamente mentiras, vivia repetindo-as.

No início elas pareciam tolas. Ele começou dizendo que era por causa dos judeus que a Alemanha tinha sido derrotada na Primeira Guerra Mundial. Era um total absurdo, mas ele repetiu tantas vezes que as pessoas se tornaram conscientes das palavras, e ficaram viciadas nelas.

Dizem que, uma vez, quando estava falando em uma reunião, ele perguntou: "Quem é o responsável pela derrota da Alemanha?"

Um homem se levantou e disse: "Os ciclistas."

Hitler ficou surpreso. Ele disse: "O quê? Por quê?"

O homem disse: "Então por que os judeus?" Ele era um judeu. "Por que os judeus?"

Mesmo quando Hitler estava morrendo e novamente a Alemanha tinha sido derrotada e completamente destruída, ele não acreditava que era por causa de Stálin, Churchill e Roosevelt. Ele não acreditava que havia sido derrotado porque seus inimigos eram superiores, mais poderosos do que ele. Sua última opinião ainda era a mesma: era uma conspiração judaica, eles estavam agindo nos bastidores, e por causa deles ele havia sido derrotado. E toda a Alemanha acreditou nele — um dos povos mais inteligentes da Terra.

Mas as pessoas inteligentes podem ser estúpidas, porque as pessoas inteligentes sempre acreditam em palavras. Esse é o problema. Os alemães, pessoas eruditas, extremamente inteligentes, produziram os maiores filósofos, professores; todo o país é inteligente. Como poderia um homem tão estúpido como Adolf Hitler persuadi-los?

Mas isso não é nada ilógico, essa é a lógica. Uma terra de professores, intelectuais, os chamados intelectuais, é sempre viciada em palavras. Se você viver repetindo uma palavra, martelando e martelando, as pessoas que a escutam repetidas vezes começam a sentir que isso é verdade. A verdade é criada a partir de mentiras, se você continuar repetindo-as. A repetição é o método de converter uma mentira numa verdade. Mas você pode converter uma mentira numa verdade? Apenas na aparência isso é possível. Experimente. Comece a repetir uma coisa e você vai começar a acreditar. Pode ser que você não esteja tão na miséria quanto parece. Porque você ficou repetindo: "Eu estou na miséria, estou na miséria, estou na miséria", e você repetiu tantas vezes, agora você parece miserável.

Basta olhar para a sua miséria. Você é realmente miserável, está realmente no inferno, como mostra o seu rosto? Pense melhor. Logo você não vai se sentir tão miserável, porque ninguém pode ser tão miserável quanto você parece. É impossível. Deus não permite isso. É repetição, é auto-hipnose.

Um psicólogo francês, Émile Coué, costumava tratar as pessoas. Seu método era a simples repetição, sugestão, auto-hipnose. Você poderia procurá-lo e dizer: "Eu tenho dor de cabeça, uma dor de cabeça constante, e nenhum medicamento ajuda. Eu tentei todas as 'patias', até mesmo a naturopatia; nada adiantou."

Ele dizia que não havia necessidade de tratamento, porque você não tinha nenhuma dor de cabeça. Você simplesmente acreditava nela. E indo a este médico e àquele, todos tinham ajudado você a acreditar que sim, havia uma dor de cabeça — porque se eles não acreditassem em sua dor de cabeça, não podiam ganhar seu sustento. Então eles não podiam dizer que você não tinha nenhuma dor de cabeça. Quando você vai a um médico, mesmo que não tenha nada errado, ele vai encontrar algo. Um médico existe para isso.

Conversar com Coué iria ajudá-lo imediatamente; quase cinquenta por cento da sua dor de cabeça desapareceria apenas por você falar com ele — sem nenhum medicamento. E ele sentiria o relaxamento se derramando sobre sua cabeça e, então, sabia que a conversa estava fazendo efeito. Aí ele lhe dava uma fórmula que você tinha que repetir continuamente dia e noite, sempre que se lembrasse: não havia nenhuma dor de cabeça. Toda manhã, quando você se levantasse tinha de repetir:

"Eu estou ficando melhor e melhor a cada dia." Dentro de duas ou três semanas, a dor de cabeça desapareceria.

Uma dor de cabeça verdadeira não pode desaparecer assim. Primeiro, a dor de cabeça era criada por palavras; primeiro, você hipnotizava a si mesmo de que tinha uma dor de cabeça, e então você se desipnotizava. Uma doença real não pode desaparecer. Mas as suas doenças — noventa por cento delas — são irreais. Por meio de palavras você as criou. Coué ajudou milhares, Mesmer ajudou milhares, apenas criando a sensação de que você não está doente. Isso não mostra que a auto-hipnose cura a doença; só mostra que você já é um ótimo auto-hipnotista que *cria* doenças. Você acredita nelas.

E os médicos não podem dizer que as suas doenças são mentais. Você não se sente bem se alguém diz que sua doença é mental; você se sente muito mal, e imediatamente troca de médico. Sempre que um médico diz que você tem uma doença muito grave, muito séria, você se sente muito bem — porque um homem como você, tão grandioso, alguém tão importante, *precisa* ter uma doença grandiosa. Doenças pequenas são para pessoas pequenas, doenças comuns são para pessoas comuns. Quando você tem câncer, tuberculose ou algo perigoso, você se sente superior, você é alguém. Pelo menos no que diz respeito à doença, você não é comum.

Um homem se formou na faculdade, tornou-se médico e voltou para casa. Seu pai estava muito cansado de trabalhar — ele também era médico —, então ele tirou férias. Ele disse: "Eu vou para as montanhas, descansar, durante pelo menos três semanas, então agora você começa a trabalhar."

Depois de três semanas, o pai voltou. O rapaz disse: "Tenho uma surpresa para você. A senhora que você vem tratando há anos e não conseguia curar, eu a curei em três dias."

O pai bateu na cabeça dele e disse: "Seu tonto, aquela senhora estava pagando a sua educação e eu estava esperando que através dela todos os meus filhos pudessem ir para a faculdade. A dor de estômago dela não era real. E eu estava preocupado, enquanto estava nas montanhas. Eu me esqueci de dizer para não tocar naquela mulher. Ela é rica e precisa de uma dor de estômago, e eu a estava ajudando. Durante anos ela tem sido a fonte do nosso sustento."

Noventa por cento de todas as doenças são de natureza psicológica. Elas podem ser curadas com um mantra, podem ser curadas por sugestão, podem ser curadas por Satya Sai Baba, porque você já fez o milagre verdadeiro de criá-las. Agora qualquer um pode curá-las.

A repetição contínua de uma palavra cria a realidade, mas essa realidade é alucinatória. É ilusão, e você só pode voltar para a realidade se todas as palavras desapareceram da sua mente. Mesmo uma única palavra pode criar a ilusão. As palavras são grandes forças. Se ainda houver uma única palavra na sua mente, ela não está vazia. Tudo o que você está vendo, sentindo, é criado através da palavra, e essa palavra vai mudar a realidade.

Você tem que ficar completamente sem palavras, sem pensamentos. Você tem que ser apenas consciência.

Quando você é apenas a consciência, o barco fica vazio, a realidade é revelada a você. Porque você não está repetindo uma coisa, nem está imaginando uma coisa, você não está se auto-hipnotizando. Só então o real aparece, é revelado.

Chuang Tzu está certo. Ele diz:

Onde posso encontrar um homem
Que se esqueceu das palavras?
É com ele que
Eu gostaria de conversar.

O propósito de uma armadilha para peixes é pegar peixes...

Você se esqueceu completamente do propósito. Você acumulou tantas armadilhas para peixes, vive tão preocupado com elas — que alguém possa roubá-las, que possam se quebrar ou apodrecer — tão preocupado com as armadilhas que se esqueceu completamente do peixe!

O propósito de uma armadilha para peixes é pegar peixes,
E, quando os peixes são capturados,
A armadilha é esquecida.

Se você não consegue esquecer a armadilha, isso significa que o peixe ainda não foi capturado. Lembre-se, se você está continuamente obcecado com a armadilha, isso mostra que os peixes ainda não foram pegos. Você se esqueceu completamente deles e ficou tão envolvido com as armadilhas para peixes que caiu de amor por elas.

Uma vez eu conheci um vizinho meu, ele era professor, um homem de palavras. Ele comprou um carro. Todas as manhãs ele cuidava dele, limpava-o. O carro estava sempre novinho em folha, e nunca pegou uma estrada. Durante anos eu o vi na minha frente. Todas as manhãs ele tinha muito trabalho, era a limpeza, o polimento, fazia tudo. Mas o carro continuava lá.

Uma vez estávamos viajando no mesmo vagão de trem, então eu perguntei: "Tem alguma coisa errada com o carro? Você nunca o tira da garagem. Está sempre dentro de casa".

Ele disse: "Não, eu me apaixonei por ele. Eu o amo tanto que estou sempre com medo de que aconteça algo ruim com ele se eu o tirar de lá — um acidente, um arranhão, qualquer coisa pode dar errado. É insuportável para mim até mesmo pensar nisso."

Um carro, uma palavra, uma armadilha, eles são fins, não meios. Você pode se apaixonar por eles e então nunca usá-los.

Eu costumava ficar em uma casa. A dona da casa tinha trezentos saris, mas só usava dois — ela estava reservando o resto para alguma ocasião especial. Quando será que essa ocasião especial vai vir? Tanto quanto eu sei, e eu a conheço há quinze anos, aquela ocasião especial ainda não chegou. Nem vai chegar, porque ela está ficando mais velha a cada dia, mais cedo ou mais tarde ela vai morrer e os trezentos saris vão ficar aí.

O que aconteceu? Apaixonada pelos saris? Você pode se apaixonar por coisas. É difícil se apaixonar por pessoas, é muito fácil se apaixonar por coisas, porque as coisas são mortas, você pode manipulá-las. Os saris nunca vão dizer: "Use-nos! Gostaríamos de sair e dar uma volta." O carro nunca vai dizer: "Dirija-me, eu estou ficando entediado."

Com as pessoas é difícil. Elas vão exigir, vão pedir, vão querer sair, têm seus próprios desejos a serem satisfeitos. Quando você se apaixona por uma pessoa, há sempre um conflito, então aqueles que são inteligentes nunca se apaixonam por pessoas, eles sempre se apaixonam por coisas: uma casa, um carro, roupas. Elas são sempre fáceis, manipuláveis, e você vai ser sempre o mestre e elas nunca vão criar problemas. Ou, se você se apaixonar por uma pessoa, imediatamente vai tentar convertê-la em uma coisa, uma coisa morta. Uma esposa é uma coisa morta, um marido é uma coisa morta, e eles torturam um ao outro. Por que eles torturam um ao outro? Qual é o sentido disso? Por meio da tortura, fazem o outro morto para que ele se torne uma coisa, manipulável. Então eles não se preocupam.

Duas matronas estavam olhando a vitrine de uma livraria. Uma delas disse à outra: "Olhe, lá está um livro chamado *Como Torturar seu Marido.*"

Mas a outra não ficou animada. Ela nem sequer olhou para o livro — ela disse: "Eu não preciso disso, tenho um sistema próprio."

Todo mundo tem seu próprio sistema de torturar o outro, porque somente por meio da tortura e da destruição uma pessoa pode ser transformada numa coisa.

Aconteceu uma vez de o Mulá Nasruddin entrar numa cafeteria parecendo muito furioso, muito agressivo e perigoso, e ele disse: "Eu ouvi dizer que alguém chamou minha mulher de bruxa feia e velha. Quem é esse cara?"

Um homem alto, forte, gigantesco, levantou-se e disse: "Fui eu, por quê?"

Olhando para a pessoa, Nasruddin imediatamente se acalmou. O homem era perigoso. Ele chegou perto e disse: "Obrigado, é isso o que eu sinto também, mas não conseguia reunir a coragem para dizer isso. Você fez isso, é um homem corajoso."

O que está acontecendo com os relacionamentos? Por que sempre ficam feios? Por que é tão impossível amar? Por que tudo fica envenenado? Porque a mente fica sempre feliz em manipular as coisas, porque as coisas nunca se rebelam; elas são sempre obedientes, nunca desobedecem. Uma pessoa está viva, você não pode prever o que ela vai fazer. E você não pode manipular — a liberdade do outro se torna um problema.

O amor é um problema porque você não pode permitir a liberdade do outro. E lembre-se: se você realmente ama, o amor verdadeiro só é possível quando você permite que o outro tenha liberdade total para ser ele mesmo. Mas então você não pode possuir, você não pode prever, você não pode ficar seguro, então tudo tem que mudar a cada momento. E a mente quer planejar, para ficar protegida e segura.

A mente quer que a vida pegue uma trilha de terra batida porque a mente é a coisa mais morta dentro de você. É como se você fosse um rio e parte do rio fosse de pedaços de gelo boiando. Sua mente é como o gelo — a parte congelada de você — e a mente quer torná-lo completamente congelado, para que, portanto, não haja medo. Porque sempre que existe o novo, existe o medo — com o velho, não há medo. A mente fica sempre feliz com o velho.

É por isso que a mente é sempre ortodoxa, nunca revolucionária. Nunca houve uma mente que possa ter sido chamada de revolucionária. A mente não pode ser revolucionária. Buda é revolucionário, Chuang Tzu é revolucionário — porque eles não têm mentes. Lênin não é revolucionário, Stálin também não, de jeito nenhum. Eles não podem ser. Com a mente, como você pode ser revolucionário? A mente é sempre ortodoxa, a mente é sempre conformista, pois a mente é a parte morta em você. Isso tem de ser compreendido.

Há muitas partes mortas em você, e o corpo tem que jogá-las fora. Seus cabelos estão mortos, é por isso que você pode cortá-los facilmente e não sente dor. Suas unhas estão mortas, é por isso que você pode cortá-las facilmente e não sente dor, nem mágoa. O corpo continua jogando fora essas partes. A consciência também tem que jogar fora muitas coisas, senão elas vão se acumular. A mente é uma parte morta como o cabelo. E isto é simbólico: Buda disse aos seus discípulos que raspassem a cabeça apenas como um símbolo. Assim como você raspa seu cabelo, raspe a consciência interior também, livre-a completamente da mente.

Ambos estão mortos, não os carregue. É bonito. Não permita que a parte morta se acumule. O que é a mente? O seu passado, suas experiências, seu aprendizado, tudo o que existiu. A mente nunca está presente — como pode estar? Aqui e agora, a mente não pode existir.

Se você simplesmente olhar para mim, onde está a mente? Se você simplesmente sentar aqui e me ouvir, onde está a mente? Se você começar a discutir, a mente entra, se você começar a julgar, a mente entra em ação. Mas como você julga? Você traz o passado para o presente, o passado torna-se o juiz do presente. Como você argumenta? Você traz o passado como um argumento e, quando você traz o passado, a mente interfere.

A mente é a parte morta de você, são os excrementos. E assim como há pessoas constipadas que sofrem muito, também existe constipação mental, acumulação de excrementos. Você nunca os elimina. Sua mente pensa: só pegar, nunca jogar fora.

A meditação é um descarregamento, é jogar a mente fora. Os excrementos não têm que ser carregados, caso contrário você vai se tornar cada vez mais embotado. É por isso que a criança tem uma mente fresca — porque não tem acumulação. Então, às vezes as crianças podem dizer coisas que os filósofos não podem dizer. Às vezes, elas veem e apreendem realidades que o homem de conhecimento não vê. As crianças são muito, muito perspicazes. Elas têm uma clareza, seu olhar é doce, seus olhos não estão cheios. O sábio é novamente uma criança. Ele esvaziou seu barco, ele se esvaziou de toda a carga. Os excrementos foram jogados fora, ele não está constipado. Sua consciência é um fluxo, não tem partes congeladas.

O propósito de uma armadilha para peixes é pegar peixes,
E, quando os peixes são capturados,
A armadilha é esquecida.

O propósito das palavras
É transmitir ideias.
Quando as ideias são compreendidas,
As palavras são esquecidas.

Se você realmente me entender, não será capaz de se lembrar do que eu disse. Você vai pegar o peixe, mas irá jogar fora a armadilha. Você vai ser o que eu disse, mas não vai se lembrar das palavras que eu disse. Você vai ser transformado por elas, mas não vai se tornar um homem mais instruído por causa delas. Você estará mais vazio por causa delas, menos cheio; você vai se afastar de mim revigorado, não sobrecarregado.

Não tente acumular o que eu digo, porque tudo o que você acumular será errado. O acúmulo está errado: não acumule, não preencha o seu baú com as minhas palavras. As palavras são excrementos, não têm nenhum valor. Jogue-as fora, então o significado vai estar lá, e o significado não precisa ser lembrado. Ele nunca se torna parte da memória, torna-se parte da sua totalidade. Você só tem que lembrar uma coisa quando ela faz parte da memória, do intelecto. Você nunca precisa se lembrar de uma coisa real que aconteceu a você. Se uma coisa acontece a você, ela está lá — qual a necessidade de lembrar? Não repita, porque a repetição vai lhe dar uma falsa noção.

Ouça, mas não as palavras — bem ao lado das palavras o que não tem palavras está sendo transmitido a você. Não fique focado demais nas palavras, basta olhar um pouco de lado, porque a coisa real está sendo transmitida ali. Não ouça o que eu digo, ouça-me! Eu também estou aqui, não apenas as palavras. E se você me ouvir, então todas as palavras serão esquecidas.

Foi o que aconteceu... Buda morreu, e os *bhikkus*, os discípulos, ficaram muito perturbados, porque nenhuma de suas frases foi registrada enquanto ele estava vivo.

Eles haviam se esquecido completamente. Eles não pensavam que ele iria morrer tão cedo, tão de repente. Os discípulos nunca pensam isso — que o mestre pode desaparecer de repente.

De repente, um dia, Buda disse: "Eu estou indo." Não havia tempo, e ele tinha falado durante quarenta anos. Quando ele estivesse morto, como suas palavras poderiam ser reunidas? Um tesouro estaria perdido, mas o que se podia fazer?

E é bonito que Mahakashyapa não tenha conseguido repetir nada. Ele disse: "Eu o ouvi, mas não me lembro do que ele disse. Eu estava muito nele, ele nunca se tornou parte da minha memória, eu não sei." E ele se tornou iluminado.

Sariputta, Moggalyan, todos esses que se tornaram iluminados, encolheram os ombros: "É difícil, ele disse tantas coisas, mas não nos lembramos." E esses foram os discípulos que tinham alcançado a iluminação.

Então Ananda foi abordado. Ele não se tornou um iluminado enquanto Buda estava vivo, ele tornou-se iluminado depois que Buda morreu. Ele se lembrava de tudo. Ele acompanhou Buda por quarenta anos, e ele ditou tudo, palavra por palavra — um homem que não foi iluminado! Parece paradoxal. Aqueles que tinham alcançado a iluminação deviam se lembrar, não esse homem que ainda não havia atingido a outra margem. Mas quando a outra margem é atingida, esta margem é esquecida e, se a própria pessoa se tornou um buda, quem se importa em lembrar o que Buda disse?

O propósito de uma armadilha para peixes é pegar peixes,
E quando os peixes são capturados,
A armadilha é esquecida.

As palavras de Buda eram armadilhas, Mahakashyapa capturou o peixe. Quem se preocupa com a armadilha agora? Quem se importa em saber para onde o barco foi? Ele cruzou o rio. Mahakashyapa disse: "Eu não sei o que esse sujeito disse. E você não pode confiar em mim, porque comigo é difícil separar o que ele disse do que eu digo."

Claro que vai ser assim. Se Mahakashyapa tornou-se ele próprio um buda, como eles podem estar separados? Os dois não são dois. Mas Ananda disse: "Eu vou relatar suas palavras", e ele relatou de modo muito autêntico. A humanidade tem uma grande dívida para com este Ananda, que ainda era ignorante. Ele não havia capturado o peixe, por isso ele se lembrava da armadilha. Ele ainda estava pensando em pegar o peixe, por isso tinha que carregar a armadilha.

O propósito das palavras
É transmitir ideias.
Quando as ideias são compreendidas,
As palavras são esquecidas.

Lembre-se disso como uma lei básica da vida — que o inútil, o sem sentido, o periférico, parece tão significativo porque você não está consciente do centro. Esse mundo parece tão significativo, porque você não está consciente de Deus. Quando Deus é conhecido, o mundo é esquecido. Nunca é o contrário.

As pessoas tentaram esquecer o mundo para que pudessem conhecer Deus — isso nunca aconteceu e nunca acontecerá. Você pode continuar tentando esquecer o mundo, mas você não vai conseguir. Todos os seus esforços para esquecer se tornarão uma lembrança contínua. Somente quando Deus é conhecido o mundo é esquecido. Você pode continuar lutando para abandonar o pensar, mas você não pode abandonar o pensamento enquanto não alcançar a consciência. O pensar é um substituto — como você pode abandonar a armadilha enquanto o peixe ainda não está capturado? A mente dirá: "Não seja tolo. Onde está o peixe?"

Como você pode abandonar as palavras se ainda não percebeu o significado? Não tente lutar com as palavras, tentar alcançar o significado. Não tente lutar com os pensamentos. É por isso que eu insisto mais uma vez em dizer que, se os pensamentos o perturbarem, não lute contra eles, não os combata. Se eles vierem, deixe-os vir. Se eles se forem, deixe-os ir. Não faça nada, apenas fique indiferente, seja apenas um observador, um espectador, não se preocupe. Isso é tudo que você pode fazer agora — ser indiferente.

Não diga: "Não venham." Não convide, não rejeite, não condene e não aprecie. Basta ficar indiferente. Olhe para eles, eles vêm como nuvens, e depois vão, como as nuvens desaparecem. Deixe-os ir e vir, não fique no caminho, não preste atenção neles. Porque, se você ficar contra eles, você começará a prestar atenção, e logo estará perturbado: "Minha meditação está perdida." Nada está perdido. A meditação é a sua natureza intrínseca. Nada está perdido. O céu está perdido quando há nuvens? Nada está perdido.

Seja indiferente, não se sinta incomodado pelos pensamentos, desta ou daquela maneira. E, mais cedo ou mais tarde, você vai sentir e perceber que esse ir e vir dos pensamentos se tornou mais lento. Cedo ou tarde você vai ver que agora eles vêm, mas não tanto; às vezes o trânsito para, a estrada fica vazia. Um pensamento passou, outro ainda não chegou; há um intervalo. Nesse intervalo você vai conhecer o seu céu interior em sua glória absoluta. Mas se entrar um pensamento, deixe-o entrar, não fique perturbado.

Se você conseguir, faça isso, pois somente isso pode ser feito; nada mais é possível. Seja desatento, indiferente, sem se importar. Apenas permaneça como uma testemunha, observando, não interferindo, e a mente irá passar, porque nada poderá ser retido no seu interior, se você ficar indiferente.

A indiferença é o corte das raízes, as próprias raízes. Não se sinta antagônico porque assim você também estará alimentando. Se você tem que se lembrar dos amigos, você tem que se lembrar dos inimigos também, até mais. Os amigos você pode esquecer, como pode esquecer os inimigos? Você tem que se lembrar constantemente deles, porque você tem medo.

As pessoas ficam perturbadas com os pensamentos, as pessoas comuns. As pessoas religiosas ficam mais perturbadas, porque estão constantemente brigando. Mas através da luta você presta atenção — e a atenção é o alimento. Tudo cresce se você prestar atenção; cresce rápido, torna-se mais vital. Seja apenas indiferente.

Buda usou a palavra *upeksha*, que significa indiferença absoluta, nem isso nem aquilo — apenas no meio — nem amigável nem hostil, nem a favor nem contra, apenas no meio, olhando como se você não estivesse preocupado, como se esses pensamentos não pertencessem a você, como se fossem parte do grande mundo. Deixe-os ficarem lá. Então, um dia, de repente, quando a indiferença for total, a consciência se desloca da periferia para o centro.

Mas isso não pode ser previsto e não pode ser planejado; a pessoa tem que continuar trabalhando e esperando. Sempre que isso acontece, você pode rir. Aqueles pensamentos estavam lá porque você queria que eles estivessem lá, esses pensamentos estavam lá porque você os estava alimentando constantemente, e esses pensamentos estavam lá porque o peixe ainda não fora capturado. Como você poderia jogar fora a armadilha? Você tinha que carregá-la.

Lembro-me:

Uma vez isso aconteceu no país do Mulá Nasruddin; o rei estava em busca de um homem sábio. Seu velho sábio tinha morrido e tinha dito enquanto estava morrendo: "Quando você me substituir, encontre o homem mais humilde do reino, porque o ego é contrário à sabedoria. Humildade é sabedoria, portanto encontre o homem mais humilde."

Agentes secretos foram enviados por todo o reino para espionar e procurar o homem mais humilde. Eles chegaram à aldeia de Nasruddin. Ele tinha ouvido falar que o velho sábio tinha morrido, então pensou sobre o que ele devia sugerir como uma indicação de um homem sábio. Ele havia lido, sabia que a sabedoria antiga dizia que o mais humilde é o mais sábio. Assim, ele logicamente inferiu, concluiu, que o velho devia ter dito para encontrar o homem mais humilde. Então, ele se tornou o homem mais humilde.

Os homens do rei vieram em busca. O Mulá Nasruddin era muito rico, mas, quando eles o viram, o homem mais rico da cidade, ele estava carregando uma rede de pesca, vindo do rio, como se tivesse o trabalho mais humilde da cidade. Então eles pensaram: "Este homem parece ser muito humilde", e eles perguntaram a Nasruddin: "Por que você carrega esta rede de pesca? Você é tão rico, você não precisa ir pescar."

Nasruddin disse: "Eu me tornei muito rico por meio da pesca. Comecei minha vida como pescador. Eu me tornei rico, mas, apenas para prestar meus respeitos à profissão original que me deu tanto, eu sempre carrego esta rede de pesca no meu ombro." Um homem realmente humilde...

Caso contrário, se um homem pobre fica rico, ele começa a limpar o seu passado inteiro, de modo que ninguém saiba que ele um dia foi um homem pobre. Ele vai se afastar de todos os contatos que mostram que ele era um homem pobre. Ele não quer ver seus parentes, não deseja que o lembrem do passado. Ele simplesmente ignora o passado completamente.

Ele cria um novo passado, como se fosse um aristocrata de berço. Mas este homem era humilde. Então, eles informaram ao rei que o Mulá Nasruddin era o homem mais humilde que já tinham visto e ele foi apontado como o homem sábio.

No dia em que foi nomeado, ele jogou fora a rede. Os homens que o haviam recomendado perguntaram: "Nasruddin, onde está sua rede agora?"

Ele disse: "Depois que o peixe é capturado, joga-se fora a rede."

Mas você não pode jogá-la fora antes — é impossível, você tem que carregá-la. Mas levá-la com indiferença. Não se apegue a ela, não caia de amores por ela, porque um dia ela tem que ser jogada fora. Se você cair de amores por ela, então você nunca poderá pegar o peixe, com medo de que, se pegar o peixe, vai ter que jogar fora a rede.

Não caia de amores pela mente. Ela tem que ser usada e existe porque você não conhece ainda a não mente; você não conhece o âmago do seu ser. A periferia está lá e você tem que levá-la consigo, mas carregá-la com indiferença. Não se torne uma vítima dela.

Uma história:

Foi o que aconteceu... Um homem estava acostumado a ir à pista de corrida todo ano no dia do seu aniversário. O ano inteiro ele acumulava o dinheiro apenas para uma aposta em seu aniversário. E ele estava perdendo há muitos anos, mas a esperança sempre o reanimava. Toda vez ele decidia não ir novamente, mas um ano é muito tempo. Por alguns dias, ele se lembrava, mas depois novamente a esperança voltava: "Quem sabe? Este ano eu posso ficar rico, e por que não fazer um esforço a mais?"

Quando seu aniversário chegou, ele estava novamente pronto a ir para a pista de corrida. E era seu quinquagésimo aniversário, então ele pensou: *Eu devia tentar pra valer.*

Então ele vendeu todas as suas posses, reuniu uma pequena fortuna, tudo o que ele havia ganhado em toda a sua vida, tudo o que tinha, e disse: "Agora eu tenho que decidir. Ou eu me torno um mendigo ou um imperador, não vou mais ficar no meio, chega!"

Ele foi lá, para o guichê, e olhou para os nomes dos cavalos: "Há esse cavalo, Adolf Hitler. Ele vai se dar bem. Um grande homem, um homem vitorioso, ele ameaçou o mundo inteiro. Esse cavalo deve ser feroz e forte." Assim, ele apostou tudo, e perdeu. Como todos que apostaram em Hitler, ele perdeu. Agora ele não tinha para onde ir, pois tinha perdido até mesmo a sua casa. Então o que fazer? Não havia nada a fazer senão se suicidar.

Então ele foi para a beira de um precipício, só para pular e acabar com a própria vida. Quando ele estava prestes a saltar, de repente ouviu uma voz, e não a reconheceu; não sabia se ela vinha do exterior ou do interior. Ele ouviu: "Pare! Da próxima vez vou lhe dar o nome do cavalo vencedor — mais uma tentativa. Não se mate."

A esperança reviveu, ele voltou. Ele trabalhou duro naquele ano, porque ia ser a vitória pela qual estivera esperando a vida inteira. O sonho tinha que se realizar. Ele trabalhou duro dia e noite, ganhou muito. Então, com o coração trêmulo, ele alcançou o guichê e esperou. A voz disse: "OK, escolha este cavalo, Churchill." Sem discutir, sem pensar, sem deixar a mente interferir, ele apostou tudo e venceu. Churchill ficou em primeiro lugar.

Ele voltou para o guichê e esperou. A voz disse: "Agora, aposte em Stálin." Ele apostou tudo. Stálin ficou em primeiro lugar. Agora ele tinha uma grande fortuna.

Na terceira vez ele esperou, e a voz disse: "Chega."

Mas ele disse: "Fique quieta, eu estou ganhando, estou com sorte e ninguém pode me derrotar agora." Então, ele escolheu Nixon e Nixon ficou em último.

Toda a fortuna foi perdida, ele se tornou novamente um mendigo. Ali parado, ele murmurou para si mesmo: "E agora, o que fazer?"

Disse a voz interior: "Agora você pode ir para o precipício e pular!"

No momento em que você vai morrer, a mente para, porque não há nada pelo qual trabalhar. A mente faz parte da vida, não faz parte da morte. Quando não há vida pela frente, a mente para, não há trabalho, ela fica imediatamente desempregada. E quando a mente para, a voz interior vem lá de dentro. Ela está sempre lá, mas há tanto barulho que uma voz mansa não pode ser ouvida.

A voz não vinha de fora, não há ninguém fora de nós, tudo está dentro. Deus não está no céu, está em você. Ele ia morrer — a última decisão tomada pela mente. Mas então a mente se aposentou, não havia mais trabalho, e de repente ele ouviu a voz. Essa voz veio de seu núcleo mais profundo, e a voz que vem do âmago mais profundo está sempre certa.

Então o que aconteceu? Duas vezes a voz se fez ouvir, mas a mente interferiu novamente e disse: "Não dê ouvidos a tal absurdo, estamos com sorte e estamos vencendo."

Lembre-se: sempre que você ganha, você ganha por causa da voz interior. Mas a mente sempre vem e toma conta. Sempre que você sente felicidade, ela vem de dentro. Então a mente salta imediatamente à frente e assume o controle e diz: "É por minha causa." Quando você está apaixonado, é como a morte; você se sente feliz. Imediatamente vem a mente e diz: "OK, esta sou eu, isso é por minha causa."

Sempre que você medita, há vislumbres. Então, a mente entra e diz: "Seja feliz! Olhe, eu fiz isso." E imediatamente o contato é perdido.

Lembre-se: com a mente você será sempre um perdedor. Mesmo que você seja vitorioso, suas vitórias serão apenas derrotas. Com a mente não há vitória, com a não mente não há derrota.

Você tem que mudar toda a sua consciência da mente para a não mente. Depois que a não mente estiver presente, tudo é vitorioso. Depois que a não mente estiver presente, nada dará errado, nada *pode* dar errado. Com a não mente, tudo é absolutamente como deveria ser. A pessoa tem contentamento, não resta nem um único fragmento de descontentamento; ela está absolutamente à vontade. Você é um estranho por causa da mente.

Essa mudança só é possível se você se tornar indiferente; caso contrário, essa mudança nunca será possível. Mesmo se você tiver lampejos, esses lampejos serão perdidos. Você já teve lampejos antes — não é só na oração e na meditação que os vislumbres acontecem. Os vislumbres acontecem na vida cotidiana também. Ao fazer amor com uma mulher, a mente para. É por isso que o sexo é tão atraente, é um êxtase natural. Por um momento único, de repente a mente não está lá; você se sente feliz e contente, mas apenas por um único momento. Imediatamente a mente entra e começa a funcionar — como conseguir mais, como ficar mais tempo? Surge o planejamento, o controle, a manipulação, e você se perdeu.

Às vezes, sem mais aquela, você está andando na rua, debaixo das árvores e de repente um raio de sol vem e cai em você, uma brisa toca seu rosto. De repente é como se o mundo inteiro mudasse, por um único momento você está em êxtase. O que aconteceu? Você estava andando, despreocupado, indo a lugar nenhum, só fazendo uma caminhada, de manhã ou à tarde. Naquele momento de descontração, de repente, sem o seu conhecimento, a consciência deslocou-se da mente para a não mente. Imediatamente há beatitude. Mas a mente vem e diz: "Quero ter mais momentos como este." Então você pode ficar lá durante anos, durante vidas, mas isso nunca vai acontecer de novo — por causa da mente.

Na vida comum, no dia a dia, não só nos templos, em lojas e escritórios também, os momentos vêm — a consciência muda e vai da periferia para o centro. Mas a mente assume de novo o controle imediatamente. A mente é o grande controlador. Você pode ser o mestre, mas ela é o gerente, e o gerente absorveu tanto controle e poder que pensa que é o mestre. E o mestre fica completamente esquecido.

Seja indiferente à mente. Sempre que ela interferir, em momentos sem palavras, silenciosos, não a ajude, não coopere com ela. Basta olhar. Deixe-a dizer o que quiser, não preste muita atenção. Ela vai se retirar.

Na meditação, isso acontece a você todos os dias. Muitos me procuram e dizem: "Aconteceu no primeiro dia, mas desde então não aconteceu mais."

Por que aconteceu no primeiro dia? Você está mais preparado agora, no primeiro dia não estava tão preparado. Por que aconteceu no primeiro dia? Aconteceu no primeiro dia porque o gerente não tinha conhecimento do que ia acontecer. Não poderia planejar. No dia seguinte, o gerente sabia muito bem o que ia ser feito. Agora, o gerente sabe, e o gerente faz. Então isso não vai acontecer, o gerente tomou a frente.

Lembre-se: sempre que um momento de bem-aventurança acontecer, não peça por ele novamente. Não peça que seja repetido, porque toda a repetição diz respeito à mente. Não peça por ele novamente. Se você pedir, então, a mente vai dizer: "Eu sei o truque. Vou fazer isso por você."

Quando isso acontecer, sinta-se feliz e grato e esqueça. O peixe foi pego, esqueça a armadilha. O significado foi capturado, esqueça a palavra.

E a última coisa: sempre que a meditação está completa, você se esquece dela. E só então, quando você se esquece da meditação, ela chega à plenitude, o clímax é atingido. Agora você fica meditativo durante 24 horas por dia. Não há nada a ser feito; ela está ali, é você, é o seu ser.

Se você puder fazer isso, então a meditação torna-se um fluxo contínuo, não um esforço da sua parte — porque todo o esforço é da mente.

Se a meditação se torna a sua vida natural, sua vida espontânea, o Tao, então eu lhe digo, algum dia Chuang Tzu vai encontrar você. Porque ele pergunta:

Onde posso encontrar um homem
Que se esqueceu das palavras?
É com ele que
Eu gostaria de conversar.

Ele está procurando. Eu já o vi muitas vezes aqui perambulando em torno de você, apenas esperando, esperando. Se você se esquecer das palavras, ele vai falar com você. E não só Chuang Tzu — Krishna, Cristo, Lao Tsé, Buda, todos eles estão em busca de você; todas as pessoas esclarecidas estão em busca dos ignorantes. Mas elas não podem falar porque conhecem a linguagem do silêncio, e você conhece a linguagem da loucura. Isso não vai levar a lugar nenhum. Eles estão em busca. Todos os budas que já existiram estão em busca. Sempre que estiver em silêncio, você vai sentir que eles sempre estiveram ao seu redor.

Dizem que sempre que o discípulo está pronto o mestre aparece. Sempre que você está pronto a verdade é entregue a você. Não há um intervalo de nem mesmo um instante. Sempre que você está pronto, acontece imediatamente. Não há intervalo de tempo.

Lembre-se de Chuang Tzu. A qualquer momento ele pode começar a falar com você, mas antes que ele comece, você precisa parar de falar.

Basta por hoje.

Capítulo 10

O TODO

"Como o verdadeiro homem do Tao
Atravessa paredes, sem encontrar obstrução,
Fica de pé no fogo sem se queimar?"

Não é por causa da astúcia ou ousadia;
Não é porque tenha aprendido,
Mas porque desaprendeu.

Sua natureza penetra até a raiz no Uno.
Sua vitalidade, sua força
Escondem-se no Tao secreto.

Quando ele é um todo,
Não há falha nele
Por onde uma cunha possa entrar.
Assim, um homem embriagado, ao cair de uma carroça,
Fica machucado, mas não destruído.
Os seus ossos são como os ossos dos outros homens,
Mas sua queda é diferente.
Seu espírito está inteiro.
Ele não percebe que entrou numa carroça
Ou que caiu de uma.

Vida e morte não são nada para ele.
Ele não conhece sustos, ele encontra obstáculos
Sem pensar, sem preocupação,
Enfrenta-os sem saber que lá estão.

Se existe tal segurança no vinho,
Quanto mais no Tao.
O homem sábio está oculto no Tao.
Nada pode tocá-lo.

Esse é um dos ensinamentos mais básicos e secretos. Normalmente vivemos com base na inteligência, na astúcia e na estratégia; não vivemos como crianças pequenas, inocentes. Nós planejamos, protegemos, nos cercamos de todas as garantias possíveis — mas qual é o resultado? Em última análise, o que acontece? Todas as garantias vão por água abaixo, toda a astúcia se revela estupidez — por fim, a morte nos leva embora.

O Tao diz que a sua astúcia não vai ajudá-lo, porque o que é a astúcia a não ser uma luta contra o todo? Com quem você é astuto — com a natureza, com o Tao, com a existência? Quem você pensa que está enganando — a fonte de onde você nasceu e a fonte para a qual você vai no final? A onda tenta enganar o oceano, a folha tenta enganar a árvore, a nuvem tenta enganar o céu? Quem você acha que está tentando enganar? Com quem você está jogando?

Depois de entender isso, o homem se torna inocente, deixa de lado sua astúcia, todas as suas estratégias, e simplesmente aceita. Não há nenhuma outra maneira a não ser aceitar a natureza como ela é, fluir com ela. Então, não há resistência, então ele se torna como uma criança que acompanha seu pai, em profunda confiança.

Aconteceu uma vez... o filho do Mulá Nasruddin chegou em casa e disse que tinha dado o seu brinquedo para um menino, que ele acreditava ser seu amigo, brincar. Agora, ele não queria devolvê-lo. "O que devo fazer?", perguntou ele.

O Mulá Nasruddin olhou para ele e disse: "Suba esta escada." O menino confiava em seu pai, por isso ele subiu. Quando estava a dez degraus de altura, Nasruddin disse: "Agora pule em meus braços."

O menino hesitou um pouco, e disse: "Se eu cair, vou me machucar."

Nasruddin disse: "Eu estou aqui, você não precisa se preocupar. Pule." O menino pulou e Nasruddin deu um passo para o lado. O menino caiu e começou a chorar.

Então, Nasruddin disse: "Agora você sabe. Nunca acredite em ninguém, nem mesmo no que seu pai diz, nem mesmo no seu pai, não acredite em ninguém. Caso contrário, você será enganado toda a sua vida."

Isso é o que cada pai, cada mãe, cada escola, cada professor, está ensinando. Essa é a sua aprendizagem. Não acredite em ninguém, não confie, caso contrário você será enganado. Você se torna astuto. Em nome da inteligência, você se torna astuto, desconfiado. E depois que um homem passa a desconfiar, ele perde o contato com a fonte.

Depois disso, toda a sua vida é desperdiçada; você trava uma luta impossível em que a derrota é certa. A confiança é a única ponte e é melhor perceber isso mais cedo, porque no momento da morte todo mundo percebe que saiu derrotado. Mas, então, nada pode ser feito.

A inteligência real não é astúcia, é totalmente diferente. A inteligência real é olhar para as coisas. E sempre que você olhar para as coisas profundamente, vai saber que você é apenas uma onda, que esse todo é o oceano e não há necessidade de se preocupar. O todo produziu você, ele vai cuidar de você. Você veio do todo, ele não é seu inimigo. Você não precisa se preocupar, não precisa planejar. E quando você não estiver preocupado, não planejar, pela primeira vez a vida começa. Pela primeira vez você se sente livre de preocupações e a vida acontece a você.

Essa inteligência é religião. Essa inteligência lhe dá mais confiança e, por fim, confiança total. Essa inteligência leva você à natureza suprema, à aceitação — o que Buda chamou de *tathata*. Buda disse: O que acontece, acontece. Nada mais pode acontecer, nada mais é possível. Não peça que seja de outro modo; deixe acontecer, e permita que o todo funcione. E quando você permite que o todo funcione e você não é uma barreira, uma resistência, então você não pode ser derrotado.

No Japão, graças a Buda, Lao Tsé e Chuang Tzu, eles desenvolveram uma arte particular que chamam de *zendo*. *Zendo* significa o Zen da espada, a arte do guerreiro — e ninguém sabe essa arte como eles. A maneira como eles desenvolveram é suprema. Levam-se anos, até mesmo uma vida inteira para se aprender *zendo*, porque a aprendizagem consiste em aceitação. Você não consegue aceitar na vida cotidiana — como você pode aceitar que um guerreiro esteja de pé diante de você para matá-lo? Como você pode aceitar que a espada se levante contra você e a cada momento, a qualquer momento, a morte esteja próxima?

A arte do *zendo* diz que, se você pode aceitar a espada, o inimigo, aquele que vai matá-lo, e não houver desconfiança, se até o inimigo é amigo e você não tem medo, você não está tremendo, então você se torna um pilar de energia, inquebrantável. A espada vai quebrar em você, mas você não pode ser quebrado. Não vai haver nem mesmo qualquer possibilidade de que você seja destruído.

Foi o que aconteceu... Era uma vez um grande mestre do *zendo*, ele tinha 80 anos, e tradicionalmente, o discípulo que conseguisse derrotá-lo iria sucedê-lo. Então todos os discípulos esperavam que um dia ele fosse aceitar o desafio deles, e agora ele estava ficando velho.

Havia um discípulo mais inteligente que os outros, um estrategista, muito poderoso, mas que não era um mestre de *zendo*, era apenas qualificado na arte. Ele era um bom guerreiro, sabia tudo sobre esgrima, mas ainda não era um pilar de energia. Ele ainda ficava com medo, enquanto lutava. O *tathata* ainda não tinha acontecido a ele.

Ele tinha procurado o mestre várias vezes, dizendo: "Agora chegou a hora, e você está ficando velho. Você pode ficar velho demais para me desafiar, pode até morrer. Então eu o desafio. Aceite o meu desafio, Mestre, e me dê uma chance de mostrar o que eu aprendi com você." O mestre ria e o evitava.

O discípulo começou a achar que o mestre tinha se tornado tão fraco e velho que estava com medo, tentando fugir do desafio. Então uma noite ele insistiu muito e disse: "Não vou sair daqui até que aceite o meu desafio para amanhã de manhã. Você tem que aceitar, eu o desafio." Ele ficou com raiva: "Você está ficando velho e logo não haverá mais chance para eu mostrar o que aprendi com você. Esta sempre foi a tradição."

O mestre disse: "Se você insiste, sua própria insistência mostra que você não está pronto ou preparado. Há muita empolgação, seu ego é provocador. Você ainda não é capaz, mas se você insiste, OK. Faça uma coisa. Vá para um mosteiro aqui nas proximidades; há um monge lá, ele foi meu discípulo dez anos atrás. Tornou-se tão eficiente em *zendo* que jogou fora sua espada e tornou-se um *sannyasin*. Ele seria meu legítimo sucessor. Ele nunca me desafiou, e era o único que poderia ter me desafiado e até me derrotado. Então, primeiro vá desafiar o monge. Se você conseguir derrotá-lo, então me procure. Se você não conseguir derrotá-lo, então é só esquecer essa ideia."

O discípulo partiu imediatamente para o mosteiro. Pela manhã, lá estava ele. E desafiou o monge. Ele não pôde acreditar que esse monge pudesse ser um mestre do *zendo* — magro e franzino, meditando o tempo todo, comendo apenas uma vez por dia. O monge ouviu e riu, e disse: "Você veio para me lançar um desafio? Nem o seu mestre pode me desafiar, até mesmo ele tem medo."

Ouvindo isso, o discípulo ficou louco! Ele disse: "Isso é um insulto, não vou ouvir isso! Levante-se imediatamente! Aqui está uma espada, eu a trouxe por saber muito bem que você é um monge e podia não ter uma. Venha para o jardim."

O monge pareceu absolutamente imperturbável. Ele disse: "Você é apenas uma criança, não é um guerreiro. Você será morto instantaneamente. Por que está pedindo a morte desnecessariamente?"

Isso o deixou ainda mais irritado, e então os dois saíram ao ar livre. O monge disse: "Eu não preciso da espada, porque um verdadeiro mestre nunca precisa. Eu não vou atacá-lo, eu só vou lhe dar uma chance para me atacar para que a sua espada se quebre. Você não é páreo para mim. Você é uma criança, e as pessoas vão rir de mim se eu levantar a espada contra você."

Aquilo era demais! O jovem atacou — mas então viu que o monge estava se levantando. Até então, o monge ficara sentado, mas então ele se levantou, fechou os olhos, e começou a balançar de um lado para outro, da esquerda para a direita — e de repente o jovem viu que o monge tinha desaparecido. Havia apenas um pilar de energia — o rosto não estava mais lá, apenas um pilar sólido de energia, balançando. Ele ficou com medo e começou a recuar, e a coluna de energia começou a se mover na direção dele, balançando. Ele jogou fora a espada e gritou: "Salvem-me!"

O monge sentou-se novamente e começou a rir. Seu rosto voltou, a energia desapareceu, e ele disse: "Eu lhe disse: nem mesmo o seu mestre é páreo para mim. Vá e diga a ele."

Suando, tremendo, nervoso, o discípulo voltou para seu mestre e disse: "Como sou grato por sua compaixão para comigo! Eu não sou páreo para você. Até mesmo aquele monge me destruiu completamente. Mas uma coisa eu não pude tolerar, porque isso me tirou do sério. Ele disse: Nem o seu mestre é páreo para mim."

O mestre começou a rir e disse: "Então esse patife usou o truque com você também? Você ficou com raiva? Então, ele pôde ver através de você, porque a raiva é um buraco no ser. E esse se tornou seu truque básico. Sempre que eu envio alguém para ele, ele começa a falar mal de mim, e meus discípulos, claro, ficam com raiva. Quando estão com raiva, ele descobre que eles têm brechas, e quando você tem buracos, não pode lutar."

Sempre que você está com raiva, o seu ser sofre "vazamentos" de energia. Sempre que deseja alguma coisa, o seu ser se enche de buracos. Sempre que você está com ciúmes, cheio de ódio, sexualidade, você não é um pilar de energia. Por isso os budas nos ensinam a não ter desejos, porque, sempre que você fica sem desejos, a sua energia não se move para fora, ela se move dentro. Torna-se um círculo interno, torna-se um campo elétrico, um campo bioelétrico. Quando esse campo está presente, sem nenhum vazamento, você é um pilar, não pode ser derrotado. Mas, lembre-se, você não está pensando em vitória, porque, se estiver pensando em vitória, não poderá ser um pilar de energia. Então esse desejo se torna um vazamento.

Você é fraco, não porque os outros são fortes; você é fraco, porque está cheio de tantos desejos. Você é derrotado, não porque os outros são mais astutos e inteligentes; você é derrotado porque tem muitos vazamentos de energia.

Tathata — aceitação, aceitação total, significa que não há desejo. O desejo surge da não aceitação. Você não pode aceitar uma determinada situação, por isso surge o desejo. Você mora numa cabana e não consegue aceitar; isto é demais para o ego, você quer um palácio. Você é um homem pobre, mas não porque mora numa cabana, não. Imperadores moraram em cabanas. Buda viveu debaixo de uma árvore, e ele não era um homem pobre. Você não poderia encontrar um homem mais rico.

Não, sua cabana não torna você um homem pobre. No momento em que você deseja o palácio, você é um homem pobre. E você não é pobre porque os outros estão morando em palácios, você é pobre porque o desejo de morar no palácio cria uma comparação com a cabana. Você se torna invejoso. Você é pobre.

Sempre que há descontentamento, há pobreza; sempre que não há descontentamento, você é rico. E você tem tantas riquezas que nenhum ladrão pode roubá-las; você tem tantas riquezas que nenhum governo pode levá-las por meio de impostos; você tem riquezas que não podem ser tiradas de você de forma alguma. Você tem uma fortaleza inquebrantável, impenetrável.

Quando surge o desejo e sua energia começa a decair, você se torna fraco por causa do desejo, você se torna fraco por causa do anseio. Sempre que você não anseia e está satisfeito, sempre que nada está se movendo, quando todo o seu ser está em quietude, você se torna um forte impenetrável, diz Chuang Tzu. O fogo não pode queimá-lo, a morte é impossível — esse é o significado. O fogo não pode queimá-lo, a morte é impossível, você não pode morrer. Você tem a chave secreta para a vida eterna.

E às vezes isso acontece em circunstâncias normais também. Uma casa está pegando fogo — todos morrem, mas uma criança pequena sobrevive. Ocorre um acidente — os adultos morrem e as crianças pequenas sobrevivem. As pessoas dizem que isso é um milagre, a graça de Deus. Não, não é nada disso, é porque a criança aceita essa situação também. Aqueles que eram astutos começaram a correr e a tentar se salvar, eles ficaram em apuros. A criança ficou parada. Nem sabia que algo estava acontecendo, que ia morrer. A criança é salva graças à sua inocência.

Acontece todos os dias. Vá e veja de perto um bar, uma loja de bebidas, à noite, os bêbados estão caindo na rua, deitados na sarjeta, absolutamente felizes. Na parte da manhã eles vão se levantar. Eles podem estar um pouco machucados, mas nenhum mal aconteceu aos seus corpos. Seus ossos estão intactos. Eles não têm nenhuma fratura.

Se você tentar cair como um bêbado na rua, vai ficar com fraturas. E o bêbado cai assim todo dia, toda noite, muitas vezes, mas nada acontece com ele. Qual é o problema, qual é o segredo? Quando ele está bêbado não há desejo. Ele está absolutamente à vontade, aqui e agora. Quando ele está bêbado, não tem medo, não há medo, e quando não há medo, não há astúcia.

A astúcia vem do medo. Assim, quanto mais uma pessoa tem medo, mais astúcia você vai encontrar nela. Um homem corajoso não é astuto, ele pode confiar na sua coragem, mas um homem que tem medo, que é um covarde, só pode confiar na sua astúcia. Quanto mais inferior uma pessoa, mais astuta ela é; quanto mais superior uma pessoa, mais inocente ela é. A astúcia é um substituto. Quando se está bêbado, absolutamente bêbado, futuro e passado desaparecem.

Eu ouvi...

Uma vez aconteceu... O Mulá Nasruddin estava andando com sua esposa, absolutamente embriagado. Ela encontrou-o deitado na rua e o estava levando para casa. Claro, ela estava discutindo, e vencia em todos os argumentos, porque estava sozinha. O Mulá Nasruddin não estava lá, ele simplesmente ia junto com ela.

Então, de repente, ela viu um touro bravo se aproximando. Não houve tempo para alertar Nasruddin, então ela pulou para trás de um arbusto. O touro se aproximou e jogou Nasruddin longe. Ele caiu numa vala e, quando se arrastou para fora, olhou para sua esposa e disse: "Se você fizer isso de novo comigo, eu realmente vou perder a calma. Já é demais!"

Se um vinho ordinário dá essa força quando se está bêbado, o que dizer do Tao, a embriaguez absoluta? E sobre Krishna ou Buda, os maiores bêbados — tão embriagados com o divino que nem mesmo um traço do ego lhes resta? Você não pode prejudicá-los, porque eles não estão lá, você não pode insultá-los, porque não há ninguém para resistir ao insulto e criar uma ferida. O insulto vai passar por eles, como se passasse por uma casa vazia. Seus barcos estão vazios. Uma brisa vem e passa sem encontrar nenhuma barreira. Quando a brisa passou, a casa nem percebe que houve uma brisa.

O apelo do vinho na verdade ocorre porque você é egoísta. Você está tão sobrecarregado com o ego que às vezes quer esquecê-lo. O mundo terá que seguir o álcool ou o Tao — essas são as alternativas. Apenas um homem religioso, um homem muito religioso, pode ficar além do álcool, da maconha, do LSD — qualquer tipo de droga. Apenas um homem religioso pode ficar além deles; caso contrário, como você pode ficar além deles? O ego é demais, o fardo é imenso, é constante na sua cabeça. Você *tem* que esquecê-lo.

Mas se o vinho pode fazer tanto, você não imagina o que o vinho divino pode fazer. O que o vinho faz? Por alguns momentos, devido a mudanças químicas no cérebro, no corpo, você se esquece de si. Mas isso é momentâneo. No fundo, você está lá, e depois de algumas horas o efeito químico desaparece, o corpo elimina o vinho e o ego reafirma-se.

Mas existe um vinho, eu lhe digo — Deus é esse vinho, o Tao, ou qualquer nome que você quiser dar a ele. Depois de prová-lo, o ego se vai para sempre. Ninguém jamais voltou dessa embriaguez.

É por isso que os sufis sempre falam de vinho, os sufis sempre falam das mulheres. A mulher deles não é a mulher que você conhece — Deus é a mulher. E o vinho não é o vinho que você conhece — Deus é o vinho. Omar Khayyam tem sido mal interpretado, tremendamente mal compreendido, por causa de Fitzgerald ele foi mal interpretado no mundo todo. O *Rubaiyat*, de Omar Khayyam, parece ter sido escrito como se louvasse o vinho e as mulheres, mas isso não é verdade. Omar Khayyam é um sufi, um místico. Ele fala do vinho que vem através do Tao, ele fala desse vinho no qual você se perde para sempre. Este tóxico, esse tóxico divino, não é temporário, é não temporal; não é momentâneo, é eterno.

Os sufis falam de Deus como uma mulher. Então, o abraço é eterno, é supremo; então não há separação. Se você conseguir entender isso, então você é inteligente, mas não por causa de suas estratégias, da sua astúcia, da aritmética, da sua lógica.

Se puder, olhe fundo para a existência. De onde você veio? Para onde você vai? Com quem você está lutando, e por quê? Esses mesmos momentos que você está desperdiçando com a luta podem se tornar extasiantes.

Agora analise o sutra: *O Todo*.

Você pensa em si mesmo como um indivíduo. Você está errado. Apenas o todo existe. Isso é falso, essa aparência, o que eu acho que eu sou. Essa é a coisa mais falsa do mundo. E por causa desse "eu sou", surge a luta. Se eu sou, então esse todo parece hostil; então tudo parece estar contra mim.

Não é que alguma coisa esteja contra você — não pode estar! Estas árvores ajudaram você, este céu ajudou, essa água ajudou, esta terra o criou. Então, a natureza é sua mãe. Como a sua mãe pode ser contra você? Você saiu dela. Mas você pensa nesse "eu" como um indivíduo, e então surge a luta. É unilateral. Você começa a luta, e a natureza continua rindo, a existência continua desfrutando. Mesmo numa criança pequena, no momento em que ela começa a sentir o eu, surge a luta.

Num supermercado, uma criança pequena estava insistindo para ganhar um brinquedo. A mãe disse: "Não, eu não vou comprá-lo. Você já tem o suficiente."

A criança ficou irritada e disse: "Mamãe, eu nunca vi uma moça mais malvada do que você, você é a pior que eu já vi."

A mãe olhou para a criança, para o seu rosto, a sua raiva, e disse: "Espere só, você um dia certamente vai encontrar uma moça realmente malvada. Basta esperar!"

Em uma casa, a mãe estava insistindo para que a criança fizesse sua lição de casa. Ela não estava ouvindo e continuou a brincar com seus brinquedos, então a mãe disse: "Você está me ouvindo ou não?"

A criança olhou para cima e disse: "Quem você acha que eu sou? O papai?"

Ela é só uma criança pequena, mas a luta começou — o ego surgiu. Ela sabe que o pai pode ser silenciado, mas não ela. No momento em que a criança sente que está separada, a unidade natural se rompe e, então, toda a sua vida se torna uma luta.

A psicologia ocidental insiste em dizer que o ego deve ser reforçado. Essa é a diferença entre a atitude oriental e a ocidental. A psicologia ocidental insiste em dizer que o ego deve ser reforçado, a criança deve ter um ego forte, ela deve lutar, combater; só então ela amadurecerá.

A criança está no ventre da mãe, una com a mãe, nem mesmo consciente de quem ela é — ela existe, mas sem nenhuma consciência. Num sentido mais profundo, toda consciência é uma doença. Não é que ela esteja inconsciente — ela *está* consciente. Seu ser está lá, mas sem nenhuma autoconsciência. O "sou" está lá, mas o "eu" não nasceu ainda. A criança sente, vive, está completamente viva, mas nunca sente que está separada. A mãe e a criança são uma coisa só.

Então, a criança nasce. A primeira separação acontece, e o primeiro choro. Agora ela está se movendo, a onda está se movendo para longe do oceano. Os psicólogos ocidentais dizem: vamos treinar a criança para ser independente, ser individual. A psicologia de Jung é conhecida como o caminho da individuação. Ela deve se tornar um indivíduo, absolutamente separada. Ela tem que lutar. É por isso que, no Ocidente, há tanta rebelião na nova geração. Essa rebelião não foi criada pela geração mais jovem; foi criada por Freud, Jung, Adler e companhia. Eles proporcionaram a base.

A luta vai lhe dar um ego mais forte. Ela vai moldar você. Então lute contra a mãe, lute contra o pai, lute contra o professor, lute contra a sociedade. A vida é uma luta. E Darwin começou toda a tendência, quando disse que só os mais fortes sobrevivem; a sobrevivência do mais apto. Quanto mais forte você estiver no seu ego, mais provável é que vá sobreviver.

O Ocidente vive através da política, o Oriente tem uma atitude totalmente diferente — e o Tao é o núcleo, a própria essência da consciência oriental. Ele diz: Nenhuma individualidade, nenhum ego, nenhuma luta; torne-se uno com a mãe, não há inimigo, a questão não é vencer.

Mesmo um homem, um homem muito experiente, um homem muito arguto, lógico, como Bertrand Russell, pensa em termos de conquista — conquistar a natureza, a conquista da natureza. A ciência parece uma luta, uma luta contra a natureza: como quebrar a fechadura, como abrir os segredos, como pegar os segredos da natureza.

A consciência oriental é totalmente diferente. Ela diz: o ego é o problema, não o torne mais forte, não crie nenhuma luta. E não é o mais apto, mas o mais humilde que vai sobreviver.

É por isso que eu insisto mais uma vez em dizer que Jesus veio do Oriente; é por isso que ele não poderia ser entendido no Ocidente. O Ocidente não o entendeu. O Oriente poderia entendê-lo porque o Oriente conhece Lao Tsé, Chuang Tzu, Buda, e Jesus lhes pertence. Ele diz: "Os últimos serão os primeiros no meu reino de Deus." Os mais humildes, os mais mansos, possuirão o reino de Deus. Os pobres de espírito são o objetivo. Quem são os pobres de espírito? O barco vazio, o que não é nada — não tem direitos sobre nada, não tem a posse de nada, não tem um eu. Ele vive como uma ausência.

A natureza oferece de bom grado seus segredos. Não há necessidade de tomá-los, não há necessidade de matar, não há necessidade de quebrar a fechadura. Ame a natureza, e a natureza lhe revelará seus segredos. O amor é a chave. Conquistar é um absurdo.

Então o que aconteceu no Ocidente? Essa conquista destruiu toda a natureza. Agora há um clamor pela ecologia, para saber como equilibrar as coisas. Nós destruímos a natureza completamente, porque quebramos todas as fechaduras e destruímos todo o equilíbrio. E agora a humanidade, por causa desse desequilíbrio, vai morrer mais cedo ou mais tarde.

Chuang Tzu pode ser entendido agora, porque ele diz: Não brigue com a natureza. Ame profundamente, torne-se uno com esse amor, de coração para coração, e o segredo será revelado. E o segredo é que você não é um indivíduo, você é o todo. Por que ficar satisfeito em ser apenas uma parte? Por que não ser o todo? Por que não possuir todo o universo? Por que possuir pequenas coisas?

Ramateertha costumava dizer: "Quando eu fecho os olhos vejo estrelas se movendo dentro de mim, o nascer do Sol dentro de mim, a Lua crescente dentro de mim. Vejo oceanos e céus. Eu sou grande, eu sou o universo inteiro."

Quando ele foi para o Ocidente pela primeira vez e começou a dizer essas coisas, as pessoas pensavam que ele tinha enlouquecido. Alguém lhe perguntou: "Quem criou o mundo?"

Ele disse: "Eu, ele está dentro de mim."

Esse "eu" não é o ego, não é o indivíduo; esse "eu" é o universo, a existência.

Ele parece louco. Essa afirmação parece exagerada. Mas olhe nos olhos dele: não há ego. Ele não está afirmando nada, ele está simplesmente declarando um fato.

Você é o mundo. Por que ser uma parte, uma pequena parte, e por que desnecessariamente criar problemas quando você pode ser o todo?

Esse sutra está relacionado ao todo. Não seja o indivíduo, seja o todo. Não seja o ego. Se você pode se tornar o divino, por que ficar satisfeito com uma coisa tão pequena e feia?

Como o verdadeiro homem do Tao
Atravessa paredes, sem obstrução,
E fica de pé no fogo sem se queimar?

Alguém perguntou a Chuang Tzu: "Ouvimos dizer que um homem do Tao pode atravessar paredes, sem obstrução. Por quê?" Se você não tem nenhuma obstrução dentro de si, nenhuma obstrução pode impedir você. Essa é a regra. Se você não tem resistência dentro de você, em seu coração, o mundo inteiro está aberto para você. Não há nenhuma resistência. O mundo é apenas um reflexo, é um grande espelho; se você tem resistência, então o mundo inteiro tem resistência.

Aconteceu uma vez... Um rei construiu um palácio, um palácio feito de milhões de espelhos — todas as paredes estavam cobertas de espelhos. Um cão entrou no palácio e viu milhões de cães ao redor. Assim, sendo um cão muito inteligente, ele começou a latir para se proteger dos milhões de cães em volta dele. Sua vida estava em perigo. Ele deve ter ficado tenso, e começou a latir. E quando ele começou a latir, os milhões de cães começaram a latir também.

De manhã, o cão foi encontrado morto. Lá estava ele, sozinho, havia apenas espelhos. Ninguém estava lutando com ele, não havia ninguém ali para lutar, mas ele se olhou no espelho e ficou com medo. E quando ele começou a lutar, o reflexo no espelho também começou a luta. Ele estava sozinho, com milhões e milhões de cães ao redor. Você pode imaginar o inferno que ele viveu naquela noite?

Você está vivendo nesse inferno agora, milhões e milhões de cães estão latindo em torno de você. Em cada espelho, em cada relacionamento, você vê o inimigo. Um homem do Tao pode atravessar paredes porque ele não tem parede em seu coração. Um homem do Tao não encontra inimigos em lugar nenhum porque ele não é o seu inimigo interior. Um homem do Tao encontra todos os espelhos vazios, todos os barcos vazios, porque o seu próprio barco está vazio. Ele é espelhado, ele não tem um rosto próprio, então como você pode espelhar, como você pode refletir um homem do Tao? Todos os espelhos permanecem em silêncio. Um homem do Tao passa — nenhuma pegada é deixada para trás, nenhum rastro. Todos os espelhos permanecem em silêncio. Nada o reflete, porque ele não está ali, ele está ausente.

Quando o ego desaparece, você fica ausente, e então você fica inteiro. Quando o ego existe, você está presente, e é apenas uma pequenina parte, uma parte muito pequena, e muito feia. A parte será sempre feia. É por isso que temos de tentar torná-la bonita, de muitas maneiras. Mas um homem com um ego não pode ser bonito. A beleza só acontece para aqueles que não têm ego. Então, a beleza tem algo de desconhecido, algo de imensurável.

Lembre-se: a feiura pode ser medida. Ela tem limites. A beleza, a chamada beleza, pode ser medida. Ela tem limites. Mas a verdadeira beleza não pode ser medida — não tem limites. É misteriosa — ela nunca acaba. Você nunca vai terminar de ver a beleza de um buda. Você pode penetrar dentro dele e nunca vai sair. Ele não tem fim! Sua beleza nunca termina.

Mas o ego continua tentando ser bonito. De algum modo você se lembra da beleza do todo; de algum modo você se lembra do silêncio do ventre; de algum modo, lá no fundo, você sabe como é a felicidade de ser uno, estar em uníssono, em unidade com a existência. Por isso, muitos desejos surgem. Você sabe como é a beleza de ser um deus e você tem que viver como um mendigo. Então o que você faz? Você cria faces, você pinta a si mesmo. Mas bem lá no fundo a feiura permanece, porque todas as tintas são apenas tintas.

Aconteceu uma vez... Uma mulher estava caminhando na praia. Ela encontrou uma garrafa, abriu a garrafa e um gênio saiu. E, assim como todos os gênios bons, o gênio disse: "Você me tirou da prisão, você me libertou. Então, agora você pode pedir qualquer coisa, e vou cumprir o seu mais acalentado desejo ou vontade."

Não se encontram gênios todos os dias, em toda praia, em toda garrafa. Isso raramente acontece, e só nas histórias. Mas a mulher não pensou nem por um único momento. Ela disse: "Quero me tornar uma pessoa bonita. O cabelo como o de Elizabeth Taylor, os olhos como os de Brigitte Bardot, o corpo como o de Sophia Loren."

O gênio olhou novamente, e disse: "Querida, me coloque de volta na garrafa!"

E é isso que você está pedindo — é o que todo mundo está pedindo — é por isso que os gênios desapareceram deste mundo. Eles têm medo de você, porque você está pedindo o impossível. Isso não pode acontecer, porque a parte não pode ser bonita.

Basta pensar: minha mão pode ser cortada — essa mão pode ser bonita? Ela vai ficar cada vez mais feia, ela vai se deteriorar, vai começar a cheirar mal. Como a minha mão pode ser bonita separada de mim? A separação traz a morte; o uníssono traz vida. No todo você está vivo; sozinho e separado, você já está morto ou morrendo.

Tire os meus olhos, então o que eles são? Mesmo as pedras, as pedras coloridas, serão mais bonitas do que eles, porque elas ainda estão com o todo. Arranque uma flor; ela deixa de ser linda, a glória se foi. Era linda só um instante atrás, quando estava com as raízes, com a terra. Desenraizado, você flutua como egos. Você está doente, e continuará doente, e nada pode ser de alguma ajuda. Todos os seus esforços, embora inteligentes, não vão dar em nada.

Apenas no todo você é belo. Apenas no todo você é adorável. Apenas no todo a graça é possível.

Não é por causa da astúcia que o homem do Tao atravessa paredes, sem obstrução, e fica no fogo sem se queimar.

Não é por causa da astúcia ou ousadia;
Não é porque tenha aprendido,
Mas porque desaprendeu.

A aprendizagem vai para o ego; a aprendizagem fortalece o ego. É por isso que especialistas, brâmanes, estudiosos têm os egos mais sutis. A aprendizagem dá a eles mais alcance, a aprendizagem dá a eles mais espaço. Eles se tornam tumores, egos. Todo o seu ser é então explorado pelo ego.

Quanto mais culto um homem, mais difícil é viver com ele, mais difícil é se relacionar com ele, mais difícil para ele é alcançar o templo. É quase impossível para ele conhecer Deus, porque ele próprio agora vive como um tumor, e o tumor tem vida própria — agora é o tumor egoico. E ele explora. Quanto mais você souber, menor é a possibilidade da devoção acontecer.

Então Chuang Tzu diz que não é por causa da astúcia, ele não está calculando, ele não é astuto ou ousado, porque ousadia, astúcia, cálculo são, todos eles, parte do ego. Um homem do Tao não é nem covarde nem corajoso. Ele não sabe o que é bravura, o que é covardia. Ele vive. Ele não é autoconsciente, não porque tenha aprendido, mas porque desaprendeu. Toda a religião é um processo de desaprendizagem. Aprender é o processo do ego, desaprender é o processo do não ego. Erudito, o seu barco fica cheio, cheio de si mesmo.

Foi o que aconteceu... O Mulá Nasruddin tinha uma balsa e, quando os tempos não eram bons, ele levava os passageiros de uma margem à outra.

Um dia, um grande estudioso, um gramático, um sábio, estava atravessando em sua balsa. O especialista, o erudito, perguntou a Nasruddin: "Você conhece o Alcorão? Você aprendeu as escrituras?"

Nasruddin disse: "Não, não tive tempo."

O estudioso disse: "Metade da sua vida foi desperdiçada."

Então, de repente, surgiu uma tempestade e o barquinho foi apanhado pelas ondas, a qualquer momento eles poderiam se afogar. Então perguntou Nasruddin: "Professor, o senhor sabe nadar?"

O homem estava com muito medo, suando. Ele disse: "Não."

Nasruddin disse: "Então, toda a sua vida foi desperdiçada. Eu estou indo!"

Agora, esse barco não pode mais ir para a outra margem. Mas as pessoas pensam que a aprendizagem pode se tornar um barco, ou pode se tornar um substituto para a natação. Não! As escrituras podem se tornar barcos? Não, elas são muito pesadas. Você pode submergir nelas, mas não pode atravessar o rio. Desaprender fará com que você fique leve; desaprender o tornará inocente novamente.

Se você não sabe, nesse não saber o que acontece? O fenômeno mais belo, o maior êxtase acontece quando você não sabe — há um silêncio quando você não sabe. Alguém faz uma pergunta e você não sabe. A vida é um enigma, e você não sabe. Todo lugar é um mistério e você está ali sem saber, perguntando. Quando você não sabe existe um deslumbramento, o deslumbramento é a qualidade mais religiosa. A mais profunda qualidade religiosa é a capacidade de se maravilhar. Apenas uma criança pode se maravilhar. Um homem que sabe não pode se maravilhar, e sem isso ninguém nunca alcançou o divino. É o coração deslumbrado para o qual tudo é um mistério — uma borboleta é um mistério, uma semente brotando é um mistério.

E lembre-se, nada foi resolvido; toda a sua ciência não fez nada. A semente brotando ainda é um mistério e vai continuar a ser um mistério. Mesmo que a ciência possa criar a semente, o germinar permanecerá um mistério. Uma criança nasce, é um mistério que nasce. Mesmo que a criança possa ser produzida num tubo de ensaio, não faz diferença. O mistério permanece o mesmo.

Você está aqui. É um mistério tão grande! Você não fez por merecer, você não pode dizer ao universo: "Eu estou aqui porque eu mereci." É puramente um dom, você está aqui por razão nenhuma. Se você não estivesse aqui, que diferença isso faria? Se você não estivesse aqui, a que tribunal poderia recorrer?

Esta mera existência, esse ar que entra e sai dos pulmões, este momento em que você está aqui, me ouvindo, a brisa, os pássaros, esse momento em que você está vivo, é um mistério. Se você conseguir enfrentá-lo sem nenhum conhecimento, você vai penetrar dentro dele. Se você enfrentá-lo com conhecimento e disser: "Eu sei, eu sei a resposta", as portas vão se fechar — não por causa do mistério, as portas são fechadas por causa do seu conhecimento, das suas teorias, da sua filosofia, da sua teologia, do seu cristianismo, do seu hinduísmo — eles fecham a porta.

Um homem que pensa que sabe não sabe. Os *Upanishads* continuam dizendo que um homem que pensa que não sabe, sabe. Diz Sócrates: Quando um homem realmente sabe, ele sabe apenas uma coisa, que ele não sabe. Chuang Tzu diz que é porque ele desaprendeu. Tudo o que o mundo lhe ensinou, tudo o que a sociedade lhe ensinou, tudo o que os pais e os utilitaristas lhe ensinaram, ele abandonou. Ele se tornou novamente uma criança, uma criança pequena. Seus olhos estão novamente cheios de deslumbramento. Ele olha ao redor e em toda parte há mistério.

O ego mata o mistério. Seja o ego de um cientista ou de um estudioso ou de um filósofo, não faz diferença. O ego diz: "Eu sei", e diz: "Se eu não sei agora, mais cedo ou mais tarde vou saber." O ego diz que não há nada de desconhecido.

Existem dois aspectos para o ego: o conhecido e o desconhecido. O conhecido é aquela parte que o ego já explorou, e o desconhecido é a parte que o ego vai explorar. É possível explorar, não há nada que seja incognoscível.

O ego não deixa que reste nenhum mistério no mundo. E, se não há mistério em torno de você, não pode haver mistério dentro de você. Quando desaparece o mistério, todas as músicas desaparecem; quando desaparece o mistério, a poesia está morta; quando desaparece o mistério, Deus desaparece do templo, resta apenas uma estátua morta. Quando desaparece o mistério, não há mais possibilidade para o amor, pois apenas dois mistérios se apaixonam um pelo outro. Se você sabe, então não há possibilidade de amar — o conhecimento é contra o amor. E o amor é sempre para desaprender. Mas como ele desaprendeu:

Sua natureza penetra até a raiz no Uno.
Sua vitalidade, sua força,
Escondem-se no Tao secreto.

Sua natureza penetra até a raiz no Uno... O ego existe na cabeça, lembre-se, e você carrega a cabeça lá em cima, nas alturas. A raiz está simplesmente no outro polo do seu ser.

Chuang Tzu e Lao Tsé costumavam dizer: Concentre-se no dedo do pé. Feche os olhos e vá para o dedo do pé e permaneça ali. Isso lhe dará um equilíbrio. A cabeça lhe provocou muito desequilíbrio. O dedo do pé...? Parece que eles estão brincando. Eles estão falando sério, não estão brincando. Eles estão certos. Saia da cabeça, ela não é a raiz, mas ficamos demais na cabeça.

Sua natureza penetra até a raiz, até a própria fonte. A onda vai mais fundo no oceano, para o uno. E, lembre-se, a fonte é uma só. As ondas podem ser muitos milhões, mas o oceano é um só. Você está separado aí, eu estou separado aqui, mas basta olhar um pouco mais fundo, para as raízes, e nós somos um, somos como ramos da mesma árvore. Olhe para os ramos e eles estão separados, mas no fundo são um só.

Quanto mais fundo você for, cada vez menos multiplicidade vai encontrar e cada vez mais unidade. No mais profundo, tudo é uma coisa só. É por isso que os hindus falam sobre o não dual, o uno, o *advait*.

Sua vitalidade, sua força,
Escondem-se no Tao secreto.

E qualquer vitalidade que chegue ao homem do Tao não é manipulada, não é criada por ele, é dada pelas raízes. Ele é vital, porque está enraizado; ele é vital, porque voltou para o oceano, o uno. Ele está de volta à fonte, ele veio para a mãe.

Quando ele é um todo,
Não há falha nele
Por onde uma cunha possa entrar.

E sempre que alguém está enraizado no âmago mais profundo do seu ser, que é uno, não existe nenhuma brecha. Você não pode penetrar num homem como esse. As espadas não podem atingi-lo, o fogo não pode queimá-lo. Como você pode destruir o supremo? Você pode destruir o momentâneo, como pode destruir o supremo? Você pode destruir a onda, como pode destruir o oceano? Você pode destruir o indivíduo, mas não pode destruir a alma. A forma pode estar morta, mas e o sem forma...? Como você vai matar o sem forma? Onde você vai encontrar uma espada que possa matar o que não tem forma?

Krishna disse no Gita, "*Nainam chhedanti sashtrani* — nenhuma espada pode matá-lo, nenhum fogo pode queimá-lo." Não é que, se você for matar Chuang Tzu, você não seja capaz de fazer isso. Você será capaz de matar a forma, mas a forma não é Chuang Tzu — e ele vai rir.

Aconteceu... Alexandre estava voltando da Índia quando de repente lembrou-se de Aristóteles, seu professor, um dos maiores lógicos que já existiu.

Aristóteles é a fonte original de toda a estupidez ocidental, ele é o pai. Ele criou a mente lógica. Ele criou a análise, ele criou o método da dissecação, criou o ego e o indivíduo, e foi professor de Alexandre.

Ele disse a Alexandre que trouxesse um místico hindu, um *sannyasin*, quando ele voltasse, porque os opostos são sempre interessantes. Ele devia estar profundamente interessado — o que é esse místico hindu? Que tipo de homem vive além da lógica, que diz que existe somente um, não dois, que junta todas as contradições e paradoxos, cuja atitude toda é de síntese, e não de análise? Ele nunca acredita na parte, ele sempre acredita no todo, que tipo de homem ele pode ser?

Então ele disse a Alexandre: "Quando você voltar, traga consigo um místico hindu, um *sannyasin*. Gostaria de ver um. Um homem que vive além da mente e diz que há algo além da mente, é um fenômeno raro." Aristóteles nunca acreditou que poderia haver algo além da mente. Para ele a mente era tudo.

Quando Alexandre estava voltando, ele de repente se lembrou. Então pediu aos seus soldados para encontrar um grande místico hindu, um grande *sannyasin*, um santo, um sábio. Eles perguntaram na cidade. E disseram: "Sim, às margens do rio há um homem nu. Há anos, ele está lá, e nós achamos que ele é um místico. Nós não temos certeza, porque ele não fala muito, e nós não temos certeza, porque nós não o entendemos muito. Tudo o que ele diz parece muito ilógico. Talvez seja verdade, talvez não seja."

Alexandre disse: "Este é o homem certo. Meu mestre, que criou a lógica, gostaria de conhecer este homem ilógico. Vão e digam a ele que Alexandre o está convidando."

Os soldados foram e disseram a esse homem nu que Alexandre, o Grande, o estava convidando; ele seria um convidado real, todo o conforto e conveniência seriam dados a ele, então ele não devia se preocupar.

O homem começou a rir e disse: "O homem que chama a si mesmo o Grande é um tolo. Vá e diga-lhe que não faço companhia a tolos. É por isso que eu estou aqui sozinho há muitos anos. Se eu quisesse a companhia dos tolos, você acha que a Índia tem menos tolos do que o seu país? A cidade está cheia deles."

Eles ficaram muito perturbados, os soldados, mas tinham que relatar o que o sábio dissera. Alexandre perguntou o que o homem havia dito — Dandami era o nome deste homem. Alexandre usou o nome Dandamas em seus relatórios. Alexandre se sentiu incomodado, mas essa era a última aldeia antes da fronteira, eles iam deixar a Índia. Então ele disse: "É melhor que eu vá e veja eu mesmo que tipo de homem ele é."

Ele pode ter se lembrado de Diógenes — talvez fosse do mesmo tipo, nu perto de um rio. A mesma coisa aconteceu com Diógenes. Ele também riu e achou Alexandre um tolo.

Então ele foi com a espada desembainhada e disse: "Siga-me, ou eu corto a sua cabeça agora. Eu não acredito em discussão, eu acredito em ordens."

O homem riu e disse: "Corte — não espere! A cabeça que você vai cortar, eu já cortei há muito tempo. Isso não é novidade, já estou sem cabeça. Corte-a, e eu digo que, quando a cabeça cair na terra, você vai vê-la cair e eu também vou vê-la cair, porque eu não sou a cabeça."

O homem do Tao pode ser queimado, mas ainda assim o homem do Tao não pode ser queimado. A forma está sempre no fogo. Ela já está queimando. Mas o sem forma não é tocado por nenhum fogo. De onde vem esse poder, de onde vem essa vitalidade? Eles se escondem no Tao secreto. Tao significa a grande natureza, Tao significa o grande oceano, Tao significa a grande fonte.

Assim, um homem embriagado, ao cair de uma carroça,
Fica machucado, mas não destruído.
Os seus ossos são como os ossos dos outros homens,
Mas sua queda é diferente.

O ego não está lá, o espírito está inteiro.

Ele não percebe que entrou numa carroça
Ou que caiu de uma.

Vida e morte não são nada para ele.
Ele não conhece sustos, ele encontra obstáculos
Sem pensar, sem preocupação,
Enfrenta-os sem saber que lá estão.

Se existe tal segurança no vinho,
Quanto mais no Tao.
O homem sábio está oculto no Tao,
Nada pode tocá-lo.

Observe um bêbado, porque o homem do Tao é em muitos aspectos semelhante a ele. Ele caminha, mas não há um caminhante; é por isso que ele parece desequilibrado, oscilante. Ele anda, mas não há uma direção, ele não vai a lugar nenhum. Ele anda, mas o barco está vazio, apenas momentaneamente, mas está vazio.

Olhe um bêbado. Siga-o e veja o que está acontecendo com ele. Se alguém bate nele, ele não fica irritado. Se ele cai, ele aceita a queda, ele não resiste, ele cai como se estivesse morto. Se as pessoas riem e zombam dele, ele não fica preocupado. Ele pode até fazer piada com elas, pode começar a rir com elas, pode começar a rir de si mesmo. O que aconteceu? Momentaneamente, por meio de substâncias químicas, seu ego não está lá.

O ego é uma construção; você também pode largá-lo através de substâncias químicas. É uma construção, não é uma realidade; não é substancial em você. É por meio da sociedade que você o aprende. O álcool simplesmente tira você da sociedade. É por isso que a sociedade é sempre contra o álcool, o governo é sempre contra o álcool, a universidade é sempre contra o álcool, todos os moralistas são sempre contra o álcool — porque o álcool é perigoso, ele lhe dá um vislumbre do exterior da sociedade. É por isso que há tanta propaganda contra as drogas na América do Norte e nos países ocidentais.

Os governos, os políticos, a Igreja, o Papa, eles ficaram todos com medo, porque a nova geração consome muitas drogas. Eles são muito perigosos para a sociedade, porque, quando você tem vislumbres que vão além da sociedade, você pode nunca mais ser uma parte ajustada dela. Você será sempre alguém à margem dela. Depois de ter um vislumbre do não ego, a sociedade não pode dominar você com tanta facilidade. E se alguém consumir muitas drogas, então é possível que o ego seja completamente destruído. Então você só vai ficar louco.

Uma ou duas vezes, a droga lhe dará um vislumbre, como uma janela que se abre e se fecha. Se você persistir e se tornar um viciado, o ego pode de repente sumir. E este é o problema: o ego vai sumir, mas o não ego não vai surgir. Você vai enlouquecer, se fragmentar, vai ficar esquizofrênico.

A religião funciona a partir da outra ponta, do outro lado; ela tenta trazer primeiro o não ego. E quanto mais o não ego surgir, mais o todo se afirma, mais o ego vai desaparecer naturalmente, pouco a pouco. Antes da queda do ego, o todo tomou posse. Você não vai ficar louco, não se tornará anormal, você será simplesmente natural. Você vai cair fora da sociedade e entrará na natureza.

Por meio das drogas, você também pode cair fora da sociedade, mas entrará na loucura. É por isso que as religiões também são contra as drogas. A sociedade lhe deu um acordo de trabalho para o ego. Por meio dela você consegue gerenciá-lo de alguma forma, você dirige sua vida de alguma forma. Mas se o todo toma posse, então não há problema — você se torna um homem do Tao. Então, não há necessidade desse ego, você pode jogá-lo para os cães.

Mas você pode fazer o contrário também. Você pode simplesmente destruir esse ego por meio de substâncias químicas. Isso pode ser feito. Então não haverá problemas, você vai simplesmente se tornar anormal. Você vai sentir certo poder, mas esse poder vai ser falso, porque o todo não tomou posse de você.

Muitas pessoas, muitos casos têm sido relatados. Uma menina em Nova York, sob o efeito do LSD, simplesmente saltou de uma janela do trigésimo andar porque achava que podia voar. E, quando você está sob o efeito de uma droga, se vem o pensamento de que você pode voar, não há dúvida. Você acredita nele totalmente, porque o que duvida, o ego, não está mais lá. Quem está lá para duvidar? Você acredita nisso. Mas o todo não se afirmou.

Chuang Tzu poderia ter voado. Chuang Tzu poderia ter saído pela janela como um pássaro, mas sob o efeito do LSD você não pode. O ego não está mais lá e você pode não duvidar, mas o todo não tomou posse, por isso você não é poderoso. O poder não está lá, apenas a ilusão de poder. Isso cria problemas.

Você pode fazer certas coisas sob o efeito do álcool. Uma vez aconteceu num circo: uma jaula estava quebrada. O circo estava viajando num trem especial de uma cidade para outra, uma jaula estava quebrada e um leão escapou. Assim, o gerente reuniu todos os seus homens fortes e disse: "Antes de sair pela noite, entrar na selva para encontrar o leão, eu vou lhes dar um pouco de vinho. Isso lhes dará coragem."

Todos os vinte tomaram um porre. A noite estava fria e perigosa e coragem era necessária — mas o Mulá Nasruddin se recusou. Ele disse: "Só vou tomar refrigerante."

O gerente disse: "Mas você vai precisar de coragem!"

Nasruddin disse: "Nesses momentos eu não preciso de coragem. Esses momentos são perigosos — é noite e o leão está solto, a coragem pode ser perigosa. Eu prefiro ser um covarde e ficar alerta."

Quando você não tem poder e uma droga lhe dá coragem, é perigoso. Você pode trilhar loucamente certo caminho — esse é o perigo das drogas.

Mas a sociedade não tem medo por causa disso; a sociedade tem medo de que, se você tiver uma visão que vai além da sociedade, então você nunca vai se ajustar a ela. E a sociedade é como um hospício — para se ajustar a ela você não pode ter nenhum vislumbre de fora.

As religiões também são contra as drogas por uma razão diferente. Elas dizem: embebede-se, inebrie-se do vinho divino, porque desse modo você estará enraizado, centrado. Então você é poderoso.

Se existe tal segurança no vinho,
Quanto mais no Tao.
O homem sábio está oculto no Tao,
Nada pode tocá-lo.

Absolutamente nada pode tocá-lo. Por quê? Se você me entendeu direito, sabe que somente o ego pode ser tocado. Ele é muito sensível. Se alguém apenas olha para você de certa maneira, o ego se ofende. A pessoa não fez nada. Se alguém sorri um pouco, ele se ofende, se alguém simplesmente vira a cabeça e não olha para você, ele se ofende. Ele é muito sensível. É como uma ferida, sempre aberta, sangrenta. Você o toca e a dor surge. Uma única palavra, um único gesto — o outro pode nem mesmo saber o que ele fez para você, mas ele o ofendeu.

E você sempre acha que o outro é responsável, que feriu você. Não, você é que carrega uma ferida. Com o ego, todo o seu ser é uma ferida. E você o carrega. Ninguém está interessado em feri-lo, ninguém está esperando para machucá-lo; todo mundo está empenhado em proteger a própria ferida. Quem tem energia? Mas ainda acontece, porque você está tão pronto para ser ferido, prontíssimo, apenas à espera, apenas aguardando alguma coisa acontecer.

Você não pode ofender um homem do Tao. Por quê? Porque não há ninguém para ser ofendido. Não há nenhuma ferida. Ele é saudável, curado, inteiro. Essa palavra "inteiro" é linda. Em inglês a palavra *heal* [cura] também vem de *whole* [inteiro] e a palavra *holy* [sagrado] também. O homem do Tao é inteiro, são, sagrado.

Esteja consciente da sua ferida. Não a ajude a crescer, deixe-a ser curada; e ela só será curada quando você for para as raízes. Quanto menos na cabeça, mais a ferida vai se curar — sem cabeça, sem ferida. Viva uma vida sem cabeça. Viva como um ser total, e aceite as coisas. Tente pelo menos durante 24 horas — aceitação total, aconteça o que acontecer. Alguém insulta você, aceite, não reaja, e veja o que acontece. De repente, você sentirá uma energia que flui em você que você não sentia antes. Alguém insulta você: você se sente fraco, perturbado, você começa a pensar em como se vingar. Aquele homem ganhou toda a sua atenção, e agora você vai se mover em círculos. Durante dias, noites, meses e até anos, você não será capaz de dormir ou sonhar. As pessoas podem perder toda uma vida por causa de uma coisinha de nada, só porque alguém as insultou.

Basta olhar para trás, contemplar seu passado e você vai se lembrar de algumas coisas. Você era pequeno e o professor o chamou de burro na classe, e você ainda se lembra e tem ressentimento. Seu pai disse alguma coisa. Eles se esqueceram e, mesmo que você tente fazê-los se recordar, eles não serão capazes de se lembrar de nada. Sua mãe olhou para você de certa maneira e, desde então, a ferida está lá. E ela ainda está sangrando; se alguém a toca, você explode. Não ajude essa ferida a crescer. Não deixe isso ferir a sua alma. Vá para as raízes, esteja com o todo. Experimente fazer isso durante 24 horas, apenas 24 horas, tente não reagir, não rejeitar, seja o que for que aconteça.

Se alguém o empurrar e você cair no chão — caia! Em seguida, levante-se e vá para casa. Não faça nada a respeito. Se alguém bater em você, abaixe a cabeça, aceite com gratidão. Vá para casa, não faça nada, apenas durante 24 horas, e você vai conhecer um novo surto de energia que você nunca conheceu antes, uma nova vitalidade proveniente das raízes. E depois que você perceber isso, depois que você provar essa energia, sua vida será diferente. Então você vai rir de todas as coisas loucas que vem fazendo, de todos os ressentimentos, reações, vinganças, com os quais você foi destruindo a si mesmo.

Ninguém pode destruir você, a não ser você mesmo; ninguém mais pode salvá-lo, exceto você. Você é Judas e você é Jesus.

Basta por hoje.

Capítulo 11

O FUNERAL DE CHUANG TZU

Quando Chuang Tzu estava prestes a morrer, seus discípulos começaram a planejar um funeral esplêndido.

Mas ele disse:
"Eu vou ter o céu e a terra como caixão;
O Sol e a Lua serão os símbolos do jade
Dependurados ao meu lado;
Os planetas e as constelações
Vão brilhar como joias à minha volta,
E todos os seres estarão presentes
Como carpideiras no velório.
De que mais preciso?
Tudo já foi devidamente providenciado!"

Mas eles disseram:
"Tememos que os corvos e as gralhas
Devorem o nosso Mestre."

"Bem", disse Chuang Tzu, "acima do solo serei devorado
pelos corvos e gralhas; abaixo dele, por formigas e minhocas.
Em qualquer caso, vou ser devorado. Por que sois tão parciais com as aves?"

A mente torna tudo um problema; caso contrário, a vida é simples, a morte é simples, não existe problema nenhum. Mas a mente dá a ilusão de que cada momento é um problema e tem de ser resolvido. Depois que você dá o primeiro passo para acreditar que tudo é um problema, então nada pode ser resolvido, pois o primeiro passo é absolutamente errado.

A mente não pode lhe dar nenhuma solução, é o mecanismo que lhe dá problemas. Mesmo se você achar que resolveu um problema, milhares de novos problemas surgirão. Isto é o que a filosofia tem feito o tempo todo. A filosofia é o negócio da mente. No momento em que a mente vê alguma coisa, ela olha com um ponto de interrogação, olha com os olhos da dúvida.

Muito simples é a vida, e muito simples é a morte — mas só se você puder ver sem a mente. Depois que você inclui a mente, então tudo é complexo, então tudo é um enigma, então tudo é confusão. E a mente tenta resolver a confusão, quando na verdade ela é a fonte de todas as confusões; então mais confusão é criada. É como se um riachinho estivesse fluindo nas montanhas. Alguns carros passaram e o riacho ficou enlameado, e você salta dentro do riacho para limpá-lo. Você só vai deixá-lo mais lamacento. É melhor esperar na margem. É melhor deixar que o fluxo fique tranquilo novamente, que se acalme, até que as folhas mortas tenham sumido, a sujeira tenha assentado e a água esteja de novo cristalina. Sua ajuda não é necessária. Só vai fazer mais bagunça.

Então, se você sentir que há um problema, por favor, não meta o nariz nele. Sente-se e fique de lado. Não deixe a mente se envolver, diga à mente para esperar. E é muito difícil para a mente esperar — ela é a encarnação da impaciência.

Se você disser à mente para esperar, a meditação acontece. Se você conseguir convencer a mente a esperar, você vai estar em estado de oração — porque esperar significa não pensar, significa ficar apenas sentado na margem sem fazer nada para tentar limpar o riacho. O que você pode fazer? Tudo o que você fizer vai torná-lo mais lamacento; o próprio fato de você entrar na água irá criar mais problemas. Então, espere.

Toda meditação é uma espera. Todo o espírito de oração é paciência infinita. O todo da religião consiste em não permitir que a mente crie mais problemas para você. Todas as coisas simples que até os animais desfrutam, que até mesmo as árvores desfrutam, o homem não pode desfrutar — porque imediatamente elas se tornam um problema, e como você pode desfrutar de um problema?

Você se apaixona, e a mente imediatamente diz: "O que é o amor? Isso é amor ou sexo? É verdadeiro ou falso? Para onde vai levar? O amor pode ser eterno ou é apenas momentâneo?" Primeiro, decidir tudo, então dar o passo. Mas com a mente nunca há nenhuma decisão, ela permanece indecisa; a indecisão é a natureza inerente a ela. Ela diz: "Não dê o salto." E, quando a mente lhe diz essas coisas, parece muito esperta, parece muito inteligente, porque você pode fazer errado. Portanto, não dê o salto, não se mova, permaneça estático.

Mas a vida é movimento e a vida é a confiança. O amor acontece — a pessoa tem que ir ao encontro dele. Onde ele leva não é o mais importante. O objetivo não é o mais importante. O próprio movimento da sua consciência no amor é uma revelação. O outro não é o mais importante; o ser amado ou o amante não é o mais importante. O mais importante é que você possa amar, que possa acontecer com você; que seu ser se abra em confiança, sem nenhuma dúvida, sem nenhum questionamento. Essa abertura é uma realização.

Mas a mente vai dizer: "Espere, deixe-me pensar e decidir, não se deve dar um passo com pressa." Então você pode esperar a vida toda. É assim que você desperdiça a vida.

A cada momento a vida bate à sua porta, mas você está pensando. Você diz para a vida: "Espere, eu vou abrir a porta, mas deixe-me primeiro decidir." Isso nunca acontece. Toda a sua vida passa e você continua simplesmente se arrastando, nem vivo nem morto, e ambos são bons porque a morte tem uma vida própria.

Então lembre-se, a primeira coisa é não permitir que a mente interfira. Então, você pode ser como as árvores, ainda mais verde. Então, você pode ser como os pássaros voando, e nenhuma ave pode chegar às alturas que você pode tocar. Então, você pode ser como os peixes que nadam até o fundo do mar — você pode ir até o fundo do oceano. Nada é comparável a você. A consciência humana é o fenômeno mais evoluído que há, mas você está perdendo isso. Mesmo os estados menos desenvolvidos estão apreciando mais. Um pássaro é um pássaro, um ser muito menos evoluído do que você. Uma árvore quase não evoluiu, mas está desfrutando mais, florescendo mais. Mais realização está acontecendo ao redor dela. Por que você está deixando de aproveitar?

Sua mente se tornou um fardo. Você não a está usando, mas sim, o contrário, você está sendo usado por ela. Não deixe que a mente interfira na sua vida, então haverá um fluxo. Então você estará desobstruído, você será transparente, então cada momento será de felicidade, porque você não estará preocupado com isso.

Um homem foi aconselhado pelo seu psicanalista a ir para as montanhas. Ele estava sempre reclamando sobre isso e aquilo, perguntando sobre isso e aquilo. Ele nunca estava à vontade com nada, nunca estava contente. Ele foi aconselhado a sair para um descanso.

No dia seguinte chegou um telegrama para o psicanalista. Nele, o homem dizia: "Estou me sentindo muito feliz aqui. Por quê?"

Você não pode sequer aceitar a felicidade sem perguntar por quê. É impossível para a mente aceitar qualquer coisa — o *por que* imediatamente aparece, e o *por que* destrói tudo. Daí tanta insistência em todas as religiões sobre a fé. Esse é o significado da fé — não permitir que a mente pergunte por quê.

Fé não é crença, não é acreditar em uma determinada teoria — fé é acreditar na própria vida. A fé não tem a ver com acreditar na Bíblia ou no Alcorão ou no Gita. Fé não é crença — a fé é uma confiança, uma confiança sem dúvida. E somente aqueles que são fiéis, aqueles que são capazes de ter confiança, serão capazes de saber o que é a vida e o que é a morte.

Para nós a vida é um problema, assim também a morte é obrigada a ser um problema. Estamos constantemente tentando resolvê-la e perdendo tempo e energia tentando resolvê-la. Ela já está resolvida. Nunca foi um problema. É você quem está criando o problema. Olhe para as estrelas, não há problema; olhe para as árvores, não há problema. Olhe ao redor... Se o homem não existisse tudo já estaria resolvido. Onde está o problema? As árvores nunca perguntam quem criou o mundo — elas simplesmente desfrutam dele. Que loucura perguntar quem criou o mundo. E que diferença faz quem criou o mundo: *a*, *b*, *c* ou *d*, que diferença isso faz? E se ele foi criado ou não está criado, que diferença isso faz? Como é que vai afetá-lo se "a" criou o mundo, ou "b" criou o mundo, ou ninguém criou o mundo? Você permanecerá o mesmo, a vida continuará a mesma. Então, por que fazer uma pergunta desnecessária e irrelevante, e se enredar nisso?

Os rios continuam fluindo, sem nunca perguntar para onde estão indo. Eles chegam ao mar. Se começassem a perguntar, eles poderiam não chegar; a energia deles poderia se perder no caminho. Eles poderiam ficar com muito medo — para onde estão indo, qual é a meta, qual é o propósito? Eles poderiam ficar tão obcecados com o problema que poderiam enlouquecer. Mas eles continuam fluindo, sem se preocupar em saber para onde estão indo, e eles sempre chegam ao mar.

Se as árvores e rios podem fazer esse milagre, por que você não pode? Essa é toda a filosofia de Chuang Tzu, todo o seu modo de vida: se tudo está acontecendo, por que você está preocupado? Deixe que aconteça. Se os rios podem conseguir, o homem também consegue. Se as árvores conseguem, o homem também consegue. Quando toda esta existência está se movendo, você é parte dela. Não se torne um redemoinho de pensamento, caso contrário você vai girar e girar, girar e girar, e o fluxo estará perdido. Então, não há experiência oceânica no final.

A vida é um enigma para você, porque você olha através da mente; se você olhar através da não mente, a vida é um mistério. A vida já está morta, se você olhar através da mente; e a vida nunca morre se você olhar através da não mente. A mente não pode sentir a vida. A mente só pode tocar o morto, o material. A vida é tão sutil e a mente é tão bruta! Um instrumento não tão sutil como a vida. E quando você toca com esse instrumento, ele não pode captar as pulsações da vida. Ele não capta. O pulsar é muito sutil — você é o pulsar.

Chuang Tzu está em seu leito de morte e, quando um homem como Chuang Tzu está em seu leito de morte, os discípulos devem ficar absolutamente silenciosos. Esse momento não é para ser desperdiçado, porque a morte é o ápice. Quando Chuang Tzu morre, ele morre no auge. Raramente a consciência alcança a sua realização absoluta. Os discípulos devem ficar em silêncio; devem observar o que está acontecendo, devem olhar Chuang Tzu com mais profundidade. Eles não devem interferir com as suas mentes, não devem começar a fazer perguntas tolas. Mas a mente sempre começa a perguntar. Eles estão preocupados com o funeral e Chuang Tzu ainda está vivo. Mas a mente não está viva, ela nunca está viva; a mente está sempre pensando em termos de morte.

Para os discípulos, o mestre já está morto. Eles estão pensando no funeral — o que fazer, o que não fazer. Eles estão criando um problema que não existe de jeito nenhum, porque Chuang Tzu ainda está vivo.

Eu ouvi...

Três velhos estavam sentados num parque, discutindo o inevitável, a morte. Um velho de 73 anos disse: "Quando eu morrer gostaria de ser enterrado com Abraham Lincoln, o maior dos homens, amado por todos."

Outro disse: "Eu gostaria de ser enterrado com Albert Einstein, o maior de todos os cientistas, filósofo, humanista, amante da paz."

Então, eles olharam para o terceiro, que tinha 93 anos. Ele disse: "Eu gostaria de ser enterrado com Sophia Loren."

Ambos ficaram irritados, zangados e disseram: "Mas ela ainda está viva."

O velho disse: "E eu também!"

Esse velho deve ter sido algo raro. Noventa e três anos, e ele disse: "E eu também!" Por que a vida deveria se preocupar com a morte? Por que a vida tem que pensar na morte? Se você está vivo, qual o problema? Mas a mente cria o problema. Então você fica intrigado.

Sócrates estava morrendo, e aconteceu a mesma coisa que aconteceu com Chuang Tzu. Os discípulos estavam preocupados com o funeral. Eles lhe perguntaram: "O que devemos fazer?"

Dizem que Sócrates disse: "Meus inimigos estão dando veneno para me matar e vocês estão planejando como me enterrar — assim, quem é meu amigo e quem é meu inimigo? Todos vocês estão tão preocupados com a minha morte, ninguém parece estar preocupado com a minha vida."

A mente é de alguma forma obcecada com a morte. Os discípulos de Chuang Tzu estavam pensando no que fazer — e o mestre estava morrendo, um grande fenômeno estava acontecendo naquele momento.

Um buda, Chuang Tzu, estava chegando ao ápice absoluto ali. Acontece raramente, uma ou duas vezes em milhões de anos. A chama estava queimando. Sua vida chegara a um ponto de pureza absoluta, onde é divina, não humana, onde é total, não parcial, onde o começo e o fim se encontram, onde todos os segredos estão abertos e todas as portas estão abertas, onde tudo está desbloqueado. Todo o mistério estava ali... E os discípulos estavam pensando no funeral — cegos, absolutamente cegos, sem ver o que estava acontecendo. Os olhos deles estavam fechados.

Mas por que isso acontece? Esses discípulos, você acha que eles conheciam Chuang Tzu? Como podiam? Se eles não estavam vendo Chuang Tzu em sua glória suprema, como podemos acreditar que o viam quando ele estava trabalhando com eles, trabalhando neles, movendo-se com eles, cavando um buraco no jardim, plantando uma semente, conversando com eles, apenas estando presente com eles?

Como podemos pensar que eles sabiam quem era esse Chuang Tzu? Se a sua glória total foi perdida, é impossível não pensar que o tinham perdido sempre. Eles devem ter perdido. Quando ele estava falando, eles deviam pensar: "O que ele está falando? O que ele quer dizer?"

Quando uma pessoa iluminada fala, o significado não é para ser descoberto por você; ele está lá, você tem simplesmente que ouvi-lo. Não é para descobrir o significado, ele não está escondido, não é nada para ser interpretado. Ele não está falando em teorias, ele está dando a você fatos simples. Se seus olhos estão abertos, você vai vê-los; se seus ouvidos puderem ouvir, você vai ouvi-los. Nada mais é necessário.

É por isso que Jesus continua dizendo repetidas vezes: "Se você pode ouvir, ouça-me." Se você pode ver, veja. Nada mais se espera — apenas olhos abertos, ouvidos abertos.

Buda, Chuang Tzu ou Jesus não são filósofos como Hegel ou Kant. Se você ler Hegel, o significado tem de ser descoberto. É muito difícil, como se Hegel estivesse se esforçando muito para torná-lo mais e mais difícil, tecendo palavras em torno de palavras, tornando tudo um enigma. Então, quando você encontra Hegel pela primeira vez, ele vai parecer soberbo, um pico muito alto, mas, quanto mais você penetrar e quanto mais você entender, menor ele se torna. O dia em que você entender, ele se torna simplesmente inútil.

O truque todo é que você não pode compreendê-lo, é por isso que você sente que ele é tão grande. Como você não consegue entender, sua mente fica confusa, porque você não consegue entender, sua mente não pode compreender, a coisa parece muito misteriosa, incompreensível. Não é, é apenas verbal. Ele está tentando se esconder, ele não está dizendo nada. Ao contrário, ele está dizendo muitas palavras, sem nenhuma substância.

Assim, pessoas como Hegel são imediatamente apreciadas, mas, à medida que o tempo passa, a apreciação delas desaparece. Pessoas como Buda não são imediatamente apreciadas, mas conforme o tempo passa você as aprecia mais. Elas estão sempre à frente do seu tempo. Séculos se passaram, e então sua grandeza começa a emergir; então, sua grandeza começa a aparecer, você pode senti-la. Como a sua verdade é muito simples, não há lixo, não há entulho em torno dela. É tão factual que você pode perdê-la se pensar a respeito.

Quando você estiver ouvindo um Chuang Tzu, apenas ouça. Nada mais do que uma receptividade passiva, uma boa acolhida, é necessária de sua parte. Tudo é claro, mas você pode torná-lo uma bagunça, e então você pode se confundir com sua própria criação. Esses discípulos não devem ter compreendido Chuang Tzu — e o estão deixando de compreender de novo. Eles estão preocupados com o que vai ser feito.

E esse ponto tem de ser entendido: um homem de sabedoria está sempre preocupado com o ser, e um homem de ignorância está sempre preocupado com questões de fazer, o que deve ser feito. Ser não é uma questão importante para ele.

Chuang Tzu está preocupado com o ser, os discípulos estão preocupados com o fazer. Se a morte está chegando, então o que deve ser feito? O que devemos fazer? O mestre vai morrer, e o funeral? Temos que planejar.

Nós somos loucos por planejamento. Planejamos a vida, planejamos a morte, e por causa do planejamento a espontaneidade é destruída, a beleza é destruída, o êxtase todo é destruído.

Eu ouvi...

Um ateu estava morrendo. Como ele era ateu, não acreditava em céu ou inferno, mas ainda assim achou melhor ficar bem vestido antes de morrer. Ele não sabia para onde estava indo, porque não acreditava em nada, mas ainda assim ele estava indo a algum lugar, então antes de ir era preciso se vestir bem.

Ele era um homem de boas maneiras, de etiqueta, então estava vestido com o traje certo para a noite, gravata, tudo mais — e então ele morreu. O rabino foi chamado para abençoá-lo. O rabino disse: "Este homem nunca acreditou, mas veja como ele planejou! Ele não acreditava, ele não tinha para onde ir, mas estava muito bem vestido e pronto!"

Mesmo se você acha que não vai a lugar algum, você planeja, porque a mente sempre quer jogar com o futuro. É um planejamento muito feliz para o futuro, é uma vida de muita infelicidade no presente. Mas o planejamento para o futuro parece bonito. Sempre que tem tempo você começa a planejar o futuro, seja neste mundo ou no outro, mas o futuro. E a mente adora planejar. O planejamento é apenas uma fantasia, um sonho, um devaneio.

Pessoas como Chuang Tzu estão preocupadas com ser, não com se tornar. Elas não estão preocupadas com fazer, não estão preocupadas com o futuro. Nenhum planejamento é necessário. A existência cuida de si mesmo.

Jesus disse aos seus discípulos: "Olhem estas flores, estes lírios do campo, tão belos em sua glória que nem mesmo Salomão era tão belo." E eles não planejam, eles não pensam no futuro, e não estão preocupados com o que vai acontecer a seguir.

Por que os lírios são tão belos? Em que consiste sua beleza? Onde ela está escondida? Os lírios vivem aqui e agora. Por que o rosto humano é tão triste e feio? Porque nunca está aqui e agora, está sempre no futuro. É uma coisa fantasmagórica. Como você pode ser real se você não está aqui e agora? Você só pode ser um fantasma, ou visitando o passado ou avançando para o futuro.

Chuang Tzu estava morrendo. No momento da morte de Chuang Tzu, os discípulos deviam ter ficado em silêncio. Essa teria sido a coisa mais respeitosa a fazer, a coisa mais amorosa a fazer. O mestre estava morrendo. Eles nunca ouviram a sua vida, pelo menos poderiam ter ouvido a sua morte. Eles não podiam ficar em silêncio enquanto ele estava falando com eles ao longo de sua vida; agora ele estava indo dar seu último sermão por meio da sua morte.

Deve-se ficar atento quando um homem sábio morre, porque ele morre de uma maneira diferente. Um homem ignorante não pode morrer dessa forma. Você tem sua vida e você tem a sua morte. Se você foi tolo em vida, como você pode ser sábio na morte? A morte é o resultado, o resultado total, a conclusão. Na morte, está inserida a sua vida inteira; em essência, toda a sua vida está lá, por isso um homem tolo morre de um modo tolo.

A vida é única, a morte também é única. Ninguém mais pode viver a sua vida e ninguém mais pode morrer a sua morte, só você. Ela é única, nunca volta a acontecer. Os estilos diferem, não só na vida, mas também na morte. Quando alguém como Chuang Tzu morre, é preciso ficar absolutamente silencioso, para que o momento não se perca — porque você *pode* perdê-lo.

A vida é um assunto longo, setenta, oitenta, cem anos. A morte é só um momento. É um fenômeno atômico, concentrado. É mais vital do que a vida, porque a vida é mais difusa. A vida nunca pode ser tão intensa quanto a morte, e nunca pode ser tão bela quanto a morte, porque é mais difusa. É sempre morna.

No momento da morte, toda a vida chega a um ponto de ebulição. Tudo evapora deste mundo e vai para o outro, do corpo ao incorpóreo. É a maior transformação que acontece. Deve-se ficar em silêncio, deve-se ser respeitoso, não se deve ser hesitante, porque a morte vai acontecer num único momento e você pode perdê-la.

E os discípulos tolos estavam falando sobre o funeral e pensando em fazer dele um grande evento. E um evento muito maior estava acontecendo, um evento muito mais grandioso estava acontecendo, mas eles estavam pensando no espetáculo. A mente sempre pensa na exposição — ela é exibicionista.

O Mulá Nasruddin morreu. Alguém informou sua esposa, que estava tomando seu chá da tarde — ela já tinha tomado meia xícara. O homem disse: "Seu marido está morto, ele caiu debaixo de um ônibus." Mas a mulher de Mulá Nasruddin continuou tomando seu chá.

O homem disse: "Como?! Você nem mesmo parou de beber. Você está me ouvindo? Seu marido está morto, e você nem disse nada!"

A esposa disse: "Deixe-me terminar meu chá, e então — rapaz, eu vou dar um grito! Apenas espere um pouco."

A mente é exibicionista. Ela vai dar um grito, apenas lhe dê uma pequena chance de organizar, planejar.

Ouvi falar de um ator cuja esposa morreu. Ele estava chorando em desespero, gritando, com lágrimas escorrendo.

Um homem disse: "Eu nunca pensei que você amasse tanto a sua esposa."

O ator olhou para o homem e disse: "Isso não é nada. Você deveria ter me visto quando minha primeira esposa morreu."

Mesmo quando mostra a sua angústia, você está olhando para os outros: o que eles estão pensando? Por que pensar num grande funeral? Por que grande? Você faz uma exposição da morte também. E isso é realmente respeitoso? Ou será que a morte também é algo no mercado, uma mercadoria?

Nosso mestre morreu, então existe uma competição, e nós temos de provar que ele recebeu o maior de todos os funerais. Nenhum outro mestre jamais recebeu um como ele e nenhum outro vai receber.

Mesmo na morte você está pensando no ego. Mas os discípulos são assim, eles seguem. Mas nunca realmente seguem, porque, se tivessem seguido Chuang Tzu, então não haveria essa questão de fazer um grande funeral. Eles teriam sido humildes naquele momento. Mas o ego é assertivo.

Sempre que você diz que seu mestre é muito grande, basta olhar para dentro. Você está dizendo: "Eu sou muito grande, é por isso que eu sigo esse grande homem, eu sou um grande seguidor." Todo seguidor afirma que seu mestre é o maior — mas não por causa do mestre. Como você pode ser um grande seguidor se o mestre não é grandioso? E se alguém diz que isso não é verdade, você se irrita, fica muito incomodado, começa a discutir e brigar. É uma questão de sobrevivência do ego.

Por toda parte o ego se afirma. Ele é esperto e muito sutil. Mesmo na morte, não vai deixá-lo, mesmo na morte vai estar lá. O mestre está morrendo, e os discípulos estão pensando no funeral. Eles não seguiram o mestre coisa nenhuma — um mestre como Chuang Tzu, cujo ensinamento todo consiste em ser espontâneo.

Quando Chuang Tzu estava prestes a morrer, seus discípulos começaram a planejar um funeral esplêndido.

Ele ainda nem está morto e eles já começaram a planejar — porque a questão não é Chuang Tzu, a questão são os egos dos discípulos. Eles devem fazer algo grandioso, e todos devem vir a saber que nunca, nunca antes, tal coisa aconteceu.

Mas você não pode enganar Chuang Tzu. Mesmo quando está morrendo, ele não vai deixar você sozinho; mesmo morrendo, ele não pode ser enganado; mesmo partindo, ele lhe dará o seu coração, sua sabedoria; mesmo no último momento ele vai compartilhar tudo o que conheceu e compreendeu. Mesmo o seu último momento vai ser uma partilha.

Mas Chuang Tzu disse:
"Eu vou ter o céu e a terra como caixão;
O Sol e a Lua serão os símbolos do jade
Dependurados ao meu lado;
Os planetas e as constelações
Vão brilhar como joias à minha volta,
E todos os seres estarão presentes
Como carpideiras no velório."

O que mais é necessário? Tudo é simples, já foi devidamente providenciado. O que mais é necessário? O que mais você pode fazer? O que mais você pode fazer para um Chuang Tzu, um buda? Tudo o que você fizer não vai ser nada, tudo o que você planejar vai ser trivial. Não pode ser grandioso, porque todo o universo está pronto para recebê-lo. O que mais você pode fazer?

Chuang Tzu disse: "O Sol e a Lua, e todos os seres na terra e no céu estão prontos para me receber. E todos os seres, toda a existência, vão se lamentar. Então vocês não precisam se preocupar, vocês não precisam contratar carpideiras." Você pode contratar carpideiras. Agora elas também são encontradas no mercado. Há pessoas — você paga e elas choram. Que tipo de humanidade está nascendo? Se uma mulher morre, uma mãe morre, e ninguém está lá para chorar, você tem que contratar carpideiras profissionais. Elas são encontradas em Bombaim, em Calcutá; nas grandes cidades elas estão disponíveis, e fazem um trabalho tão bom que você não pode competir com elas. É claro que são mais eficientes, elas têm a prática diária, mas que coisa feia quando você tem que pagar por isso.

A coisa toda se tornou falsa. A vida é falsa, a morte é falsa, a felicidade é falsa. Mesmo a lamentação é falsa. E isso tem que ser assim; isso tem um significado lógico. Se você nunca foi realmente feliz com uma pessoa, como você pode ficar triste quando ela morre? É impossível. Se você não foi feliz com sua esposa, se você nunca conheceu nenhum momento feliz com ela, quando ela morre como podem lágrimas autênticas vir aos seus olhos? No fundo, você vai ficar feliz, no fundo, você sente liberdade: "Agora eu sou independente, agora eu posso viver de acordo com os meus desejos." A mulher era como uma prisão.

Eu ouvi...

Um homem estava morrendo e sua esposa foi consolá-lo, dizendo: "Não se preocupe, mais cedo ou mais tarde eu vou acompanhá-lo."

O homem disse: "Mas não seja infiel a mim." Ele devia estar com medo. Por que esse medo no último momento? Esse medo sempre deve ter existido.

A mulher prometeu: "Eu nunca serei infiel a você."

Então o homem disse: "Se você cometer até mesmo um único ato de infidelidade, eu vou me revirar no túmulo. Vai ser muito doloroso para mim."

Então, depois de dez anos, a esposa morreu. No portão, São Pedro lhe perguntou: "Quem você gostaria de ver primeiro?"

Ela disse: "Meu marido, é claro."

São Pedro perguntou: "Qual é o nome dele?"

Então ela disse: "Abraão."

Mas São Pedro disse: "É difícil, porque existem milhões de Abraões, então me dê uma pista." A mulher pensou. Ela disse: "No último momento, ele disse que, se eu cometesse qualquer ato de infidelidade, ele se reviraria em seu túmulo."

São Pedro disse: "Já sei. Está se referindo ao Abraão Giratório, o que fica constantemente se revirando na sepultura. Durante dez anos ele não teve um único momento de descanso. E todo mundo o conhece. Sem problema, vamos chamá-lo imediatamente."

Sem fé, sem confiança, sem amor, sem felicidade, já aconteceu com todos os seus relacionamentos. Quando a morte chega, como você pode chorar? O luto será falso. Se a sua vida é falsa, sua morte vai ser falsa. E não pense que você é o único falso — tudo ao redor, aqueles com quem você se relaciona são falsos. E nós vivemos num mundo muito falso, é simplesmente incrível como podemos continuar.

Um político estava sem trabalho. Ele era um ex-ministro. Estava em busca de trabalho porque os políticos estão sempre em dificuldade quando não estão no gabinete. Eles não sabem fazer outra coisa senão política, não conhecem mais nada a não ser a política. E eles não têm nenhuma qualificação também. Mesmo para um trabalho insignificante certas qualificações são necessárias — mas para ser ministro nenhuma é necessária. Para um ministro ou um primeiro-ministro as qualificações não são nem um pouco necessárias.

Portanto, esse ministro estava em apuros. Ele se encontrou com o gerente de um circo, porque pensou: *A política é um grande circo, e eu devo ter aprendido um pouco, o suficiente para ser de alguma utilidade no circo.* Então ele disse: "Você pode me conseguir um emprego? Estou sem trabalho, e em grande dificuldade."

O gerente disse: "Você me procurou no momento certo. Um dos ursos morreu, por isso vamos lhe dar uma fantasia de urso. Você não precisa fazer nada, apenas ficar o dia inteiro sentado na jaula com o traje de urso. Basta se sentar ali e ninguém vai notar a diferença. Você não é obrigado a fazer nada, apenas se sentar de manhã até a noite, para que as pessoas saibam que o urso está lá."

O trabalho parecia bom, então o político aceitou. Ele entrou na jaula, colocou o seu traje e sentou-se. Ele estava ali, sentado, quando quinze minutos depois, outro urso foi enfiado dentro da jaula. Ele entrou em pânico e correu para as barras da jaula, começou a sacudi-las e gritou: "Socorro, me deixem sair daqui!"

Então, de repente ele ouviu uma voz. O outro urso estava falando. Ele disse: "Você acha que é o único político sem trabalho? Também sou um ex-ministro. Não tenha tanto medo."

Toda a vida se tornou falsa, com raízes e tudo, e o fato de você conseguir viver é um milagre absoluto — falando com um rosto falso, conversando com um rosto falso, com uma falsa felicidade, uma falsa miséria. E então você espera encontrar a verdade! Com rostos falsos a verdade nunca pode ser encontrada. A pessoa tem de conhecer o seu próprio rosto verdadeiro e deixar cair todas as máscaras falsas.

Disse Chuang Tzu:

"Eu vou ter o céu e a terra como caixão..."

Então, por que você está preocupado? E como pode conseguir um caixão maior do que esse? Deixem que o céu e a terra sejam o meu caixão — e eles vão ser.

"...*O Sol e a Lua serão os símbolos do jade*
Dependurados ao meu lado..."

Então vocês não precisam acender velas à minha volta; elas vão ser momentâneas, e mais cedo ou mais tarde não vão estar lá. Deixem que o Sol e a Lua sejam os símbolos da vida ao meu redor. E eles são.

"...*Os planetas e as constelações*
Vão brilhar como joias à minha volta,
E todos os seres estarão presentes..."

Isso é algo a ser entendido: *todos os seres estarão presentes*. Dizem isso de Buda e Mahavira também, mas ninguém acredita, porque é impossível acreditar. Mesmo jainistas leem isso, mas não acreditam. Budistas leem, mas há suspeita em suas mentes.

Dizem que, quando Mahavira morreu, todos os seres estavam ali presentes. Não apenas os seres humanos, mas os animais, as almas das árvores, anjos, divindades, todos os seres de todas as dimensões da existência estavam ali presentes. E isso deve ser verdade porque um Mahavira não se revela apenas para você; a glória é tamanha, a elevação é tamanha que todas as dimensões da existência o conhecem. Dizem que, quando Mahavira falava com os anjos, divindades, animais, fantasmas, todos os tipos de seres estavam ali para ouvi-lo, não apenas os seres humanos. Parece uma história, uma parábola, mas eu digo que essa é uma verdade, porque quanto mais alto você chega, mais o seu ser cresce, e outras dimensões da existência tornam-se disponíveis a você.

Quando se atinge o ponto mais alto — os jainistas chamam esse ponto de *arihanta*, os budistas o chamam de *arhat*, Chuang Tzu, o homem do Tao, o chama de o ponto do Tao perfeito —, então a existência inteira escuta.

Diz Chuang Tzu:

"...E todos os seres estarão presentes
Como carpideiras no velório."

O que mais é necessário, e o que mais você pode fazer? O que mais se pode acrescentar a isso? Você não precisa fazer nada, e não precisa se preocupar.

"Tudo já foi devidamente providenciado!"

Esse é o sentimento de quem se torna silencioso: "*Tudo já foi devidamente providenciado!*" Vida e morte, tudo, você não precisa fazer nada — tudo já está acontecendo sem você. Você interfere desnecessariamente e cria confusão, cria o caos. Sem você tudo é perfeito — do jeito que é, é perfeito. Essa é a atitude de um homem religioso: tudo é perfeito como é. Nada mais pode ser feito.

No Ocidente, dizem que Leibnitz afirmou que este é o mundo mais perfeito. Ele tem sido criticado, pois no Ocidente não se pode afirmar essas coisas. Como este mundo é o mundo mais perfeito? Ele parece ser o mais imperfeito, o mais feio e doente; há desigualdade, sofrimento, pobreza, doença, morte, ódio, tudo — e esse Leibnitz diz que este é o mundo mais perfeito.

Leibnitz foi severamente criticado, mas Chuang Tzu teria entendido o que ele quis dizer. Eu entendo o que ele quis dizer. Quando Leibnitz disse: "Este é o mundo mais perfeito possível", ele não estava fazendo nenhum comentário sobre a situação política ou econômica. Ele não estava fazendo nenhum comentário sobre igualdade, desigualdade, socialismo, comunismo, guerras. Ele não estava fazendo nenhum comentário sobre isso. O comentário não é objetivo, o comentário não está relacionado com o exterior; o comentário está relacionado com o sentimento interior — que vem do próprio ser.

Dizer que tudo é perfeito significa que não há necessidade de se preocupar.

"Tudo já foi devidamente providenciado!"

E você não pode torná-lo melhor, você simplesmente não pode torná-lo melhor. Se você tentar, pode torná-lo pior, mas não pode melhorá-

-lo. É muito difícil para a mente científica entender que você não pode torná-lo melhor, porque a mente científica depende dessa ideia — a de que as coisas podem melhorar. Mas o que o ser humano fez?

Durante dois mil anos, desde Aristóteles, temos tentado, no Ocidente, tornar o mundo um lugar melhor. Ele se tornou melhor em algum sentido? O homem é pelo menos um pouco mais feliz? O homem é pelo menos um pouco mais bem-aventurado? Nem um pouco. As coisas pioraram. Quanto mais tratamos o paciente, mais ele se aproxima da morte. Nada tem adiantado. O homem não é mais feliz de jeito nenhum.

Podemos ter mais coisas para ser feliz, mas o coração que pode ser feliz está perdido. Você pode ter palácios, mas o homem que pode ser um imperador não está mais aqui, por isso os palácios tornam-se sepulturas. Suas cidades são mais bonitas, mais ricas, mais prósperas, mas são como cemitérios, nenhuma pessoa viva vive nelas. Nós cometemos um erro na tentativa de tornar o mundo melhor. Ele não está melhor, pode estar pior.

Olhe para trás: o homem era totalmente diferente, mais pobre, mas mesmo assim mais rico. Parece paradoxal, ele era pobre, não havia comida suficiente, não havia roupas suficientes, abrigos suficientes, mas a vida era mais rica. Ele podia dançar, podia cantar.

Sua música está perdida, sua garganta está sufocada por coisas; nenhuma música pode vir do coração. Você não pode dançar. No máximo, pode fazer alguns movimentos, mas esses movimentos não são dança, porque a dança não é apenas um movimento. Quando um movimento torna-se um êxtase, então é dança. Quando o movimento é tão total que não existe ego, então é uma dança.

E você deve saber que a dança veio ao mundo como uma técnica de meditação. O início da dança não era para ser uma dança, era para alcançar um êxtase em que o dançarino desaparecia, só a dança continuava — não havia ego, ninguém manipulando, o corpo fluía espontaneamente.

Você pode dançar, mas serão apenas movimentos mortos. Você pode manipular o corpo, isso pode ser um bom exercício, mas não é um êxtase. Você ainda abraça outras pessoas, ainda beija, ainda faz todos os movimentos do ato sexual, mas o amor não existe, apenas os movimentos estão lá. Você os faz e se sente frustrado. Você os faz e sabe que nada está acontecendo. Você faz tudo, e uma constante sensação de frustração ainda o segue como uma sombra.

Quando Leibnitz diz que este é o mundo mais perfeito, o que ele está dizendo é o que Chuang Tzu está dizendo:

"Tudo já foi devidamente providenciado!"

Você não precisa se preocupar com a vida, você não precisa se preocupar com a morte — a mesma fonte que cuida da vida vai cuidar da morte. Você não precisa pensar num funeral esplêndido. A mesma fonte que me fez nascer irá me absorver, e a mesma fonte é suficiente, não precisamos acrescentar nada a ela.

Os discípulos ouviram, mas não conseguiram entender, caso contrário não teria havido necessidade de dizer mais nada. Mas os discípulos ainda disseram:

"Tememos que os corvos e as gralhas
Devorem o nosso Mestre."

Se não fazemos nenhuma preparação, se não planejamos, então, os corvos e as gralhas vão devorar o nosso Mestre.

Chuang Tzu respondeu:
"Bem, acima do solo serei devorado
pelos corvos e gralhas; abaixo dele, por formigas e minhocas.
Em qualquer caso, vou ser devorado. Por que sois tão parciais com as aves?"

Então, por que fazer uma escolha? Eu tenho que ser devorado de qualquer maneira, então por que fazer uma escolha? Chuang Tzu diz: Viva sem escolhas e morra sem escolhas. Por que fazer uma escolha?

Você tenta manipular a vida e depois tenta manipular a morte também. Então, as pessoas fazem testamentos e documentos, para que quando se forem possam manipular. Mortas, mas ainda vão manipular. A manipulação parece tão fascinante que, mesmo depois da morte as pessoas continuam a manipular. Um pai morre e estabelece condições em seu testamento para que o filho receba sua herança; se ele não atender a essas condições, o dinheiro vai para um fundo de caridade. Mas, essas condições devem ser cumpridas — o morto ainda está dominando.

Há uma universidade em Londres. O homem que a construiu fez um testamento. Ele era o presidente da divisão de orçamento da faculdade. O testamento dizia: "Quando eu morrer, meu corpo não deverá ser destruído. Tem que ser conservado, e vou continuar a me sentar na cadeira do presidente." E ele ainda está lá. Sempre que a diretoria se reúne, seu corpo fica sentado no lugar do presidente. Ele ainda está sentado à cabeceira da mesa, ainda dominando.

Sua vida resume-se na manipulação dos outros, você gostaria que sua morte fosse uma manipulação também. Chuang Tzu diz que não há escolha. Se você deixar o meu corpo no chão, bem, ele vai ser devorado; se você enterrá-lo lá no fundo, ele vai ser devorado também. Então, por que favorecer as aves ou os vermes? Deixe como está para acontecer. Deixe a fonte decidir.

A decisão dá a você o ego: eu vou decidir. Então deixe a fonte decidir, deixe que ela decida como quer se desfazer desse corpo. Nunca me perguntaram como a fonte teve que construir esse corpo, por que eu deveria decidir como ele tem que ser eliminado? E por que temer que ele seja devorado? Isso é bom.

Temos medo de ser devorados — por quê? Isso é algo a ser entendido. Por que temos tanto medo de sermos devorados? Durante toda a nossa vida nós comemos, e nós estamos destruindo a vida através da alimentação. Tudo o que você come, você mata. Você tem que matar, porque a vida pode comer apenas o que é vivo. Não há outra maneira. Portanto, ninguém pode na verdade ser um vegetariano — ninguém. Todo mundo é não vegetariano, porque o que você come é vida. Você come frutas, é vida; você come legumes, o vegetal tem vida; você come arroz, trigo, eles são sementes para mais vida germinar. Tudo de que você depende tem vida.

Tudo é um alimento para alguém, então por que se proteger, por que tentar se proteger de ser comido? Simples loucura! Você comeu durante toda a sua vida, agora dê uma chance para que comam você, permita que a vida coma você.

É por isso que eu digo que os parses têm o método mais científico de dispor de um corpo morto. Os hindus o queimam. Isso é ruim, porque você está queimando alimento. Se cada árvore queimasse seu fruto, e se cada animal que morresse, os outros o queimassem, o que iria acontecer? Eles seriam todos hindus, mas não haveria ninguém no planeta. Por que queimar? Você come, agora permita também, dê à vida a chance de comê-lo. E fique feliz com isso, porque ser comida significa que seu corpo está sendo absorvido. Não há nada de errado nisso. Isso significa que a existência levou você de volta, o rio voltou para o oceano.

E essa é a melhor maneira de ser absorvido — ser devorado, de modo que tudo o que é útil em você esteja vivo em alguém em algum lugar. Alguma árvore, algum pássaro, algum animal estará vivo através da sua vida. Fique feliz, sua vida já foi distribuída. Por que achar que isso é uma coisa errada?

Maometanos e cristãos enterram seus mortos na terra, em caixões, para protegê-los. Isso é ruim, é pura tolice, porque não podemos proteger a vida, então como podemos proteger a morte? Nós não podemos proteger nada, nada pode ser protegido. A vida é vulnerável, e você ainda tenta fazer a morte invulnerável. Você quer proteger, salvar.

Os parses têm o melhor método — eles simplesmente deixam o corpo sobre torres, então, abutres e outras aves vêm e o devoram. Todo mundo é contra os parses, até mesmo os próprios parses, porque a coisa toda parece muito feia. Não é feia. Quando você está comendo, é feio? Então, por que um urubu é feio quando está comendo? Quando você come, é um jantar, e quando um urubu come você, então também é um jantar. Você tem comido os outros, deixe que os outros comam você; seja absorvido.

Então Chuang Tzu diz: "Não há escolha, por que favorecer este ou aquele? Deixe a vida fazer tudo o que ela escolhe fazer, eu não vou decidir." Na verdade, Chuang Tzu viveu uma vida sem escolhas, por isso ele estava pronto para morrer uma morte sem escolhas. E só quando você está sem escolhas você é. Quando você tem uma escolha, a mente é. A mente é quem escolhe; o ser é sempre sem escolhas. A mente quer fazer alguma coisa, o ser simplesmente permite que as coisas aconteçam. Ser é deixar acontecer.

Como você pode ser infeliz se não escolher? Como você pode ser infeliz se não pedir um determinado resultado? Como você pode ser infeliz se não estiver se movendo em direção a um objetivo específico? Nada pode fazer você infeliz. Sua mente pede metas, escolhas, decisões, então a miséria, a infelicidade, se instala.

Se você viver sem escolhas e permitir que a vida aconteça, então você simplesmente se torna um campo. A vida acontece em você, mas você não é o gerente. Você não a gerencia, não a controla. Quando você não é o controlador todas as tensões se dissolvem; só então ocorre um relaxamento, você fica totalmente relaxado. Esse relaxamento é o ponto final, o alfa e o ômega, o princípio e o fim.

Seja a vida ou a morte, você não deve defender nenhum ponto de vista. Esse é o significado. Você não deve defender nenhum ponto de vista. Você não deveria dizer que isso é certo e aquilo é errado. Você não deve dividir. Deixe a vida ser um todo indivisível.

Chuang Tzu disse: Se você dividir, por causa dessa divisão de apenas um centímetro, o céu e o inferno são separados, e então eles não podem ser superados.

Aconteceu uma vez... eu conheci um rapaz. Ele costumava me procurar e estava sempre preocupado com uma coisa. Ele queria se casar, mas qualquer garota que ele levava para a casa, a mãe não aprovava. Tornou-se quase impossível. Então eu lhe disse: "Tente encontrar uma garota que seja quase como a sua mãe: rosto, corpo, o jeito como ela anda, suas roupas. Basta encontrar uma imagem espelhada, um reflexo de sua mãe."

Ele procurou e finalmente encontrou uma moça. Ele veio até mim e disse: "Você estava certo, minha mãe gostou dela imediatamente. Ela é como minha mãe, não só ela se veste como minha mãe, como anda, fala e até cozinha como a minha mãe."

Então eu lhe perguntei: "Então o que aconteceu?"

Ele disse: "Nada, porque meu pai a odeia."

A polaridade — se uma parte de sua mente ama uma coisa, você pode encontrar imediatamente uma outra parte da mente que a odeia. Se você escolhe uma coisa, basta olhar para trás — a outra parte que odeia está escondida ali. Sempre que você escolher, não é só o mundo que fica dividido, você também fica dividido ao meio por causa da sua escolha.

Você não fica inteiro. E se você não fica inteiro, você não pode permitir que a vida aconteça. E toda bênção da vida vem como uma graça, um dom; ela não é alcançada através do esforço.

Portanto, não escolha uma religião para combater o mundo, não escolha a bondade para combater a maldade, não escolha a graça para combater o pecado, não tente ser um bom homem para combater o homem mau, não faça nenhuma distinção entre Deus e o Diabo, isso é o que Chuang Tzu diz. Ele diz: Não escolha entre a vida e a morte. Não escolha entre esse tipo de morte e aquele tipo de morte. Não escolha, permaneça inteiro e, sempre que você está inteiro, há uma reunião com o todo, porque só semelhante atrai semelhante.

Os místicos sempre disseram ao longo dos séculos: Como acima, assim abaixo. Eu gostaria de acrescentar mais uma coisa a isso: Como dentro, assim fora. Se você é inteiro por dentro, o todo fora acontece a você imediatamente. Se você está dividido por dentro, o todo fora está dividido.

É você que é eterno, que se torna o universo inteiro, você se torna projetado, é você — e sempre que você escolhe, você fica dividido. Escolha significa divisão, escolha significa conflito, por isso, sou contra isso.

Não escolha. Permaneça uma testemunha sem escolha, e então nada estará faltando. Então, esta existência será a existência mais perfeita possível. Nada pode ser mais belo, nada pode ser mais feliz. Está ali, ao seu redor, esperando por você. Sempre que você se tornar consciente de algo, isso lhe será revelado. Mas, se a sua mente continuar trabalhando no seu interior, dividindo, escolhendo, criando conflitos, isso nunca vai acontecer a você.

Você perdeu isso de vista há muitas vidas. Não perca mais nada.

Basta por hoje.

Sobre **OSHO**

Osho desafia categorizações. Suas milhares de palestras abrangem desde a busca individual por significado até os problemas sociais e políticos mais urgentes que a sociedade enfrenta hoje. Seus livros não são escritos, mas transcrições de gravações em áudio e vídeo de palestras proferidas de improviso a plateias de várias partes do mundo. Em suas próprias palavras, "Lembrem-se: nada do que eu digo é só para você... Falo também para as gerações futuras".

Osho foi descrito pelo *Sunday Times*, de Londres, como um dos "mil criadores do século XX", e pelo autor americano Tom Robbins como "o homem mais perigoso desde Jesus Cristo". O *jornal Sunday Mid-Day*, da Índia, elegeu Osho — ao lado de Buda, Gandhi e o primeiro-ministro Nehru — como uma das dez pessoas que mudaram o destino da Índia.

Sobre sua própria obra, Osho afirmou que está ajudando a criar as condições para o nascimento de um novo tipo de ser humano. Muitas vezes, ele caracterizou esse novo ser humano como "Zorba, o Buda" — capaz tanto de desfrutar os prazeres da terra, como Zorba, o Grego, como de desfrutar a silenciosa serenidade, como Gautama, o Buda.

Como um fio de ligação percorrendo todos os aspectos das palestras e meditações de Osho, há uma visão que engloba tanto a sabedoria perene de todas as eras passadas quanto o enorme potencial da ciência e da tecnologia de hoje (e de amanhã).

Osho é conhecido pela sua revolucionária contribuição à ciência da transformação interior, com uma abordagem de meditação que leva em conta o ritmo acelerado da vida contemporânea. Suas singulares meditações ativas **OSHO** têm por objetivo, antes de tudo, aliviar as tensões acumuladas no corpo e na mente, o que facilita a experiência da serenidade e do relaxamento, livre de pensamentos, na vida diária.

Dois trabalhos autobiográficos do autor estão disponíveis:

Autobiografia de um Místico Espiritualmente Incorreto, publicado por esta mesma Editora.

Glimpses of a Golden Childhood (Vislumbres de uma Infância Dourada).

OSHO International Meditation Resort

Localização

Localizado a cerca de 160 quilômetros a sudeste de Mumbai, na florescente e moderna cidade de Puna, Índia, o **OSHO** International Meditation Resort é um destino de férias diferente. Estende-se por 28 acres de jardins espetaculares numa bela área residencial cercada de árvores.

OSHO Meditações

Uma agenda completa de meditações diárias para todo tipo de pessoa, segundo métodos tanto tradicionais quanto revolucionários, particularmente as Meditações Ativas **OSHO**®. As meditações acontecem no Auditório **OSHO**, sem dúvida o maior espaço de meditação do mundo.

OSHO Multiversity

Sessões individuais, cursos e *workshops* que abrangem desde artes criativas até tratamentos holísticos de saúde, transformação pessoal, relacionamentos e mudança de vida, meditação transformadora do cotidiano e do trabalho, ciências esotéricas e abordagem "Zen" aos esportes e à recreação. O segredo do sucesso da **OSHO** Multiversity reside no fato de que todos os seus programas se combinam com a meditação, amparando o conceito de que nós, como seres humanos, somos muito mais que a soma de nossas partes.

OSHO Basho Spa

O luxuoso Basho Spa oferece, para o lazer, piscina ao ar livre rodeada de árvores e plantas tropicais. Jacuzzi elegante e espaçosa, saunas, academia, quadras de tênis... tudo isso enriquecido por uma paisagem maravilhosa.

Cozinha

Vários restaurantes com deliciosos pratos ocidentais, asiáticos e indianos (vegetarianos) — a maioria com itens orgânicos produzidos especialmente para o Resort **OSHO** de Meditação. Pães e bolos são assados na própria padaria do centro.

Vida noturna

Há inúmeros eventos à escolha — com a dança no topo da lista! Outras atividades: meditação ao luar, sob as estrelas, shows variados, música ao vivo e meditações para a vida diária. Você pode também frequentar o Plaza Café ou gozar a tranquilidade da noite passeando pelos jardins desse ambiente de contos de fadas.

Lojas

Você pode adquirir seus produtos de primeira necessidade e toalete na Galeria. A **OSHO** Multimedia Gallery vende uma ampla variedade de produtos de mídia **OSHO**. Há também um banco, uma agência de viagens e um Cyber Café no *campus*. Para quem gosta de compras, Puna atende a todos os gostos, desde produtos tradicionais e étnicos da Índia até redes de lojas internacionais.

Acomodações

Você pode se hospedar nos quartos elegantes da **OSHO** Guesthouse ou, para estadias mais longas, no próprio *campus*, escolhendo um dos pacotes do programa **OSHO** Living-in. Há além disso, nas imediações, inúmeros hotéis e *flats*.

http://www.osho.com/meditationresort
http://www.osho.com/guesthouse
http://www.osho.com/livingin

Para maiores informações: **http://www.OSHO.com**

Um *site* abrangente, disponível em vários idiomas, que disponibiliza uma revista, os livros de Osho, palestras em áudio e vídeo, **OSHO** biblioteca *on-line* e informações extensivas sobre o **OSHO** Meditação. Você também encontrará o calendário de programas da **OSHO** Multiversity e informações sobre o **OSHO** International Meditation Resort.

Websites:

http://**OSHO**.com/AllAbout**OSHO**
http://**OSHO**.com/Resort
http://**OSHO**.com/Shop
http://www.youtube.com/**OSHO**international
http://www.Twitter.com/**OSHO**
http://www.facebook.com/pages/**OSHO**.International

Para entrar em contato com a **OSHO International Foundation**:
http://www.osho.com/oshointernational
E-mail: oshointernational@oshointernational.com